JEAN D'ORMESSON

Normalien, agrégé de philosophie, Jean d'Ormesson a publié notamment *La Gloire de l'Empire*, *Au plaisir de Dieu*, *Histoire du Juif errant*, *La Douane de mer*, *C'était bien* (Gallimard), *Mon dernier rêve sera pour vous* – une biographie sentimentale de Chateaubriand (Jean-Claude Lattès), *Voyez comme on danse*, *Et toi mon cœur pourquoi bats-tu* (Robert Laffont).

Il a été élu à l'Académie française en 1973.

Une Fête en larmes a paru aux éditions Robert Laffont en 2005.

UNE FÊTE EN LARMES

JEAN D'ORMESSON

de l'Académie française

UNE FÊTE EN LARMES

ROBERT LAFFONT

© Éditions Robert Laffont, S.A., Paris, 2005
ISBN 978-2-266-16495-5

à Jeanne Hersch
in memoriam

Zeus nous a fait un dur destin, afin que nous soyons plus tard chantés par les hommes à venir.

HOMÈRE, l'*Iliade*, VI, 357-358

— Un roman ? me dit-elle.

Je la regardai.

Elle devait avoir un peu plus de vingt ans. Et un mètre soixante-quinze, ou peut-être soixante-dix-huit. Les femmes avaient beaucoup grandi depuis les jours de ma jeunesse.

Un roman... J'en avais lu beaucoup, j'en avais écrit quelques-uns. Je commençais à me demander si le temps du roman n'était pas en train de passer comme était passé le temps de l'épopée, de la tragédie classique, du sonnet ou de l'ode. Tout passait en ce monde. N'y avait-il que le roman pour prétendre avec arrogance à une sorte d'éternité ?

— Vous avez l'air..., me dit-elle.

— Ah ! lui dis-je, de quoi ai-je l'air ?

— Un peu..., un peu...

Un peu, oui. J'étais un peu... comment dire ?... un peu désabusé. À quoi bon tout ce cirque où je tournais depuis si longtemps ? Un sentiment montait en moi comme une espèce de nausée que je connaissais bien : c'était l'indifférence. Et peut-être quelque chose qui ressemblait à de l'hostilité. De l'hostilité contre elle, ma visiteuse du matin – mais elle allait partir assez vite et ne tirait guère

11

à conséquence. Et, autrement sérieuse, de l'hostilité contre moi-même.

— Ça va ? me demanda-t-elle en levant les sourcils et en se penchant un peu vers moi.

Je haussai les épaules.

Bien sûr que ça allait. Roule, ma poule. Je n'étais pas sur le point de m'écrouler. Et le monde non plus. J'en avais seulement un peu assez de répéter toujours la même chose et de jouer un jeu usé jusqu'à la corde. De Rabelais et de Cervantès à Proust et à Hemingway, j'avais mis plus haut que tout ces histoires de passion, de folie et d'amour où se mêlaient rires et larmes. Elles me semblaient s'essouffler. Elles perdaient de leur vigueur et de leur nouveauté. Peut-être simplement pour survivre, elles se compliquaient à plaisir, et elles s'affadissaient. Où étaient le charme et la grandeur qui, si longtemps et si fort, avaient fait battre nos cœurs ?

Les théories scientifiques vieillissent comme les modes, comme les êtres vivants et comme tout. Quand elles se mettent à perdre de leur évidence triomphante, les savants qui y tiennent pour une raison ou une autre les rapetassent à coups d'astuces et de bricolages subalternes. Le roman aussi donnait l'impression de se débattre contre une lente agonie. Il se précipitait dans le sexe ou dans la violence pour jeter encore quelques flammes et pour essayer de surprendre, il inventait des formes nouvelles, il suivait des chemins détournés pour lutter contre la routine et la répétition, il se flanquait d'arcs-boutants, il se couvrait d'échafaudages, il allait jusqu'à se présenter en ennemi de lui-même pour tenter de se justifier à ses yeux déjà cernés par la fatigue et le doute.

— Alors, répéta-t-elle, un roman ?

C'était un bon petit soldat.

J'hésitai. Allais-je exposer tout au long, pour des lecteurs qui s'en fichaient, des inquiétudes et des doutes à l'intérêt limité ? Ah oui ! à quoi bon ? Une lassitude me prenait.

— Non, non, murmurai-je, plus de roman. Il y a trop de romans, il en pleut de partout, le métier est gâché, la mauvaise monnaie chasse la bonne, on sent le bout du rouleau. Beaucoup de romans dont on parle, comme vous dites, qui ont reçu des prix et dont les ventes donnent le vertige, sont au-dessous du médiocre. Quelques-uns sont honorables. On en trouverait même de très bons. Simplement, il y en a trop. Le pire étouffe le meilleur. Il n'est pas impossible que le roman soit fini. Son succès l'a tué.

Il y eut un grand silence.

— Quel dommage ! s'écria-t-elle, par politesse peut-être, en s'excitant un peu. J'ai tant aimé Fabrice, et Aurélien, et la princesse de Clèves, et Swann, et mon amie Nane !

Il y eut un petit silence, tout chargé d'émotion.

— Et lady Brett, qui était amoureuse, reprit-elle, vous souvenez-vous ? d'un torero si mince qu'il lui fallait un chausse-pied pour enfiler sa culotte.

Elle fronçait les sourcils. Je la voyais réfléchir.

— Et même Mme Solario, ajouta-t-elle en riant. Croyez-vous vraiment que l'auteur, comme on l'a soutenu, était Winston Churchill ? Et même Jeeves et Bertram Wooster qui mangent des harengs et des sandwiches au concombre à leur petit déjeuner.

Elle était charmante, elle avait un long cou sous ses cheveux blonds et des jambes interminables, elle savait de petites choses, elle n'était pas idiote. Et elle m'ennuyait un peu : j'aurais préféré rester seul et relire un de ces romans que, moi aussi, j'avais beaucoup aimés et dont je n'avais plus envie de parler.

— Le seul projet qui pourrait encore me tenter, lui déclarai-je avec un grand sourire et pour dire quelque chose, ce serait d'écrire des Mémoires.

Elle gloussa un peu.

— Ah ! des Mémoires !

Elle aimait la littérature.

Je n'avais pas la moindre intention de raconter une fois de plus mes enfances en forêt, ni mon passage chez les Bérets rouges, ni mes études sur la montagne Sainte-Geneviève, ni mes voyages en Italie ou en Grèce. Tout cela appartenait à un passé évanoui et il faut laisser les morts enterrer les morts : la publication de Mémoires me paraissait à peu près aussi inutile que la rédaction d'un roman. Mais je pensais que le scintillement du mot « Mémoires » pouvait lui faire plaisir.

Par pure bonté, on ne se change pas, je décidai de faire encore un effort pour elle, et j'enchaînai :

— Je crois que j'ai connu votre mère, il y a déjà pas mal de temps...

C'était en Autriche, vers la fin du printemps. Il y avait un peu de neige sur le sommet des montagnes et, au pied des montagnes, des uniformes rapiécés, un peu de bric et de broc : un bout de l'armée française, ressuscitée d'entre les morts. Nous venions de gagner une guerre que nous avions perdue et j'avais dix-neuf ans.

Est-ce que sa fille lui ressemblait ? J'avais écrit un roman sur une mère et sa fille, un autre sur trois sœurs qui ressemblaient aux six sœurs Mitford, aux trois sœurs Heredia autour de Pierre Louÿs et d'Henri de Régnier et aux trois sœurs Song, en Chine, dont l'une avait épousé Sun Yat-sen et l'autre Tchang Kaï-chek, et les rapports entres sœurs et entre mère et fille m'avaient toujours fasciné.

— Elle s'appelait Françoise, dis-je d'un ton

14

rêveur, et peut-être un peu trop. J'ai oublié votre prénom...

— Clara, me dit-elle. Mais ce n'était pas ma mère.

— Ah ! ce n'était pas votre mère... J'avais cru que peut-être... Elle portait le même nom que vous.

— C'était ma grand-mère.

Souvent, je vais trop vite. C'est un de mes défauts. Comment avais-je pu penser un instant que la grande perche devant moi était la fille du commandant Sombreuil, qui devait avoir une quarantaine d'années en 1945 ! Plus d'un demi-siècle et un monde évanoui séparaient l'image de la grand-mère et celle de sa petite-fille.

Je regardai soudain Clara avec plus d'attention. Elle était vêtue d'un tee-shirt qui portait un visage dessiné à gros traits que je ne reconnus pas aussitôt...

— C'est qui, ça ?

— Elvis Presley

... et d'un pantalon noir. Entre le pantalon et le tee-shirt bâillaient deux doigts de ventre devant et de dos derrière. Aux pieds, de ces baskets qui échangent de la grâce contre du confort.

Françoise Sombreuil était aussi brune que sa petite-fille était blonde. Et aussi mystérieuse et apparemment réservée que Clara semblait gaie, spontanée et ouverte. L'une et l'autre avaient les yeux bleus. J'avais souvent vu, surtout le soir, la grand-mère dissimuler les siens, avec un mélange d'ironie et de provocation, derrière une voilette sortie de l'autre avant-guerre et attachée à un minuscule bonnet de velours ou de fourrure posé sur ses cheveux sombres.

Vaguement ridicule et déjà vieillotte même en

15

ces temps reculés, la voilette de Mme Sombreuil m'avait tourné la tête. Comme beaucoup de garçons de mon âge, je m'étais engagé, en été 44, après la libération de Paris par les troupes alliées et les chars de Leclerc. J'avais été versé dans un bataillon de choc qui s'était fait décimer dans la plaine d'Alsace et au passage du Rhin. Il y avait du sang partout et deux fois au moins on était mort dans mes bras. Vous savez comment ça s'arrange : mon grand-père, ancien officier de cavalerie, admirateur de Pétain et ami intime du père du docteur Ménétrel, médecin et confident du Maréchal, était aussi lié à un de ses jeunes camarades de Saint-Cyr, le général Émile Béthouart, qui avait commandé le corps expédition-naire en Norvège au printemps 40 avant de se retrouver, à travers les détours d'une histoire sinueuse et longtemps imprévisible, au Maroc d'abord, puis à la tête des troupes françaises en Autriche occupée. Après les combats assez durs qui avaient tué en quelques jours pas mal de mes amis sur le Rhin au début du printemps 45, mon grand-père, qui rêvait pour moi d'un avenir politique à défaut d'une car-rière militaire, avait écrit au général Béthouart et m'avait obtenu une planque dans les montagnes du Tyrol tenues par les Français. La guerre était finie, je n'avais pas vingt ans, j'étais un normalien combattant, je me prenais volontiers pour un Fabrice del Dongo égaré par l'histoire entre Rhin et Danube, et la femme du commandant Sombreuil dissimulait des yeux très bleus derrière une voilette d'un autre âge.

— Et qui admirez-vous parmi les écrivains d'aujourd'hui ?

Qui j'admirais parmi les... ? La vérité est que je m'en fichais éperdument. Je commençais à me repentir d'avoir écrit des livres dont il fallait me mettre à parler. Ce que j'aurais surtout aimé, c'était être ailleurs. Il faisait beau dehors : j'aurais pu aller me promener, j'aurais pu partir au loin. Je voyais le moment où j'allais dire n'importe quoi pour mettre fin au supplice de cette cérémonie des temps modernes : l'interview.

— Quand vous sortez de la rue d'Ulm..., murmurait Clara en fouillant dans les papiers qu'elle avait étalés devant son Coca light.

Un malaise s'emparait de moi – et peut-être presque une panique. J'essayais de me souvenir de la grand-mère en écoutant la petite-fille. C'était loin. Je flottais un peu : nous inventons notre passé au moins autant que nous nous le rappelons. Et le jeune homme exalté qui m'apparaissait en uniforme dans les rues d'Innsbruck, au pied des montagnes du Tyrol, vers le milieu du siècle passé, m'était profondément étranger, plus étranger peut-être que les héros des romans dont je prononçais les noms pour occuper un temps qui passait si vite et pourtant trop lentement.

— Quand je sors de la rue d'Ulm, vous n'étiez encore qu'une lueur dans l'œil d'un petit garçon.

— D'un petit garçon ? dit Clara.

— De votre père, lui dis-je. Il s'appelait Bernard, n'est-ce pas ?

— Bertrand, dit Clara.

— Bertrand ! Il s'appelait Bertrand !

Bertrand, le fils du commandant et de Mme Sombreuil, se tenait à nouveau en culottes courtes devant moi. Il devait avoir huit ou neuf ans quand je me promenais avec sa sœur et lui dans Innsbruck libéré – fallait-il dire libéré ? – par les Français du général Béthouart. Bertrand et sa sœur cadette Louise me gênaient plutôt. Dans mes instants de

17

mauvaise humeur, je soupçonnais Mme Sombreuil, qui était toujours flanquée de son frère et de ses deux enfants, de se dissimuler derrière eux et de me les jeter dans les pattes pour m'empêcher de m'occuper d'elle.

— Qu'est devenu votre père ? demandai-je.

— Il est mort depuis longtemps, dit Clara.

— Et avant de mourir ?

— Il était officier, comme son père, dit Clara. Mais nous sommes là pour parler de vous. Pas de lui.

— Pourquoi pas ? lui dis-je. Il fait partie de ma jeunesse.

J'étais souvent retourné en Autriche, à Vienne, au Sacher ou au Schwarzenberg, pour visiter la Hofburg, la cathédrale Saint-Étienne, le château de Schönbrunn, pour assister au spectacle de l'école espagnole avec ses lipizzans, à Graz, à Salzbourg en souvenir de Mozart, à Innsbruck, à Kitzbühl, à Sankt Anton ou à Oberlech pour faire du ski. Une foule d'images successives que j'avais du mal à ranger en bon ordre se bousculaient dans ma tête. Quand le téléphone avait sonné dans son bureau des Éditions Gallimard, rue Sébastien-Bottin, derrière Saint-Thomas-d'Aquin, Hélène avait prononcé quelques mots avant de couvrir l'appareil de sa main et de se tourner vers moi.

— C'est *L'Express*. Ils veulent une interview.

J'avais fait la grimace.

— Une interview... Tu sais bien que les interviews...

— C'est important, souffla Hélène.

— Bon, murmurai-je, résigné. Quand ? Et où ?

Elle échangea encore quelques paroles au télé-phone et me tendit un papier sur lequel elle avait

18

griffonné des indications. Je lus : « Clara Sombreuil, *L'Express*, mercredi 15, onze heures, chez toi. »

— Sombreuil... Ça me dit quelque chose... J'ai connu une Mme Sombreuil...

— Débrouille-toi, mon garçon ! me dit Hélène en riant. Et tâche, si tu peux, d'être moins mauvais que d'habitude.

Les attachées de presse ont joué un grand rôle dans ma vie comme dans la vie de tous ceux qui, dans la seconde moitié du siècle écoulé, ont essayé d'écrire des livres pour des motifs obscurs. De Monique, chez Julliard, rue de l'Université, au temps de mes débuts, ou de Claude, chez Grasset, rue des Saints-Pères, à Catherine, chez Laffont, à Hélène, chez Gallimard, j'en avais vu passer pas mal et j'avais toujours entretenu avec elles des relations qui me semblaient romanesques. Pendant un mois ou deux, elles occupaient une place considérable de confidentes, d'amies, parfois de consolatrices, toujours d'organisatrices d'un calendrier et d'un temps dominés, qu'on le voulût ou non, par les moyens de communication. Il y avait des hommes parmi elles. Avec Pierre, qui m'était devenu proche, j'avais souvent couru la France, la Suisse, la Belgique, le Canada, le Liban, toutes les régions qui parlaient français, les antennes de radio et les studios de télévision. Hommes ou femmes, ils se confondaient avec mes livres successifs et je leur devais beaucoup. Nous riions ensemble et ils me guidaient dans ce monde de la presse et de la télévision que j'avais fini par connaître presque aussi bien qu'eux-mêmes, où j'entrais toujours avec curiosité et d'où je sortais le plus souvent avec une lassitude qui touchait à l'angoisse.

Le téléphone sonnait à nouveau. C'était l'un ou

l'autre de ces écrivains de la NRF dont les prédécesseurs m'avaient tant fait rêver dans ma jeunesse, à la veille de la guerre ou dans la nuit de l'Occupation, sous leur couverture blanche aux filets rouges et noir. Hélène agitait la main. Je levais la mienne. Je m'en allais.

J'ai passé une bonne partie de mon existence entre les bureaux des éditeurs et les salles de rédaction. C'était là que battait le cœur du monde où je vivais. Julliard, Grasset, Lattès, Laffont, Gallimard, *L'Express*, *Le Point*, *Le Nouvel Observateur*, *Le Figaro*, *Le Monde*, la maison ronde du quai Kennedy, les émissions de Bernard Pivot, « Apostrophes » ou « Bouillon de culture » : toute histoire de notre temps s'enracine dans ces centres de triage, de mémoire et d'oubli où prospérait et se nourrissait, autant et peut-être plus qu'à la Sorbonne, au Collège de France, au quai Conti, le monstre majeur, anonyme et insatiable, de notre drôle d'époque : la culture – ou ce que nous appelions de ce nom et à quoi je ne croyais plus beaucoup.

— Nous parlons de mon père ou nous parlons de vous ?

— De votre père, je préfère.

J'appris dans la grande pièce pleine de lumière, au-dessus des jardins du Palais-Royal, où je recevais sa fille, que Bertrand Sombreuil, auquel je n'avais plus pensé depuis de longues années et que j'avais connu en culottes courtes dans les jupons de sa mère, avait été le bras droit du général Salan à l'époque de la guerre d'Algérie et de l'OAS. Clara évoquait son père avec un mélange d'impatience presque hostile et d'admiration rentrée. Il avait été un de ces soldats perdus qui croyaient encore dur comme fer à un empire depuis longtemps englouti et qui, passés brutalement des sommets d'une foi aveugle aux abîmes du désespoir, chantaient les mots de Piaf :

> *Non, rien de rien,*
> *Non, je ne regrette rien,*
> *Ni le bien qu'on m'a fait*
> *Ni le mal,*
> *Tout ça m'est bien égal.*
> *Non, rien de rien,*
> *Non, je ne regrette rien,*
> *C'est payé, balayé,*
> *Oublié, je me fous du passé...*

dans les camions qui les emmenaient, entourés de motards qui ne formaient pas une garde d'honneur, vers une absence d'avenir.

— Vous aimiez votre père ?

— Je l'ai à peine connu. Je suis née en 85. Il est mort en 89.

— En 89 ? L'année de la chute du mur de Berlin ?

— Il est mort huit jours plus tard. Il a dit : « J'aurai vu ça. »

L'ombre du communisme passa sur les vieux arbres des jardins du Palais-Royal d'où montaient des cris d'enfants qui jouaient au ballon. Nous avions écrit des livres, nous avions vu des films et des pièces de théâtre, nous avions voyagé, beaucoup étaient morts de ceux que nous aimions, nous avions travaillé pour gagner notre vie, une foule d'idées et d'événements nous avaient agités, les passions de l'amour surtout, qui fournissaient l'essentiel de nos romans, de nos films, de l'inlassable robinet de la télévision, nous avaient emportés et hissés un peu au-dessus de nous-mêmes et de la médiocrité quoti-dienne. Bien au-delà d'un national-socialisme dont les ambitions et les crimes n'avaient crucifié l'Europe que pour une douzaine d'années, ce qui avait dominé notre temps, c'était deux armées immenses qui occupaient le terrain, qui échangeaient d'ailleurs entre elles informations et éclaireurs, et qui s'efforçaient, avec un succès inégal, d'établir leur empire sur la planète entière : la science et le communisme. C'étaient elles qui donnaient leurs couleurs à notre époque. L'une, dont la préhistoire remontait à nos origines, triomphait en notre temps et nous asservissait à ses progrès qui se confondaient avec notre avenir ; l'autre née il y avait à peine cent cinquante ans, au croisement de la Révolution française, des économistes anglais et de la philosophie allemande, avec la promesse de l'emporter à jamais, dominait les trois quarts de l'histoire du XXe siècle avant de s'écrouler.

Longtemps, le communisme m'avait beaucoup occupé. Pourquoi ? Parce que mon grand-père, que j'aimais beaucoup, était pour Pétain, pour Vichy, pour la Révolution nationale, parce que mon bref passage rue d'Ulm, vers la fin de l'Occupation, après une hypokhâgne et une khâgne à Henri-IV, m'avait plongé dans un bain de trotskisme et parce que je m'étais battu contre Hitler et le national-socialisme dont les ennemis étaient, d'un côté, la démocratie américaine, encore lointaine en ce temps-là, et, de l'autre, si proche, la Russie de Staline.

— Parlez-moi de vos parents, me demanda Clara avec une fermeté qui venait peut-être de sa volonté de ne pas parler de son père. Étiez-vous lié avec eux ? Ont-ils beaucoup compté pour vous ?

Devions-nous vraiment, elle et moi, mêler notre passé aux livres que j'avais écrits et qui étaient censés occuper notre rencontre d'aujourd'hui ? Devais-je vraiment parler, pour me punir de ce que j'avais fait, non seulement de littérature mais de ma vie privée et de ceux qui m'avaient élevé dans le culte de la discrétion et souvent du silence ? Nous vivions en un temps qui aimait la transparence. On ne devait rien cacher, tout devait être mis sur la table, il fallait savoir d'où nous parlions. *Glasnost*, disaient les Russes du temps de Gorbatchev et de la démocratie à tâtons. Et, chez nous, les médias détestaient l'opacité, les ténèbres, tous ces tas de secrets qui, pendant des générations, avaient servi de remparts à notre existence protégée. Mon père était élégant. Il avait été très bien élevé dans de vieilles habitudes et selon des préceptes qui pesaient assez lourd. Il menait une vie de plaisirs et parlait très peu de lui.

— Ma mère, répondis-je, est morte plus tôt encore que votre père : je l'ai perdue à ma naissance. Ni visage, ni voix, ni parfum. Les photographies que j'ai d'elle me montrent une étrangère. Pas de câlins, pas de tendresse. Elle n'est jamais venue m'embrasser dans mon lit puisqu'elle n'était plus là. Peut-être un peu de mon indifférence vient-elle de son absence ?

— Et votre père ?

— C'était un rêveur taciturne qui faisait ce qu'il voulait. Il était doué pour les plaisirs. Il skiait très bien. Il s'y connaissait en bateaux. Il jouait au golf, au tennis, aux cartes. Il s'occupait des dames. Il avait beaucoup de succès. Il chassait à courre en habit rouge.

— Vous connaissez la définition, à peu près intraduisible, de la chasse à courre par Oscar Wilde : *The unspeakable in pursuit of the uneatable.*

— Voilà. Parler était à peine convenable. Écrire était invraisemblable. Il n'aimait pas s'expliquer. Il se taisait beaucoup. Il n'est pas impossible que j'aie hérité de lui une vague incapacité à répondre à vos questions.

— Où viviez-vous ?

— Devinez ! À la campagne, bien sûr. Dans la Haute-Sarthe, exactement. Peut-être le nom de Plessis-lez-Vaudreuil vous dit-il encore quelque chose ? C'était un grand château de brique rose, dont les toits d'ardoise s'étendaient sur un hectare et demi. Il nous venait de loin. J'en ai beaucoup parlé. En fabulant un peu : l'art du roman consiste à inventer avec des souvenirs. Nous habitions là, mon grand-père, ma grand-mère, qui avait été très belle, mon père, pas mal d'oncles et de tantes, mes cousins et cousines. En vestes de tweed avec des pièces de cuir au coude, en pantalons élimés. Et, le soir, petites robes habillées et noires – elles sont toujours habillées, vous savez...

— Oui, je sais, dit Clara.

— ... et smokings de velours vert foncé ou bordeaux. Vous voyez le genre ?

— Très bien, dit Clara. J'ai connu ça. Chapeau melon et bottes de cuir, arsenic et vieilles dentelles, le sabre et le goupillon, Dieu et mon droit. Les oripeaux en charpie de la bourgeoisie à bout de souffle.

— Oui..., enfin..., si vous voulez... Le temps passait lentement. Je m'ennuyais un peu. Lieutenant de cavalerie, sur le point d'être nommé capitaine, mon grand-père avait quitté l'armée au début de 1906, au moment des Inventaires...

— Les Inventaires ? demanda Clara.

— Un avatar de la laïcité et de la séparation de l'Église et de l'État. La répétition, en dérisoire, de la lutte du Sacerdoce et de l'Empire. Vous vous rappelez les grandes bagarres, pendant des siècles, entre le pape et l'empereur, Canossa sous la neige, la rencontre à Venise où Frédéric Barberousse baise

24

la mule du Saint-Père, Frédéric II Hohenstaufen, le veneur sicilien, polyglotte, sceptique et islamiste qu'on appelle *Stupor mundi* et qui passe son règne à lutter contre Rome, les souverains pontifes aux abois qui fulminent des bulles et des excommunications avant de triompher, tout ce tintouin de géants jusqu'au sac de Rome en 1527 où, traître à sa patrie et à son roi François Ier, passé au service de Charles Quint, ennemi de Bayard à qui l'histoire a donné le nom de chevalier sans peur et sans reproche, le connétable de Bourbon est tué d'un coup d'arbalète tiré des remparts du château Saint-Ange par Benvenuto Cellini, aventurier mégalomane et ciseleur de génie ?

— Vaguement, dit Clara. Très vaguement.

— Eh bien, la séparation de l'Église et de l'État, c'est un peu la même chose – en minuscule évidemment : une épopée risible au temps de la Belle Époque et de nos arrière-grands-parents ou des parents de nos arrière-grands-parents. Le gouvernement avait décidé de procéder à l'inventaire, dans les églises, dans les monastères, dans les couvents, de tous les objets du culte, et beaucoup de catholiques s'y étaient opposés corps et âme. C'était l'époque du cabinet Combes, un ancien docteur en théologie qui avait abandonné l'état ecclésiastique auquel il se destinait pour se lancer dans la médecine et dans la politique. Président du Conseil après Waldeck-Rousseau, il avait pris pour ministre de la Guerre, en remplacement du général de Galliffet, un ancien élève de l'École polytechnique : le général André.

Le nom de Louis André reste attaché non seulement aux Inventaires menés par la force publique, mais à l'établissement au ministère de la Guerre, peu après l'affaire Dreyfus, de fiches sur lesquelles étaient consignées les opinions politiques et religieuses des officiers. Les dossiers étaient classés sous deux rubriques : « Carthage » ou « Corinthe ». L'indication « Carthage » concernait les officiers qui assistaient à la messe ou dont les enfants fréquentaient l'école libre : elle était peu favorable à un avancement rapide. Mon grand-père, en ce temps-là, était un jeune homme assez beau, partagé, selon le style à la mode, entre l'armée et la littérature. Il avait été remarqué par Lyautey qui avait un faible pour les personnages un peu spectaculaires et qui l'avait emmené avec lui à Aïn Sefra, en Algérie. Quand André, ministre de la Guerre, avait demandé à Lyautey, comme à tous les chefs de corps, de lui adresser la liste des officiers qui assistaient à la messe, le futur maréchal avait répondu par une lettre fameuse où il indiquait qu'assis, pendant la messe, au premier rang de l'église, il ne se retournait jamais sur ses officiers installés derrière lui. Épaté par le courage d'un esthète meneur d'hommes qu'il vénérait à l'égal d'un demi-dieu, mais désolé par son temps, mon grand-père, sur un coup de tête, renonça à une carrière qui s'annonçait brillante et s'enferma dans son chagrin et dans le vieux château à moitié en ruine qui lui venait de sa femme.

— Puis-je indiquer, demanda Clara en bonne professionnelle, que votre enfance fut réactionnaire ?

— Sans aucun doute, lui répondis-je. Nous étions liés au passé, nous tentions en vain de le perpétuer contre tous les vents de l'histoire, nous étions réactionnaires. Beaucoup, autour de moi et parmi mes amis, ont eu une jeunesse trotskiste. Moi, privé de ma mère, j'ai été élevé dans un château par un grand-père catholique et vaguement monarchiste qui ne vénérait pas le progrès et qui ressassait les grandes heures d'un passé évanoui.

— Tiens donc ! dit Clara. Et quel était ce passé auquel vous teniez tant ?

— Le passé de la famille, lui dis-je avec un sourire. Ce qui comptait pour mon grand-père, pour mes oncles, pour mon père lui-même, qui ne croyait pourtant déjà plus à grand-chose, c'étaient la chasse à courre, la religion, la famille. La famille était obscure, très ancienne et sacrée. Il y avait des souvenirs de batailles, de croisades, de brouilles à mort avec le roi et d'honneur pointilleux, un peu à la Saint-Simon. Nous étions orgueilleux, intraitables et fidèles. Nous avions des principes. Nous nous y tenions avec obstination. Ils donnaient un sens à une vie où le ridicule le disputait à la grandeur. Dans les temps de la monarchie triomphante, nous n'allions jamais à Versailles, qui était une machine à briser les caractères. Sous la Révolution et la Terreur, assez fiers de notre sort, nous montions à l'échafaud avec des mots d'esprit. Au moment de marcher au supplice dans le petit matin, un de mes arrière-arrière-grands-pères fit un faux pas et trébucha. Il se tourna vers ses gardes et leur dit en riant : « Voilà un jour qui commence bien ! un Romain serait rentré chez lui. » Un de ses fils, un peu plus tard, avait été embarqué, à vingt ans, sur une charrette avec sa mère et deux de ses sœurs. Ils étaient vingt et un à faire le trajet, sous un soleil éclatant, jusqu'à la place de Grève. Au pied de l'échafaud, à chaque fois qu'une tête tombait, le jeune homme criait : « Vive le roi ! » À la vingtième victime, aucun son ne sortit de sa gorge : c'était le tour de sa mère. À la vingt et unième fois, il se tut pour toujours : sa tête tombait dans le panier. À l'époque de l'Empire, ceux d'entre nous qui avaient

27

échappé au bourreau étaient du très petit nombre qui s'obstinait à conspirer contre celui que nous appelions tantôt l'Ogre et tantôt l'Usurpateur. Sous tous les régimes, nous vivions sur nos terres dans le sud-ouest de la France, dans l'ombre des d'Artagnan, des Talleyrand-Périgord, des Toulouse-Lautrec, et nous survivions comme nous pouvions, à coups de chance et de tête. Il faut ajouter aussitôt que du côté de ma grand-mère... Mais c'est peut-être un peu lassant ? Si je suis trop long, dites-le-moi.

— Ça va, dit Clara. Allez-y.

— Du côté de ma grand-mère, les choses étaient très différentes. Elle appartenait à une famille de parlementaires qui s'étaient enrichis, sur le modèle des Mazarin, des Fouquet, des Colbert, à force d'intelligence et de zèle, au service de la monarchie. Un des leurs, contrôleur général des finances, s'était établi à Plessis-lez-Vaudreuil, qui devenait, par mariage, le château familial. Et, pour tout compliquer, c'est de ce côté-là, où ne manquaient ni l'argent, ni les privilèges, ni les honneurs acceptés et hautement revendiqués, que surgit tout à coup un personnage hors du commun qui s'appelait Louis-Michel Lepelletier de Saint-Fargeau. Détenteur de l'une des plus grandes fortunes du royaume, Lepelletier de Saint-Fargeau avait épousé avec fougue la cause du tiers état. Ami de Robespierre, il l'avait vite débordé sur la gauche. Et, à la Convention nationale, il avait, bien entendu, voté la mort de Louis XVI, dont il avait été, pendant des années, un des familiers à Versailles.

Le soir de l'exécution du roi, le 21 janvier 1793, Lepelletier de Saint-Fargeau dînait chez Février, dans les jardins du Palais-Royal, entre le Café de Chartres et le Café mécanique où les tables, comme par enchantement, surgissaient du plancher.

28

— Ici même ? dit Clara, en regardant vers la fenêtre.

— Ici même, sous nos yeux, à côté du Grand Véfour, dans ce quartier de Paris qui sera celui de Berl, de Cocteau, de Malraux, au pied de l'appartement où, cent vingt ou cent trente ans plus tard, il y a déjà près d'un siècle, allait vivre et écrire Colette. Soudain entre dans l'établissement un ancien garde du roi. Il s'appelle Pâris. Toutes les passions de l'histoire se battent dans son cœur et la haine le travaille contre les ennemis de son maître qui vient de périr sous le couteau de Sanson, l'assassin venu de Florence. L'air sombre et comme traqué, il regarde autour de lui et reconnaît Saint-Fargeau. Saint-Fargeau ! Combien de fois l'a-t-il vu à Versailles, à la table même du roi martyr ! Un voile rouge lui monte aux yeux. Il s'avance vers le dîneur.

— Citoyen ! Es-tu Saint-Fargeau ?

— Pour te servir, citoyen, répond Saint-Fargeau, en se versant un verre de vin.

— Et tu as voté la mort du roi !

— Oui, répond Saint-Fargeau. Et je m'en vante. Viens donc boire avec moi à la liberté et à l'égalité.

— Alors Pâris tire son épée et la lui passe à travers le corps.

Le lendemain ou le surlendemain, tandis que Pâris a disparu à jamais dans les ténèbres de l'histoire et que David entreprend le tableau célèbre qui représentera Lepelletier de Saint-Fargeau sur son lit de mort et qui sera à la source d'un culte révolutionnaire au moins égal à celui de Marat assassiné dans sa baignoire par Charlotte Corday, Robespierre présente à la Convention nationale la fille de Lepelletier de Saint-Fargeau, héros de la Révolution, victime de la fureur des atroces ci-devant.

Elle s'appelle Suzanne. Elle a neuf ou dix ans. Robespierre la prend dans ses bras et s'adresse aux conventionnels :

— Citoyens, voici votre fille ! Enfant, voici tes pères !

— Eh bien ! dit Clara.

— Je vous ennuie ? demandai-je.

— Pas du tout ! me dit Clara.

— C'était l'arrière-grand-mère de la mère de ma grand-mère. Comme c'est commode ! la Révolution, chez nous, fait partie de la tradition. Bien des années plus tard, mon grand-père racontait ce que je viens de vous raconter à un de ses amis, intéressé plus que personne par tous les tours et détours de l'histoire : il s'appelait Léon Blum.

— Léon Blum ! s'écria Clara.

— Oui, lui dis-je. Léon Blum, le normalien, l'ami de Proust, de Gide, de Valéry, de Pierre Louÿs, le Blum du *Mercure de France* et de la *Revue blanche*, critique dramatique et esthète, auteur dans sa jeunesse de vers assez loin d'être fameux qu'il aurait écrits à Plessis-lez-Vaudreuil, dans le bureau de mon grand-père, et dont je me souviens encore :

> *Demain, je vous apporterai*
> *Des roses ou des tubéreuses.*
> *Vous prendez des poses peureuses*
> *Lorsque je vous embrasserai...*

Le monde est tragique ; il lui arrive aussi d'être comique. Juif, agnostique, socialiste, Léon Blum a été, pendant de longues années, l'ami paradoxal et intime de mon grand-père monarchiste, catholique, conservateur, admirateur de Lyautey, ancien lieutenant de cavalerie, qui aimait la chasse à courre et la littérature. Personne n'était plus intelligent, plus élégant, plus cultivé que Léon Blum. Il était venu plusieurs fois à Plessis-lez-Vaudreuil, où il échangeait des vers latins et des considérations sur l'histoire romaine avec mon grand-père enchanté, et il avait donné à mon père une montre que j'ai encore quelque part.

De temps en temps se produisaient des heurts entre deux mondes opposés. Je me souviens d'un jour où, descendu de sa chambre qui, comme toutes les autres, n'avait pas l'eau courante et où, tous les matins et tous les soirs, la vieille Thérèse, qui était encore très jeune à cette époque, apportait un broc d'eau chaude, Léon Blum était tombé dans le salon sur un exemplaire de *L'Action française*, avec les articles habituels de Charles Maurras, de Léon Daudet et de Jacques Bainville.

— Vous lisez ce torchon ? dit-il à mon grand-père de son air de lévrier infiniment distingué à qui on aurait présenté par erreur un peu de viande avariée.

— Tous les jours, dit mon grand-père.

— Comme révulsif ?

— Non, monsieur : comme cordial.

— Vous m'avez beaucoup parlé des autres, me dit Clara. Parlez-moi un peu de vous. Quels souvenirs gardez-vous de votre enfance à Plessis-lez-Vaudreuil ?

— J'ai consacré un livre entier à Plessis-lez-Vaudreuil où régnait mon grand-père. C'était un vieux château à moitié en ruine où le temps s'était arrêté. Tout était plus lent qu'aujourd'hui. Paris semblait encore très loin. Quand nous venions de Paris ou que nous nous y rendions – deux ou trois fois par an –, le voyage, qui prendrait aujourd'hui quelque chose comme une heure et demie ou deux heures à

31

tout casser, était encore une aventure. Nous déjeunions en route. Nous trimbalions des valises sans nombre, et quelquefois des malles quand nous prenions le train. Dans ce cas, une vieille Hotchkiss sans âge, avec des strapontins et une glace de séparation entre le chauffeur et nous, nous attendait à la gare. Au cours des années sombres de l'occupation allemande où l'essence avait disparu, un gazogène à bois, dont la laideur était un signe des temps, devait être adapté à la Citroën qui avait remplacé la Hotchkiss. Le moindre trajet, en ces temps reculés, prenait des allures d'expédition. Le chauffeur s'appelait Gaston. Il portait une casquette. Sa fille était ravissante. Elle s'appelait Anne-Marie et je la retrouvais dans une grange pour jouer avec elle, dans les foins, à des jeux interdits, et d'ailleurs innocents. J'ai écrit jadis quelque part une espèce d'hymne à la petite vitesse. La petite vitesse était un mode de transport par chemin de fer qui me faisait rêver. Tout ce qui était un peu lourd, malcommode, encombrant arrivait par la petite vitesse. Et toute notre existence se déroulait sur le rythme de la petite vitesse. La télévision n'existait pas et ce qui se passait dans l'univers nous parvenait avec un retard et dans une sorte de brouillard qui ôtaient aux événements leur urgence et leur acuité. Nous ne savions pas grand-chose des catastrophes qui accablaient déjà la planète et qui nous sont aujourd'hui si présentes. On assassinait déjà pas mal à travers le vaste monde, on violait, on torturait, on mourait, on souffrait – mais nous ne le savions pas. Le papier d'argent qui enveloppait nos chocolats, nous le mettions de côté pour les petits Chinois qui incarnaient à nos yeux, dans un lointain quasi mythique, toute la misère du monde. Ma grand-mère me disait qu'il fallait penser aux petits Chinois qui étaient mes frères malheureux et qui devaient m'être aussi proches que la blonde Anne-Marie ou le petit Alphonse, le fils de la pharmacienne, qui servait la messe avec moi dans d'invraisemblables soutanes rouges ornées de dentelles blanches. J'essayais en vain d'imaginer les noms et les figures de ces petits Chinois, j'avais beaucoup de mal à me les représenter et je scandalisais ma grand-mère en lui disant avec aplomb :

— Citez-m'en un seul.

— À défaut de télévision, le téléphone constituait notre lien, au moins théorique, avec le monde extérieur. Nous avions le téléphone à Plessis-lez-Vaudreuil, mais nous ne nous en servions pas. Le téléphone n'avait pas d'autre fonction que de nous apporter des nouvelles, en général mauvaises, de la santé des membres de la famille qui n'étaient pas avec nous. Quand le téléphone sonnait, chacun retenait son souffle. Mon grand-père décrochait l'improbable objet de bois suspendu à un crochet, il mettait à son autre oreille un cornet que je n'ai jamais vu qu'à Plessis-lez-Vaudreuil et, d'une voix de stentor qui résonnait dans la bibliothèque, dans le salon d'à côté où un palmier sortait, entre les portraits de famille, d'une sorte de pouf gigantesque et rose pâle, sans doute Napoléon III, aux sièges disposés en rond, et jusque dans l'immense salle à manger où pendait un lustre fait de trompes de chasse assemblées, il rugissait :

— Allô !

— Une ou deux fois par mois ou peut-être par trimestre, nous nous risquions à appeler, dans un canton voisin ou dans les départements limitrophes, un intime éloigné. C'était une autre paire de manches. Dans un grésillement impitoyable, nous tombions sur une de ces créatures de légende, aussi fantomatiques que les petits Chinois, qu'étaient les demoiselles du téléphone, immortalisées par Marcel Proust dans une page célèbre d'*À la recherche du temps perdu*. Une bataille acharnée s'engageait entre elle et mon grand-père, agrippé à son cornet comme à une bouée de sauvetage et tournant sans répit la manivelle qui commandait l'appel.

— Allô ! Allô ! Mademoiselle, ne coupez pas, je vous prie, ne coupez pas... je vous entends très mal... Ah !... encore coupé !... Mademoiselle !...

— Et, plus vite encore que la manivelle qui faisait partir la Hotchkiss par temps de grand froid – et même souvent dans la chaleur de l'été –, la manivelle du téléphone était torturée sans pitié.

Quand, par hasard, et sans plus de succès, nous essayions en vain de téléphoner à Paris, un parfum de fraîcheur envahissait la machine. Nous demandions à la demoiselle, dont nous ne connaissions que la voix, Jasmin 14-23 ou Lilas 50-32. J'ai retrouvé dans les pièces d'Henry Bernstein ou dans les films de Sacha Guitry l'odeur attendrissante de ces bouquets évanouis.

S'il fallait résumer d'un mot la vie que nous menions à Plessis-lez-Vaudreuil, je dirais : lenteur. Nous continuions de vivre comme dans les siècles passés, sinon au jour le jour, du moins de saison en saison, sans nous préoccuper jamais de projets à long terme. L'avenir nous intéressait assez peu. Et, en tout cas, moins que le passé. Il ne nous venait pas à l'idée de savoir ce que nous ferions pour les vacances de Pâques ou de la Toussaint. D'ailleurs, nous ne faisions rien. Nous restions toujours sur place. Rien n'était plus vulgaire à nos yeux que cette manie de voyager qui commençait déjà ses ravages dans les jeunes générations et à laquelle j'allais moi-même m'abandonner avec délices. Les week-ends n'existaient pas. Ce qui existait, c'était le dimanche – et nous allions à la messe. Nous nous levions de bonne heure, nous nous couchions de bonne heure. Et nous traversions notre existence renfermée sur elle-même aussi lentement que possible. Nous allions si lentement que nous ne cessions jamais d'être en retard.

Les choses bougeaient. Vers le début du siècle dernier, Joseph Caillaux, ministre des Finances, fit adopter par la Chambre l'impôt progressif sur le revenu. Un cousin de mon grand-père, qui avait été élu député de la Haute-Sarthe ou de la Mayenne et qui siégeait évidemment sur les bancs de la droite, participa avec vigueur au débat qui précéda le vote. En dépit d'un taux d'imposition à l'origine assez bas – peut-être 2 ou 5 % –, il s'agitait sur son siège et s'échauffa jusqu'à brandir une montre en or qu'il avait tirée de son gousset.

— Monsieur le ministre ! s'écria-t-il avec indignation, vous voulez me prendre jusqu'à la montre que mon père m'a léguée sur son lit de mort !

— Mais non, monsieur ! lui lança Caillaux, je n'en veux pas : elle retarde.

— Nous retardions tous. Les notions de justice, d'humanité, de fraternité ne nous étaient pas étrangères puisque nous étions chrétiens. Nous pensions avec sérieux que tous les hommes étaient frères. Mais nous nous refusions énergiquement à croire qu'ils étaient égaux entre eux. Il y avait de grands frères et de petits frères. Et les grands frères devaient aider de leur mieux les petits frères qui les servaient. Chacun était à la place qui lui avait été assignée par la divine Providence à laquelle nous nous soumettions d'autant plus volontiers qu'elle n'avait jamais manqué de nous traiter avec une bienveillance appuyée. Nous étions assis à la droite du Seigneur. De cette situation privilégiée, nous nous penchions avec bonté sur l'humanité souffrante. Mais il y avait un ordre des choses. Et il s'agissait avant tout de ne pas le bousculer.

— Vous ne croyez plus à un ordre des choses ? me demanda Clara.

— J'y crois toujours, lui dis-je. Mais où notre place n'est plus marquée. Je crois à un ordre des choses qui nous reste caché et dont aucun de nous ne peut se prévaloir. À Plessis-lez-Vaudreuil, au contraire, nous savions avec certitude que nous étions les oints du Très-Haut. Nous étions des grands d'Espagne, des fils de roi, des calendars, des daimyô, des porphyrogénètes, des chevaliers du Saint-Graal et de la Table ronde, des membres de la Chambre des lords et du grand état-major prussien, nos rivaux et nos égaux. Nous tirions de l'évidence de cette situation une force peu commune. Rien ne pouvait nous arriver. Nous avions souvent connu des échecs, des revers de fortune, des catastrophes financières, des déroutes politiques, économiques ou sociales. L'adversité nous frappait comme tout le monde, mais nous la dominions avec une humilité qui portait encore un autre nom : c'était l'orgueil. Nous étions dans la main de Dieu, nous étions aussi le sel de la terre, et les accidents d'ici-bas ne pouvaient pas entamer la conviction de notre essence particulière.

Il y avait une chapelle à Plessis-lez-Vaudreuil. Le 21 janvier, date anniversaire de la mort de Louis XVI, le jour de la Fête-Dieu, le 15 août, à la Toussaint, à Noël et à Pâques, le chanoine Mouchoux, dont la spécialité était de croquer des noix entières, avec leur coque, sous sa mâchoire de fer, venait y dire la messe. Sur le mur de la chapelle était pendu un tableau assez ancien qui était peut-être une croûte, mais auquel nous attachions une importance démesurée et qui était censé représenter un membre de la famille à genoux devant la Vierge. Il tenait à la main un chapeau orné de plumes. Un jour d'été, pris de folie, nous avions, un de mes cousins et moi, fabriqué une bulle de carton que nous avions collée sur les lèvres de la mère de Dieu. La Vierge s'adressait à notre ancêtre et lui disait : « Couvrez-vous, mon cousin. » Le scandale fut énorme et nous fûmes mis pendant trois mois au ban de la famille.

— Rebelles ? demanda Clara avec une sorte de gourmandise.

— Mon Dieu ! lui dis-je. Au petit pied... Nous étions jeunes, voilà tout. Nous voyions bien que le monde changeait et qu'il ébranlait les colonnes du temple où nous chantions nos grandeurs. Nous passions notre temps à nous battre contre le temps qui passait. Une rumeur courait : il y avait une marche de l'histoire et peut-être cette marche était-elle en train de s'accélérer. Nous étions debout sur les freins. Ce que nous préférions, c'était que rien ne bougeât. Nous aimions le passé, les chênes trois fois centenaires, les vieilles maisons, les attelages, l'imparfait du subjonctif, les généalogies compliquées qui remontaient très loin, l'odeur de l'encens, du cuir ancien, de la naphtaline, du moisi, les meubles de haute époque et les fresques XVIIIe. Nous chantions le *Stabat Mater*, le *Salve Regina*, le *Magnificat* que nous aimions à la folie et des choses très modernes, peut-être presque un peu canailles, comme *Chez nous, soyez reine*. Le 15 août, nous défilions avec tout le village sous les arbres du parc, derrière les bannières de la Vierge, en chantant des cantiques. Nous avions le culte de la fidélité, de la répétition, de ce qui avait été et qui devait être toujours, et même de ce qui avait été et qui n'était déjà plus. Nous étions attachés à la monarchie parce qu'elle criait : « Le roi est mort. Vive le roi ! », à la religion parce qu'elle renvoyait à un Dieu éternel, à la messe parce qu'elle était et devait être à nos yeux toujours semblable à elle-même, à la chasse à courre parce que chevaux, chiens et dagues l'emportaient encore sur les armes à feu dans nos vieille forêts, et le long des étangs et que le cerf était servi – c'est-à-dire égorgé – comme il l'avait toujours été dans toute la nuit des temps. Plessis-lez-Vaudreuil était le château de la Belle au bois dormant et le conservatoire de nos splendeurs évanouies.

— Oh la la ! s'écria Clara. Tout ce que vous me racontez est un peu effrayant. Étiez-vous tristes ?

— Nous étions très gais : Dieu était avec nous. Nous regardions en arrière, c'est une affaire entendue. Mais nous savions rire et nous moquer de nous-mêmes. La gravité, la pompe, la solennité nous étaient étrangères. Nous avons toujours préféré la litote au pléonasme et le silence à l'enflure. Nous nous taisions beaucoup. Et je ne sais pas pourquoi je vous raconte tant de choses sur des gens qui, se promenant sous les grands arbres ou se chauffant le derrière aux flammes de la cheminée, en racontaient si peu.

— C'est un bonheur, dit Clara. J'avais peur que vous ne restiez muet. Vous sembliez si réticent à parler de vous et de votre passé !

— Rien n'est plus facile que de parler de son enfance. N'importe qui est capable d'évoquer avec charme ses premières années, avant la jeunesse, avant l'adolescence où se glisse déjà quelque chose de vulgaire, lié à la mode et à la pression sociale.

L'enfance est un âge béni. On avance à tâtons. On découvre la vie et le monde. Tout est neuf. Rien n'est souillé. On ne traîne pas encore derrière soi toutes les casseroles de la servitude qui s'attacheront à nos basques tout au long de l'existence. On ne sait rien de l'argent qui est l'affaire des adultes ni de la comédie grave qui s'emparera de nous avec l'aide de la famille, de l'école, du métier, de toutes les institutions. On n'a pas de passé : on n'a que de l'avenir. Cette époque de la vie où nous sommes si dépendants des autres est la seule où nous soyons libres d'être vraiment nous-mêmes. Tout ce que nous serons plus tard est déjà là dans l'enfance, mais replié sur soi-même, caché, en puissance, comme on dit, et à l'état de possible. Ce qu'il y a de mieux dans l'homme, c'est l'enfant. Après, plus ou moins consciemment, que faisons-nous d'autre que de nous regretter, de nous souvenir en mêlant de l'avenir au passé et de nous débrouiller comme nous pouvons ? S'il faut vraiment vous parler de moi...

— Faites un effort, dit Clara.

— ... j'aime mieux vous parler de mon enfance que de tout ce qui l'a suivie : le monde était déjà sinistre – avec Hitler et Staline au pouvoir dans deux pays immenses, au moins aussi sinistre et peut-être plus sinistre qu'aujourd'hui – et il était léger parce que j'étais jeune. Je ne suis pas de ceux qui chantent le passé et qui condamnent l'avenir. À la différence de mon grand-père, et peut-être de mon père, je crois au progrès avec obstination. S'il n'y avait pas de progrès, nous en serions encore à l'âge du feu, à la préhistoire, aux primates, aux ptérodactyles et aux diplodocus qui ont disparu, comme vous savez, il y a soixante-cinq millions d'années. La suprématie maritime d'Athènes, l'Empire romain, la féodalité, la monarchie absolue ont disparu comme les diplodocus. Nous avançons – mais vers quoi ? Le progrès fait rage. Nous sommes en proie au progrès. De progrès en progrès, nous allons vers des succès inouïs et vers des désastres qui n'auront rien à envier aux grandes catastrophes du passé. Vers un avenir ni pire ni meilleur que ce qui l'a précédé. Ni plus ni moins enchanteur, ni plus ni moins accablant. Pas de quoi se lamenter, et pas de quoi pavoiser. Je crois que le monde change, je crois qu'il ne cesse de changer et de rester le même, je crois que les hommes progressent et qu'ils montent vers quelque chose d'inconnu qui ressemble à l'espérance et d'où le mal ne sera pas extirpé. Il est aussi ridicule de nier le progrès que de le parer de toutes les vertus.

Il me semble, quand j'étais enfant, qu'il y avait de la neige à Noël dans les rues de nos villes, que les étangs, les lacs, les rivières gelaient longuement en hiver, que les écrevisses, les truites, les sangliers, les ours dans les Pyrénées, les loups un peu partout – un de mes grands-oncles se vantait encore de son titre de lieutenant de louveterie – étaient plus répandus qu'aujourd'hui, que les métropoles étaient moins peuplées et les paysans plus nombreux, qu'il suffisait de venir du canton d'à côté pour être traité d'étranger, que nous étions plus proches de la nature et du rythme des saisons que les gens de nos jours et que nous mourions plus jeunes qu'eux. Allez savoir s'ils étaient plus heureux hier qu'ils ne le sont aujourd'hui ! Ce qui est sûr, en tout cas, c'est qu'aucun de ceux d'aujourd'hui ne voudrait vivre comme nous vivions hier dans notre château de conte de fées, sans eau courante ni chauffage central, à la lueur des lampes à huile. Comme les Africains d'aujourd'hui, nous aurions pu aspirer à un peu de cette pollution que nous maudissons désormais – le cœur des hommes est changeant – dans nos villes encombrées de voitures.

— Revenons à vous, me dit Clara. Laissons là le progrès, le monde qui change et qui ne change pas et les problèmes de l'Afrique qui nous dépassent un peu...

— Excusez-moi, murmurai-je.

— ... et même votre grand-père, ses humeurs et ses hymnes : j'imagine qu'on pourrait lui consacrer tout un livre.

— Je l'ai fait, dis-je dans un souffle.

— Je voudrais savoir ce qui vous a poussé vers la littérature. Vous auriez pu être officier comme votre grand-père, vous amuser comme votre père. Qu'est-ce qui vous a fait aimer les livres ?

— Mais les livres, lui dis-je, ils se suffisent à eux-mêmes. Je suis venu parmi eux comme vers un paradis, un royaume enchanté, une oasis dans le désert du monde. Marguerite Yourcenar dit quelque part qu'elle est entrée en littérature comme on entre en religion. Je ne suis pas entré en religion. J'ai découvert le plaisir. Et peut-être le bonheur. Et peut-être un peu plus que le bonheur : un monde plus beau et plus haut, le même que le nôtre et un autre, où tout était à la fois raconté et effacé, révélé et inventé, et toujours plus vrai que nature – non seulement la gloire, les fêtes, les amours, les voyages, la violence et la haine, les trahisons, les bassesses, mais les temps morts de l'existence, ses ratés, son ennui, son dégoût et la mort. Les livres prenaient le relais de Dieu pour une seconde création qui doublait la première et qui la corrigeait.

J'étais très gai. Je le suis toujours. Des forces obscures me travaillaient : le flou, le vague, la contradiction. Je disais n'importe quoi. Rien ne suffisait à me convaincre. À peine m'étais-je laissé aller à un choix que le choix inverse m'ébranlait. Le monde était un labyrinthe. Je courais d'impasse en impasse. J'aimais les gens ; et je préférais rester seul. Je voulais tout, je ne voulais rien. Travailler me plaisait, ne rien faire encore plus. J'enviais souvent ce que je méprisais. J'étais étranger à moi-même et au monde. J'étais déchiré entre des rêves insensés et une réalité dont je m'en voulais de m'accommoder sans trop de peine. L'histoire qu'on apprenait à l'école me faisait tourner la tête : j'étais en même temps pour Achille et pour Hector qui se combattaient à coups de javeline, pour Athènes et pour Sparte, pour Carthage et pour Rome, pour le pape et pour l'empereur. La fidélité et la révolte se partageaient mon cœur. J'aimais l'envers des choses. Je ne savais pas quoi faire. Je ne voulais rien faire. Je flottais. Je me demandais avec angoisse ce que j'allais devenir entre tant de tentations dont aucune ne suffisait à me combler et à détruire toutes les autres. J'étais très loin de la conversion dont parlait Yourcenar. Je finisssais par me haïr. Et par haïr l'univers. Les livres m'ont sauvé.

— Comment entre-t-on dans le royaume des livres ? Par quoi avez-vous commencé ?

— Par des bandes dessinées, évidemment. Anglaises, allemandes, françaises. *Max und Moritz*, *Der Struwwelpeter*, *Buster Brown*, *Les Pieds-Nickelés*, dont j'étais fou, *Bicot*, *Bibi Fricotin*. Les premiers livres que j'ai lus le cœur battant étaient des chefs-d'œuvre : toute la série des *Arsène Lupin*, *L'Île au trésor* de Stevenson, *Les Trois Mousquetaires*, *Vingt*

Ans après, *Le Vicomte de Bragelonne*. Le pli était pris. Après sont venus, pêle-mêle, Pagnol, Flers et Caillavet que je savais par cœur et que je vénérais, Stendhal, Flaubert, *La Princesse de Clèves*, les *Maximes* de La Rochefoucauld, Corneille et Racine, et les *Mémoires* de Saint-Simon. Jouer m'ennuyait. J'aimais lire. Les parties de tennis ou de croquet m'ennuyaient. J'aimais lire. Les dîners, les boîtes de nuit, faire la fête m'ennuyait. J'aimais lire. Je prenais mon livre. Je me cachais. J'oubliais tout. Le monde réel disparaissait et cessait d'être réel. À travers les cambriolages, les duels, les naufrages, les chagrins d'amour, la lutte des classes et des pouvoirs, le jeu des intrigues et des passions, j'entrais dans un autre monde qui était plus vrai que le vrai, je me réconciliais avec moi-même. Je lisais dans mon lit à la lueur de la lampe, au soleil sous les arbres, au fond de grands fauteuils qui se refermaient sur moi, assis sur des bancs publics, sur des cordages dans les ports, le long des rivières ou de la mer. Les mots s'emparaient de moi et m'entraînaient ailleurs. Ils me chantaient ce monde et tous les autres.

Les livres étaient faits de mots. C'étaient les mots que j'aimais. J'en aimais la force et le charme, les jeux, les combinaisons, la rigueur, la musique. J'aimais les dictionnaires. J'aimais l'Oulipo.

— L'Oulipo ? dit Clara.

— L'Ouvroir de littérature potentielle où Queneau et sa bande jouaient avec les mots et leur ouvraient des chemins nouveaux. J'aimais les oxymores et les boustrophédons. J'apprenais avec ivresse que la station de métro Elephant and Castle, à Londres, devait son appellation à une visite de l'infante de Castille, que la Caesar Augusta des Romains, à travers la Saraqustah des Arabes, nous avait légué Saragosse, que notre chandail familier venait du cri du marchand d'ail qui passait dans la rue couvert contre le froid, que les crosnes, mixtes de salsifis et d'artichauts, importés du Japon, avaient été cultivés pour la première fois en France dans la ville de Crosne qui les avait baptisés et que le *Salvador*, un navire de l'Invincible Armada drossé par la tempête sur la côte de Normandie vers la fin du XVIᵉ siècle, avait, dans le parler local et après transformation, donné son nom au Calvados.

— Mais je croyais que c'était une légende ! s'écria Clara.

— Je m'en fiche pas mal, lui dis-je. Vous avez quelque chose contre les légendes ? J'aimais surtout les mots quand leur son et leur sens se combinent avec art et avec simplicité, qu'ils vous frappent comme une pierre et vous emportent avec eux. Alors ils me rendaient fou de bonheur. Ils construisaient le monde d'où ils sortaient. Sans eux, les êtres et les choses, les événements, les sentiments, les rêves et les passions n'étaient que désordre et hasard. Ils les nommaient et leur accordaient enfin une réalité et un poids. Ils les rendaient clairs et pleins de lumière. Ils se substituaient à Dieu qui, après avoir donné un nom à ce qu'il avait créé, laissait son Verbe achever le travail parmi ses créatures. Les hommes ne sont les hommes que grâce aux livres qu'ils ont lus après les avoir écrits.

Peut-être me demanderez-vous, comme tous les autres, quels livres il faudrait sauver d'une catastrophe sur le point de tout détruire ?

— Oui, dit Clara. Respirez bien à fond et dites-moi quels livres vous souhaiteriez emporter sur une île déserte.

— Mais ceux évidemment qui, tout à l'origine, transfigurent ce monde périssable où nous vivons encore aujourd'hui : la Bible, le Coran, l'interminable *Mahâbhârata* et son cœur brûlant, la *Bhagavad-Gîtâ*. Et d'abord et avant tout l'*Iliade* d'Homère et son *Odyssée*.

— Vous les avez lues ? me demanda Clara avec un sourire.

— Comme tout le monde.

— Moi pas, me dit-elle.

— Mais vous en avez une idée ?

— Je sais que l'*Iliade* est le récit de la guerre de Troie et de la chute de la ville grâce à la ruse du cheval de Troie.

— Pas tout à fait, lui dis-je. La guerre de Troie, si elle a jamais eu lieu – et il semble qu'elle ait eu lieu vers le début du XIIe siècle avant notre ère, une centaine d'années peut-être après Moïse et les successeurs immédiats de Ramsès II, en Égypte –, a duré dix ans. L'*Iliade* – l'autre nom de Troie est Ilion – raconte quelques journées à peine de la neuvième année. Exactement, de la colère d'Achille, qui est un des Grecs assiégeants et qui refuse de se battre, aux funérailles d'Hector, qui est un Troyen assiégé, abattu par Achille de retour sur le champ de bataille. Ni le cheval de Troie, ni la mort d'Achille, tué à son tour d'une flèche au talon, ni la chute de la ville au terme de dix années de guerre n'apparaissent dans l'*Iliade*.

— J'aurai au moins appris quelque chose, dit Clara.

— Tant mieux, lui dis-je. Il y a toujours intérêt à parler des vieux maîtres. Écrit – ou récité – par Homère lui-même ou par un groupe d'aèdes regroupés sous son nom, remontant au VIIIe siècle avant Jésus-Christ, quatre cents ans environ après les événements qu'il est censé rapporter, le poème met aux prises les Achéens – ou Danaens –, qui sont des Grecs, et les Troyens et leurs alliés, qui sont, semble-t-il, un mélange de Grecs et de Barbares. Du côté des assaillants achéens, les héros sont Agamemnon, le roi de Mycènes riche en or, Ménélas, son frère, roi de Sparte, Achille, star suprême, idole et modèle d'Alexandre le Grand et de tant de conquérants, l'industrieux Ulysse, fertile en ruses, qui sera le personnage central de l'*Odyssée*, les deux Ajax, Patrocle, dont la mort de la main d'Hector jette son ami Achille dans une soif de vengeance ; du côté des Troyens assiégés, Hector, le grand Hector, rival et victime d'Achille, et son frère Pâris, appelé aussi Alexandre, tous deux fils de Priam, et encore Énée, qui, portant sur son dos son vieux père Anchise, sera, avec Andromaque, l'héroïne de Racine aimée de Pyrrhus, fils d'Achille, et avec Cassandre, la prophétesse de malheurs, un des rares survivants de la chute de Troie – et le futur héros de l'*Énéide* de Virgile.

— Ah ! dit Clara, voilà toute notre littérature en train de surgir de l'*Iliade*...

— Tout entière lui dis-je. Sans compter les tragiques grecs qui reprennent indéfiniment les thèmes homériques et d'où sort tout notre théâtre. Encore un mot sur le poème et sur ses personnages : un rôle aussi et peut-être plus décisif que celui des hommes est réservé aux dieux. Ils prennent parti tantôt pour les Troyens – Arès, le preneur de villes, dieu de la guerre au casque étincelant, Apollon, fils de Zeus et protecteur d'Hector, Artémis, la sœur d'Apollon, Aphrodite qui aime les sourires et la volupté –, tantôt pour les Achéens – Héra, sœur et femme de Zeus, le plus grand et le plus haut des dieux, Poséidon, dieu de la mer et ébranleur du sol, Hermès, le messager aux subtiles pensées, Héphaïstos, l'illustre boiteux, toujours affairé autour de ses soufflets et de ses enclumes, ou encore Athéna, ennemie de Pâris, qui, dans un concours de beauté, a commis l'erreur fatale de lui préférer Aphrodite.

— Il me semble, remarqua Clara, que la parité, dans l'*Iliade*, règne peut-être chez les dieux, mais sûrement pas chez les hommes.

— L'*Iliade* est une histoire de dieux et une histoire d'hommes, puisque, comme le *Mahâbhârata*, c'est une histoire de guerre. Les femmes y tiennent une place secondaire : dans le camp troyen, Hécube, l'épouse du roi Priam, ou Andromaque, l'épouse d'Hector ; dans le camp de la coalition, qui, loin de ses foyers éparpillés un peu partout en Grèce continentale et dans les îles de la mer Égée et de la mer Ionienne, ne constitue rien d'autre qu'un corps expéditionnaire, aucune. Pratiquement absentes de l'action, présentes seulement par leurs prières et leurs lamentations à la mort des héros, les femmes sont pourtant à la source des événements relatés par l'*Iliade*. Le motif de la guerre, c'est l'enlèvement d'Hélène, la plus belle créature de son temps, la femme du roi de Sparte, par Pâris, fils du roi de Troie. Et la raison de la colère d'Achille, aux premières pages de l'*Iliade*, c'est l'arrogance d'Agamemnon : contraint de rendre Chryséis, qu'il détient, à son père, Chrysès, il s'empare en échange de Briséis, aimée d'Achille.

— L'*Iliade*, demanda Clara, vous l'avez vraiment lue ?

— Vraiment, lui dis-je. Et à peu près au moment où je rencontrais votre grand-mère : je traînais l'*Iliade* et l'*Odyssée* avec moi, dans les poches de ma vareuse, au sortir de l'École normale, en Alsace et en Autriche.

— En grec ?

— Je ne sais plus. Texte et traduction, j'imagine. Il y a eu une époque où je lisais le latin et le grec à peu près couramment. Je les lisais, je ne les parlais pas. Quand j'ai été reçu rue d'Ulm, à la surprise générale, et d'ailleurs à la mienne, mon grand-père m'a demandé combien d'années de latin j'avais déjà derrière moi.

— Sept ou huit, lui répondis-je.

— Ah ! très bien, me dit-il, nous pourrons parler latin ensemble.

— Je dus lui avouer avec honte que, normalien familier de Virgile, de Tacite et d'Horace dont je savais presque tout, j'étais bien incapable de m'entretenir en latin avec un lieutenant de cavalerie à la retraite élevé par les jésuites et qui, à la veille de la Première Guerre, se servait du latin pour se faire comprendre d'amis de rencontre qui, par exception, ne parlaient pas le français dans les cercles de jeu de Budapest ou de Saint-Pétersbourg.

— Et l'*Odyssée* ? demanda Clara.

— Plus courte que l'*Iliade* – douze mille vers au lieu de quinze ou seize mille –, l'*Odyssée* est aussi beaucoup plus amusante. Magnifique, mais rude et austère, l'*Iliade* est une histoire de guerre ; autour d'Ulysse dont le retour à Ithaque est semé d'embûches et d'obstacles suscités par les dieux, l'*Odyssée*, à la trame subtile, est un récit de voyages et d'aventures, souvent sentimentales, où se croisent les voix de différents narrateurs. Dans les salons de thé d'Innsbruck, entre une visite à la Hofburg ou au Goldenes – « le petit toit d'or » – et une promenade le long de la Maria-Theresien-Strasse, je racontais à votre grand-mère les épisodes de Nausicaa, de Circé et de Calypso.

— Pour la séduire ? demanda Clara.

— J'essayais, lui dis-je. La première fois que je

l'ai vue, c'était, je m'en souviens comme si j'y étais, à l'extrême fin du printemps ou au début de l'été 1945, dans un patelin qui s'appelait Schwaz, à une trentaine de kilomètres à l'est d'Innsbruck. Le colonel de Toulouse-Lautrec...

— Vous avez déjà prononcé ce nom-là, dit Clara. Un parent du peintre ?

— Sûrement, lui dis-je... y recevait le gouverneur militaire, qui était d'ailleurs un civil de ses amis, du nom, je crois, de Dutheil. Le colonel de Toulouse-Lautrec commandait le 2e dragons. Le 2e dragons, dont l'étendard avait été caché quelque part dans le Gers après la débâcle de 40, avait été reconstitué à la fin de 42 en Afrique du Nord, en grande partie avec des résistants venus de France qui lui avaient valu le nom de « régiment des évadés ». Parti d'Oran, il avait débarqué à Fréjus le 15 août 44 sous les ordres du général de Lattre de Tassigny et, après avoir remonté la vallée du Rhône dans le style de Napoléon de retour de l'île d'Elbe, il était passé à Autun, où il s'était battu, et à Dijon avant d'arriver à Belfort le jour de la Toussaint. Il pénétrait en Alsace en février et, en mars, il passait le Rhin. Je ne me rappelle pas si Béthouart, le satrape, était à Schwaz ce jour-là. J'échangeais quelques mots avec l'abbé Lemire, qui jouait au 2e dragons une espèce de rôle d'aumônier, avec Bernard, le fils du général de Lattre, qui avait à peu près mon âge, avec un garçon à moustache plutôt falot qui se disait le beau-frère du commandant Sombreuil et avec Alexandre de Marenches, un géant sympathique et assez surprenant, un peu snob, exubérant, d'une vingtaine d'années, lui aussi, ou peut-être un peu plus, qui devait devenir, bien plus tard, le chef des services secrets français, lorsque j'aperçus dans un coin une jeune femme au beau visage, aux yeux très bleus, aux cheveux aussi noirs que les vôtres sont blonds : c'était Françoise Sombreuil, votre grand-mère, telle que vous ne l'avez jamais vue.

— Franchement, murmura Clara sur un ton un peu agacé, je n'imaginais pas, en venant chez vous, que nous parlerions surtout de ma grand-mère.

— Elle le mérite, lui dis-je. Et je ne suis pas mécontent de vous apprendre de petites choses sur votre propre famille. J'étais venu avec Lisbeth. Elle était très blonde et autrichienne. Ses tresses en chignon faisaient le tour de sa tête. C'était la fille de ma logeuse.

— Vous couchiez avec elle ? demanda Clara.

— Mademoiselle, lui dis-je, je me suis toujours méfié des interviews. Mais si celle que vous êtes en train de mener devait empiéter sur ma vie privée, je finirai par les détester. Il faut vous dire que l'Autriche, en 1945, jouissait d'un statut spécial. Aux frontières du pays, les autorités d'occupation avaient disposé des écriteaux où figuraient ces mots qui alimentaient sans fin les conversations des mess entre hommes et des salons de coiffure ou de thé entre épouses ou maîtresses : « Ici commence l'Autriche, pays ami. »

— « Pays ami » ! éructait Marenches, qui se piquait déjà de géopolitique. Non seulement Hitler est né ici, à deux pas, très loin de Berlin et de la Prusse, mais en mars 1938, six mois avant l'accord de Munich qui allait échanger notre honneur contre une paix incertaine, l'armée allemande envahissait l'Autriche du chancelier Schuschnigg et Hitler organisait un plébiscite sur l'Anschluss. Le rattachement de leur pays à l'Allemagne a été approuvé par les Autrichiens – vous vous en souvenez, j'imagine ? – à 99,73 %. Je sais bien qu'il y avait des pressions, des trucages, une propagande éhontée. Mais enfin, quand même !... « Pays ami » ! Est-ce que tout ça est déjà oublié ?... « Pays ami » !...

— Moi, je m'accommodais assez bien du pays et de ses habitants. J'obéissais aux ordres : je les considérais comme des amis. Lisbeth était très douce. Nous jouions du piano ensemble. Un soir, nous avons joué, la logeuse, sa mère, était déjà couchée, un peu plus tard que d'habitude. Le lendemain matin, la logeuse partie travailler, Lisbeth m'apporta au lit mon bol de lait fumant et mes tartines de pain blanc. Je parlais avec elle la langue de Goethe, de Hegel et de Nietzsche. Elle était sentimentale. Je lui récitais du Heine :

> *Ich weiss nicht was soll es bedeuten*
> *Dass ich so traurig bin.*
> *Ein Märchen aus uralten Zeiten,*
> *Das kommt mir nicht aus dem Sinn.*

> *Die schönste Jungfrau sitzet*
> *Dort oben wunderbar.*
> *Ihr goldenes Geschmeide blitzet.*
> *Sie kämmt ihr goldenes Haar.*

> *Sie kämmt es mit goldenem Kamme,*
> *Und singt ein Lied dabei,*
> *Das hat eine wundersame,*
> *Gewaltige Melodei...*

— Je ne comprends pas l'allemand, dit Clara.
— Aucune importance, lui dis-je.
À *Die schönste Jungfrau sitzet...*, elle se jetait dans mes bras. À *Und singt ein Lied dabei...*, elle se mettait à chanter. Elle chantait très juste et très bien et elle m'apprenait des vers que je ne connaissais pas :

51

Charlotte, Lotte, Lotte
Heisst meine Wäscherin.
Sie bringt mir meine Wäsche
Weil ich ihr Liebling bin.

Und hat sie nichts zu bringen,
Da kommt sie ohne was.
Kein Tag geht ohne Lotte.
Auf Lotte ist Verlass.

Je la prenais pour Sissi et je grimpais avec elle dans les paysages magnifiques du massif de l'Ötztal où j'étais jeune et heureux et que je n'ai jamais oubliés. Mais quand j'ai vu votre grand-mère dans cette maison de Schwaz où piaillaient une vingtaine d'officiers et leurs femmes plus ou moins légitimes...

Clara se pencha en avant.

— Mais qu'avait-elle donc de plus que Lisbeth, qui chantait si bien, ma grand-mère, pour vous fasciner à ce point ?

— Ce qu'elle avait ? Je vais vous le dire : elle était mystérieuse. Lisbeth était transparente. Votre grand-mère était mystérieuse. Elle était assise toute seule, très droite, un peu intimidante, un sourire lointain sur les lèvres. J'avais toutes les audaces. Je me suis approché d'elle. Je lui ai dit :

— Madame, vous êtes très belle.

— C'était d'une originalité bouleversante. Elle n'a semblé ni étonnée, ni flattée, ni fâchée. Elle avait toujours l'air de se moquer et d'être loin de tout. Et peut-être plutôt au-dessus. Elle m'a répondu que la grande fille blonde avec qui j'étais entré n'était pas mal non plus.

— Elle s'appelle Lisbeth, lui dis-je. C'est la fille de ma logeuse.

— Vous couchez avec elle ? me demanda-t-elle.

— Ah ! s'écria Clara. Comme moi !

— Oui, lui dis-je, comme vous. Ça doit être nerveux. Ou alors l'hérédité.

— Je m'appelle Françoise, me dit-elle. Je suis la femme du commandant Sombreuil.

— Ce n'était pas la première fois que j'entendais votre nom. Il était assez célèbre au sein du 2e dragons. Le nom d'Esclapez vous dit-il encore quelque chose ?

— Esclapez ? dit Clara. Rien du tout.

— Alors, vous n'aurez pas perdu tout à fait votre temps en venant interroger un vieil écrivain français dont vous vous moquez éperdument.

— Mais non ! protesta-t-elle.

— Mais si ! lui dis-je. Ça ne fait rien : je vais vous donner des détails qui vous intéresseront peut-être sur un épisode de la vie du père de votre père. Il était arrivé, je ne sais trop quand ni comment, venant de France, j'imagine, et probablement par l'Espagne, dans un camp de formation des environs d'Oran. Il était capitaine, en ce temps-là, et il instruisait les nouveaux venus. Vers le début du mois d'août 1944, des rumeurs commencèrent à courir sur un éventuel débarquement dans le sud de la France. Le troisième front, vous savez, ou peut-être le quatrième en comptant l'Italie. Vous voyez ça ?

— À peu près, dit Clara.

— Un soir, un officier de ses amis, qui était dans le civil garagiste dans le Midi et dont j'ai oublié le nom, lui proposa d'aller faire la fête à Oran.

— Je n'ai pas un sou, dit votre grand-père.

— T'occupe ! lui dit l'autre. Tu vas voir.

— Et voilà qu'ils partent tous les deux pour Oran dans la nuit sur le point de tomber. Ils débarquent dans un restaurant alors assez célèbre que tout le monde connaissait à l'époque et qui s'appelait *La Reine Pédauque*. Petites tables avec nappes blanches, lumières tamisées, maître d'hôtel un peu hautain, menu de rêve : tout le tremblement. Ils s'en mettent jusque-là. Vient le moment de l'addition. L'ami, qui portait beau, appelle le maître d'hôtel.

— Je suis le neveu du comte de Paris, lui dit-il. Vous mettrez ça sur son compte.

— Votre grand-père ouvre de grands yeux : ils vont nous foutre à la porte à coups de pied dans le cul, nous envoyer à la plonge, prévenir la police militaire. Pensez-vous ! L'affaire ne fait pas un pli : le comte de Paris était un habitué de *La Reine Pédauque*. Comment l'autre l'avait-il su ? Mystère. Ils sortent en riant dans la nuit, éméchés tous les deux.

— On va boire un verre avant de rentrer ?

— Riche idée, dit votre grand-père.

— Et ils repartent pour une boîte où se retrouvaient officiers, sous-officiers et soldats. Au bar, ils tombent sur un lieutenant déjà fortement imbibé qu'ils ne connaissaient pas. Il tenait à peine debout et s'appelait José Esclapez.

— Esclapez, dit Clara.

— Oui, lui dis-je : Esclapez.

— Je suis drôlement embêté, leur souffla-t-il d'une haleine empestée. Je dois m'embarquer demain matin.

— Et pour où ? demanda votre grand-père.

— Personne n'en sait rien, bredouilla-t-il. Pour la France, j'imagine. Pour la libérer, comme ils disent.

— Et alors ? dit votre grand-père. Tu as bien de la chance. Moi, je dois rester ici à me ronger les sangs pour former les nouveaux.

— J'ai peut-être de la chance, dit Esclapez en

pleurnichant, mais j'ai aussi une chaude-pisse. Je ne peux pas partir.

— Ah bon ? dit votre grand-père. Une chaude-pisse...

— Ils discutèrent un moment en buvant coup sur coup.

— Si tu me passais tes papiers et ton ordre d'embarquement, susurra votre grand-père, je partirais à ta place et toi tu resterais ici. On n'y verra que du feu. Tu te pointeras à l'infirmerie avec mes papiers à moi, tu te feras cajoler et tu te débrouilleras sûrement très bien.

— Aussitôt dit, aussitôt fait. Le lieutenant Esclapez, ivre mort, devint le capitaine Sombreuil et le capitaine Sombreuil devint le lieutenant Esclapez. Le lendemain, à l'aube, au mépris du règlement, votre grand-père s'embarquait pour la France, sous le nom d'Esclapez. Le 15 août, à l'aube, il débarquait à Fréjus. Les choses se compliquaient.

— Quelle histoire ! dit Clara.

— Dans la confusion de l'embarquement et de la traversée, le faux lieutenant Esclapez était passé inaperçu. À peine débarquées en Provence, un peu d'ordre se remit dans les troupes. Après l'usurpation d'identité, votre grand-père n'eut pas d'autre issue que la désertion. Il avait été en marge des lois de l'autre camp sous l'occupation allemande et le régime de Vichy : au lendemain du Débarquement, il fut en marge des lois de son propre camp. C'était un héros de l'illégalité.

Il était en Provence, sur la terre de France. Il redoutait par-dessus tout de voir le corps auquel il appartenait, ou plutôt auquel il n'appartenait pas, arriver trop tard sur le champ de bataille. Il brûlait de se battre, de passer le Rhin, de rejoindre les troupes de Leclerc qui avaient libéré Paris et de pénétrer en Allemagne aux côtés des Américains.

— Mais comment connaissez-vous tous ces détails ? me demanda Clara. Vous en savez plus que moi sur mon propre grand-père.

— Ma chère enfant, lui répondis-je, tout le monde, au 2e dragons, savait tout de son aventure : votre grand-père était une légende. Un peu comme les pilotes de Normandie-Niemen ou les soldats de Bir Hakeim. Nous nous racontions son itinéraire avec enchantement et envie. À Belfort, à Colmar, au passage du Rhin, il allait se couvrir de gloire. Son nom était célèbre bien au-delà du 2e dragons. Votre grand-mère me plaisait, mais j'admirais votre grand-père. Il rêvait de verser son sang. La mort qu'il courtisait n'a pas voulu de lui. Je crois qu'il aimait la guerre.

— Vous ne l'aimiez pas, vous, la guerre ?

— Ah non ! Pas du tout. Je la détestais. Je pensais qu'il fallait la faire, mais je ne l'aimais pas. Je m'en écartais le plus possible. Lui allait à son devant, il la poursuivait avec acharnement, il ne pensait à rien d'autre. Après avoir arraché ses galons de capitaine puisqu'il n'était plus que lieutenant, il avait quitté son uniforme qui aurait pu le faire repérer soit par les forces allemandes en retraite soit, comble d'ironie, par des forces françaises pointilleuses. Il n'y avait plus de trains, plus d'autocars, pratiquement plus de voitures. Il fonçait tout seul, en civil, à pied, la nuit de préférence, dormant plutôt le jour, vers le nord et le front. L'automne arrivait. Et la pluie. Le froid se mettait à pincer. Il n'avait dans son paquetage que les vêtements légers qui s'imposaient en été à Oran. Il grelottait sous son chandail, dans son pantalon de toile. Il tomba en route sur un groupe de résistants qui avaient encerclé un détachement d'Italiens aux environs de Nice et qui trimbalaient leurs prisonniers avec eux.

— Hé ! toi, là, où vas-tu ?

— J'arrive d'Afrique du Nord. J'essaie de rejoindre l'armée.

— Tu ne pourrais pas nous garder ces gaillards-là pendant deux heures ? Ils nous gênent beaucoup : nous devons franchir le Rhône et il faut trouver des embarcations.

— Il hésita un instant. Quel ennui !

— Deux heures, ça va. Mais pas plus.

— On lui donna une mitraillette. En français, en anglais, en italien, il échangea quelques mots avec ses prisonniers qui aimaient se battre moins que lui et qui n'avaient qu'une idée : rentrer chez eux, à Parme, à Bologne, à Sienne. Au bout de trois heures, un facteur vint à passer avec sa bicyclette. On se demande un peu quelles lettres ce fonctionnaire consciencieux pouvait bien distribuer dans ce formidable tohu-bohu. Le faux Esclapez lui transmit la consigne, la mitraillette et les Italiens. Quelques kilomètres plus loin, il y avait, au bord d'un chemin, une voiture abandonnée. Dans la voiture, une veste de laine. Il prit la veste pour avoir chaud.

Il marchait. De temps à autre, il se faisait emmener en charrette, en tracteur, en camion, en automobile. Il y avait quelque chose d'absurde dans cette fuite solitaire en avant vers la guerre. Mais, depuis la soirée après *La Reine Pédauque*, les choses étaient engagées de telle sorte qu'il ne pouvait plus revenir en arrière. Quelque part entre Dijon et Belfort, il avait déjà marché longtemps, la Toussaint n'était plus très loin et il touchait au but, l'inévitable se produisit : un matin, à l'aube, le soleil à peine levé, une patrouille française l'arrêta. Je crois qu'il en ressentit comme une sorte de soulagement.

— Papiers, dit le sergent.

— Votre grand-père tira de sa poche les seuls papiers dont il disposait : c'étaient ceux d'Esclapez.

— Vous êtes lieutenant ? demanda le sergent, qui se demandait s'il avait affaire à un déserteur et qui ne savait pas sur quel pied danser.

— À vrai dire, répondit votre grand-père, je suis plutôt capitaine.

— Le sergent lui jeta un regard par en dessous.

— Capitaine ?

— Je suis le capitaine Sombreuil, du 2e dragons.

— Pourquoi êtes-vous en civil ?

— C'est un peu compliqué, dit votre grand-père.

— Et les papiers au nom du lieutenant Esclapez ?

— C'est plus compliqué encore.

— On l'emmena chez un colonel qui traînait dans le voisinage. La chance existe aussi. Le colonel dînait le soir même avec le général de Lattre de Tassigny. Il lui raconta l'histoire peu vraisemblable du capitaine patriote devenu lieutenant vagabond. Elle enchanta le général : il aimait les hommes au caractère bien trempé. Il fit venir votre grand-père en présence du colonel et lui dit :

— Commandant, je devrais vous blâmer, et je vous félicite.

— Mon général, lui dit votre grand-père, au garde-à-vous, qui voyait s'annoncer de nouvelles embrouilles, j'étais capitaine, je suis devenu lieutenant, mais en aucun cas je ne suis commandant.

— Eh bien, mon vieux, lui dit le général, vous l'êtes.

— Euh...., murmura le colonel en toussotant.

— Qu'est-ce qu'il y a ? glapit le général en tournant la tête.

— Rien, mon général, dit le colonel.

— C'est ainsi que votre grand-père, dont j'admirais le courage et la femme, est devenu commandant.

— Cool, dit Clara.

Je la regardai.

— N'est-ce pas ? lui dis-je.

— Mais qu'est devenu Esclapez ?

— La malchance existe aussi. Vers le début de l'automne, un bateau parti d'Oran pour la France fut un des derniers à être coulé par une torpille en Méditerranée. Il n'y eut pas de survivants. La famille de votre grand-père fut prévenue avec les formules en usage dans l'administration militaire que le capitaine Sombreuil figurait sur la liste des victimes. Le disparu était José Esclapez, et c'était plus grave que la chaude-pisse.

— Ah ! dit Clara. Pauvre Esclapez.

— Buvons à sa santé, lui dis-je en ouvrant une bouteille de vin blanc que j'avais sous la main.

Elle leva son Coca light.

— J'ai souvent revu votre grand-mère. J'avais dix-neuf ans. Je respectais votre grand-père, je faisais la cour à votre grand-mère.

— C'est un héros, lui disais-je.

— Ah oui, me disait-elle dans le chalet de Schwaz encombré de képis ou dans les rues d'Innsbruck où la neige commençait à tomber, c'est un héros.

— Tout était dans le ton. Je crois qu'elle s'ennuyait un peu à Innsbruck, en 1945, au milieu des femmes de colonels, de capitaines et de lieutenants. Je n'étais pas un guerrier. J'essayais de la distraire. Elle se laissait distraire. Mais, comment dire..., avec un peu de distance. Vous savez, je ne crois pas qu'elle ait été folle de moi...

— Vous étiez fou d'elle ? demanda Clara.

J'hésitai un instant. Allais-je raconter sa grand-mère à Clara comme je lui avais raconté son grand-père ? Ma vie ne tournait pas autour des grands-parents de Clara et peut-être ne tenait-elle pas elle-même à savoir ce que...

Le téléphone sonna.

Je me levai.

— Pardonnez-moi, murmurai-je.

C'était Robert. Robert est un ami. Je l'aime beaucoup depuis longtemps. Nous nous appelons deux fois par semaine, et souvent trois. Il n'est plus très jeune, sa santé n'est pas fameuse. Je lui expliquai en quelques mots que je n'étais pas seul, et je raccrochai assez vite.

— Encore un héros, dis-je à Clara en allant me rasseoir. Peu d'époques auront été aussi encombrées que la nôtre par le double cortège des héros et des salauds. J'imagine que leur nombre a toujours été et sera toujours à peu près constant. Mais les événements que nous avons vécus leur ont permis de se révéler comme rarement auparavant. Ils se répartissent très également entre les régions, les générations, les convictions, les classes sociales. Beaucoup de Français ont aidé les Juifs et les résistants sous l'occupation allemande, et beaucoup les ont dénoncés. Beaucoup ont rejoint les maquis et les réseaux de résistance et beaucoup se sont retrouvés du bon côté du manche lorsque tout péril était passé. Ils donnent raison à la fois à la formule de Chateaubriand : « Il y a des temps où l'on ne doit dépenser le mépris qu'avec économie, à cause du grand nombre des nécessiteux », et à ce vieux besoin d'admiration qui n'en finit pas de nous travailler. Ancien de Normandie-Niemen, Robert est ce que j'aurais aimé être...

— Il est très beau ? demanda Clara.

— D'abord, lui dis-je en riant. C'est très commode, ça fait gagner un peu de temps. Mais aussi un héros historique, officiel et dûment patenté : il est héros de l'Union soviétique. Son nom apparaît dans toutes les cérémonies franco-russes du souvenir. Vous savez : seize ans en 40 – moi, j'étais encore en culottes courtes, je rêvais d'Athos, de Porthos, d'Aramis et je passais mon bac –, quelques mois d'Angleterre, quelques mois de Syrie, le front russe en 42, une douzaine d'avions abattus, tous ses camarades morts et une étreinte de Joukov avec baiser sur la bouche devant une forêt de drapeaux rouges. Ce qu'il m'a raconté de Stalingrad, d'Orel, de Koursk, fait dresser les cheveux sur la tête. Une aventure comme celle de votre grand-père, à côté, prend des allures de bluette. Le froid, la neige, la chaleur, la poussière, la sauvagerie des combats, l'énormité des moyens en matériel et en hommes font de la bataille de Russie un des épisodes les plus cruels de toute l'histoire de l'humanité.

L'héroïsme, ne vous y trompez pas, était des deux côtés. Et l'horreur aussi. Pouvait-on le dire, il y a encore vingt ans ? On raconte que le général de Gaulle, en visite officielle à Moscou, assiste à un film de propagande, émouvant et superbe, sur la bataille de Stalingrad. À la sortie, il se tourne vers son aide de camp :

— Quel grand peuple, quand même !

— Les Russes, mon général ?

— Mais non, voyons ! Les Allemands !

— Les Russes sont un grand peuple. Les Allemands aussi. Le sort de notre histoire s'est joué entre eux de l'opération Barbarossa à la bataille de Stalingrad. Après, les dés étaient jetés. Il fallait être aveugle pour ne pas le voir. Avant, c'était une autre affaire. Le jeu était ouvert. Au service d'un menteur et d'un assassin qui s'était emparé de l'âme d'une des nations à qui l'histoire doit le plus, les Allemands ont dépensé dans une guerre injuste des trésors de courage et de génie militaire. Triomphant à force d'abnégation et célébrés par tous, les Russes, qui ont contribué plus que personne à la victoire de la démocratie, ont commis autant d'atrocités que les Allemands exécrés et vaincus. Le nom de Katyn, où l'Armée rouge se livra sur des prisonniers polonais à un massacre mis avec vraisemblance et obstination sur le compte de la Wehrmacht, reste le symbole de la double tragédie meurtrière qui s'est déroulée dans notre temps.

— Compliqué, dit Clara.

— Compliqué. Et très simple. Rarement la source d'une catastrophe a été identifiée avec autant de clarté : le premier et le seul responsable de la Seconde Guerre mondiale est Adolf Hitler. Il en est la cause unique. Il est le mal absolu. Son nom s'inscrit dans la lignée des grands assassins de l'histoire : les Attila, les Gengis Khan, les conquérants du Nouveau Monde, les trafiquants d'esclaves, les Mao Tse-toung, les Pol Pot. Mais, des goulags soviétiques aux exactions de l'Armée rouge en Europe orientale, en Allemagne, à Berlin, sur lesquelles peu de lumière a encore été faite, et aussi, du côté occidental, du bombardement de Dresde à la bombe atomique lancée sur Hiroshima et Nagasaki, il arrive aux moyens déployés contre lui par ses ennemis de relever du terrorisme dénoncé, à juste titre, chez lui par les démocraties. Pour abattre un système qui méritait et exigeait d'être abattu, les adversaires du système n'ont pas eu d'autre choix que d'employer les armes mêmes du système qu'ils combattaient. Comment échapper à la logique en forme d'engrenage de la guerre totale ? Personne n'a le droit de douter que, si Hitler avait disposé des ressources scientifiques nécessaires et de la puissance nucléaire, il n'aurait pas hésité un instant à s'en servir. Ce sont ses adversaires qui ont déchaîné le feu nucléaire. Il avait dégainé le premier. Il a été vaincu par ses propres armes, perfectionnées par ses ennemis. Beaucoup des maux d'aujourd'hui sortent de cette tragédie dont l'origine est Adolf Hitler.

J'ai souvent répété que les ombres de Staline et de Hitler ont dominé notre temps, notre existence à tous, et jusqu'à ma propre vie, si obscure et si protégée. L'histoire a pesé sur nous avec plus de force que jamais. Allemands ou russes, américains, japonais ou chinois, les chars ont dévalé dans nos journaux, sur nos scènes, sur nos écrans de cinéma ou de télévision, dans notre imagination avant même de déferler sur toutes les plaines du globe. Et puis la bombe a été lancée sur le Japon. La planète, tout à coup, s'est révélée fragile, menacée par des ennemis qui, comme dans un rêve de terreur, se confondaient avec nous. Longtemps, l'avenir a appartenu à Dieu ; maintenant, il appartenait aux hommes – et les hommes étaient dangereux. Nous sommes liés plus que jamais à un monde dont la disparition, pour la première fois dans son histoire mille et mille fois millénaire, appartient désormais au domaine du possible.

Croyez-vous que cette ombre au loin n'agisse pas sur chacun de nous ? Jamais demain n'a été moins assuré. Nous nous occupons beaucoup, et souvent avec inquiétude, de ce que nous mangeons, de ce que nous respirons, de ce que nous lisons et écoutons, des astres qui nous accompagnent, des souvenirs évanouis de notre petite enfance. Soyez sûre que l'angoisse cachée qui vient de notre avenir est capable plus que tout le reste de pourrir nos bonheurs.

— Je croyais, me dit Clara, que vous étiez un des rares écrivains du bonheur ?

— Mais je le suis, lui dis-je. J'occupe un des créneaux les plus désertés par nos contemporains. On peut comprendre pourquoi. Deux guerres mondiales ; la Shoah ; les camps de concentration ; au moins une centaine de millions de morts par violence ; la crise économique ; le chômage ; la grippe espagnole qui fait plus de victimes que la Première Guerre ; l'explosion du cancer et du sida ; la menace nucléaire et les manipulations géné-tiques ; en Occident au moins, un certain désen-chantement intellectuel et moral ; la conviction de plus en plus largement répandue qu'à la différence des milliards de Chinois ou d'Indiens nos enfants vivront moins bien que nous : quelle époque ! Tout cela n'incite pas à un franc optimisme. Je suis aujourd'hui un des derniers représentants d'une vieille lignée française qui considère le monde et la vie avec une légèreté apparente, avec une bienveil-lance amusée. M'empêchent-ils de voir, ces plaisirs et ces rires, que le monde est sinistre ? Je crois, à vrai dire, qu'il l'a toujours été. Et qu'il le sera tou-jours. Je suis de ceux qui croient à un péché originel et à la présence d'un mal qui rentrera par la fenêtre quand on l'aura chassé par la porte. C'est ce monde-là qu'il nous faut non seulement supporter, mais aimer et dont il faut s'amuser.

— Et ma grand-mère ? demanda Clara, qui commençait à s'ennuyer.

— Ah ! vous y venez ! Votre grand-mère a joué un grand rôle dans ma vie quand j'avais dix-neuf ou vingt ans. Je ne pense pas à elle tous les jours que

Dieu fait, mais, à Innsbruck, en 1945, au sortir de la plus grande guerre qui ait jamais jeté les hommes les uns contre les autres, elle m'occupait beaucoup. Churchill, Truman, de Gaulle, Staline m'étaient plus indifférents que Françoise Sombreuil. Elle m'intriguait. Elle m'était obscure. Je ne la comprenais pas. Il me semblait que je la distrayais de je ne savais quel ennui mortel ou peut-être d'un malheur dont elle ne parlait jamais, et elle me repoussait en essayant de me garder.

— Je ne l'ai pas connue, me dit Clara. Elle était morte quand je suis née. Son ombre m'a souvent intriguée. Vous êtes une des seules personnes à m'avoir parlé d'elle.

J'avais compris assez vite que Clara Sombreuil, qui travaillait à *L'Express* et que je rencontrais pour la première fois, ignorait tout de ce qui se murmurait à Innsbruck, trois quarts de siècle plus tôt, dans le milieu, fermé sur lui-même et assez semblable au salon des premières d'un grand transatlantique, des troupes d'occupation françaises en Autriche. Comme tous les garçons et les filles de son âge, Clara savait peu de chose de ses grands-parents. J'avais mis moi-même pas mal de temps à deviner le secret que Françoise Sombreuil dissimulait de son mieux et qui l'expliquait.

J'ai souvent remarqué que les gens nous paraissent étranges parce que la clé nous manque qui les révélerait d'un seul coup. La première lumière sur Françoise me vint à Trieste au printemps 1946. Nous étions descendus vers l'Italie et vers la ville au statut alors compliqué à cinq ou six voitures. Le prétexte de l'expédition était la présence dans le port de Trieste du croiseur anglais *Ajax* qui s'était acquis, sept ans plus tôt, avec l'*Achilles* et l'*Exeter*, une gloire mémorable en détruisant, au large du Río de la Plata, le cuirassé de poche allemand *Admiral-Graf-von-Spee*, du commandant Langsdorf.

Ce n'était pas la première fois que je me rendais en Italie. Une dizaine d'années plus tôt, j'étais allé à Rome avec un groupe d'étudiants, ou plutôt d'écoliers, emmenés par un abbé dont je n'ai découvert que plus tard, au hasard d'une conversation, le secret et la clé. L'abbé Belpaigne était un homme plutôt fort, très actif, chez qui bienveillance et mécontentement, à mon égard surtout, n'en finissaient pas d'alterner. Tantôt il me serrait dans ses bras, tantôt il me traitait avec une indifférence qui confinait à l'hostilité. Il me couvrait de compliments et il me rudoyait. Il me donnait en exemple à mes camarades éberlués et il se moquait de moi avec une cruauté qui m'avait, plus d'une fois, je devais avoir neuf ou dix ans, fait monter les larmes aux yeux.

Quelques années plus tard, j'avais retrouvé rue d'Ulm un de ces camarades de notre voyage en Italie : il venait de la khâgne de Lyon et il s'appelait Benoît. Un jour que je déjeunais avec lui au Balzar, nous avons parlé de ces journées romaines où nous craignions comme la peste les visites interminables de musées et d'églises et que nous avions détestées.

— Ah ! me disait Benoît, qui avait l'air d'un hibou derrière ses grosses lunettes et qui préparait l'agrégation de grammaire parce qu'il n'y a pas d'agrégation d'alphabet, tu te rappelles l'abbé Belpaigne ! Quel type !

— Si je m'en souviens ! Tu parles ! Il était bizarre.

— Il était surtout amoureux de toi.

— Amoureux de moi !

— Ça crevait les yeux. Nous en faisions des gorges chaudes. Il n'y avait que toi pour ne rien comprendre.

En franchissant le Brenner en direction de Trieste dans le plus beau des paysages sous un soleil de printemps qui brillait sur les montagnes enneigées, je racontais à Françoise Sombreuil, assise à côté de moi, mes aventures d'enfant avec l'abbé Belpaigne. Elle riait. J'étais heureux. Pour briller un peu à ses yeux, je lui racontais aussi comment, cent douze ou cent treize ans plus tôt, à l'appel de la duchesse de Berry, Chateaubriand avait passé les Alpes comme nous, mais un peu plus à l'ouest, par Sion, par Brigue, par le Simplon, pour descendre sur Domodossola et sur le lac Majeur dans une vieille calèche de voyage peu habituée à courir après les princes tombés qu'il avait rachetée à Talleyrand qui venait de lui succéder en Angleterre comme ambassadeur de Louis-Philippe. « Or, pendant que je pérégrinais derechef dans la calèche du prince de Bénévent, il mangeait à Londres au râtelier de son cinquième maître, en expectative de l'accident qui l'enverra peut-être dormir à Westminster, parmi les saints, les rois et les sages : sépulture justement acquise à sa religion, sa fidélité et ses vertus. » Au bord du lac Majeur, à peine les Alpes franchies, un Paganini aveugle jouait d'un violon dont les notes hésitantes s'élèvent encore dans les pages des *Mémoires d'outre-tombe*.

— Vous savez tout, me disait Françoise.

— Et elle mettait sa main sur mon bras.

— Tout, peut-être pas, murmura Clara. Mais pas mal de choses.

— Oh ! lui disais-je en baissant la voix, j'ai un peu lu le Chateaubriand, voilà tout. Je l'ai appris par cœur. Je me suis occupé de lui comme je m'occupe de vous. Et j'ai fini par l'aimer comme je vous aime aussi.

— Elle me regardait. Je lui racontais comment

Chateaubriand, descendant vers Vérone comme nous descendions vers Trieste, se livrait à un des exercices les plus classiques de la littérature universelle, d'Homère à Marcel Proust : l'appel des morts. Au catalogue des conquêtes chanté par Leporello succédait la litanie des ombres qui ne sont plus. Chateaubriand, vaniteux jusqu'à la mégalomanie, déclamait dans ses *Mémoires d'outre-tombe* :

> *L'empereur de Russie Alexandre ?*
> *— Mort.*
> *L'empereur d'Autriche François II ?*
> *— Mort.*
> *Le roi de France Louis XVIII ?*
> *— Mort.*
> *Le roi d'Angleterre George IV ?*
> *— Mort.*
> *Le pape Pie VII ?*
> *— Mort.*

Et, affolé de snobisme, Proust lui répondait, dans *À la recherche du temps perdu* :

> *Hannibal de Bréauté,*
> *mort !*
> *Antoine de Mouchy,*
> *mort !*
> *Charles Swann,*
> *mort !*
> *Adalbert de Montmorency,*
> *mort !*
> *Boson de Talleyrand,*
> *mort !*
> *Sosthène de Doudeauville,*
> *mort !*

— Mais nous, nous sommes vivants ! me disait Françoise.

— Je me serrais contre elle.

— Aimez-moi ! lui murmurais-je.

— Elle mettait la main contre sa bouche :

— Vous savez bien...

— Que devrais-je donc savoir ? lui demandais-je.

— La vie est si dure..., disait-elle.

Peuplée d'Italiens, guettée par les Slaves, administrée par les Anglais au lendemain de la guerre, Trieste est une grande ville autrichienne au bord de l'Adriatique. James Joyce y a vécu, et Italo Svevo, l'auteur de *Sénilité* et de *La Conscience de Zeno*. Dans la première voiture en provenance d'Innsbruck, il y avait le colonel de Toulouse-Lautrec, le commandant Sombreuil et Marenches ; dans la voiture derrière nous, l'abbé Lemire et le frère de Françoise Sombreuil que j'avais rencontré à plusieurs reprises, sans lui prêter grande attention, dans les festivités plutôt modestes d'Innsbruck et de ses environs. Le festival de Salzbourg était encore loin d'avoir retrouvé ses fastes d'avant-guerre qui allaient revivre avec éclat dans la seconde moitié du siècle et il fallait nous contenter des ressources limitées que nous offraient les cinémas d'Innsbruck, ses promenades, ses salons de thé où tout le monde connaissait et surveillait tout le monde et les rencontres organisées dans leurs maisons de fonction par les femmes de colonels, de commandants ou de capitaines. La virée à Trieste en l'honneur des Queen's Bays et de la flotte britannique constituait pour Françoise, pour moi, pour Marenches, pour tous les autres, une distraction inespérée. Un des vifs souvenirs que j'en garde est d'avoir entendu l'abbé Lemire, qui ne parlait pas un mot d'anglais, s'entretenir en latin avec le révérend – il s'appelait

Parsley-Jones, si je me souviens bien – qui naviguait sur l'*Ajax* et ignorait le français. Ils me faisaient penser à mon grand-père.

À peine étions-nous arrivés à Trieste que l'envie nous vint de pousser jusqu'à Venise, que je ne connaissais pas.

— Alors ? me dit Clara.

— Pardon ? lui dis-je.

— Vous ne m'écoutez pas, je crois. Je vous demandais si ma grand-mère avait vraiment joué dans votre vie ce rôle que vous lui prêtez ou si vous ne me parlez d'elle que pour me faire plaisir ?

— Excusez-moi, lui dis-je, je pensais à autre chose.

— Je vous ennuie ? me dit-elle à son tour.

— Mais non ! Je me fais à vous. J'étais un peu distrait, voilà tout. Je rêvais à Venise où je voulais emmener votre grand-mère. Nous étions partis pour Trieste, elle et moi, avec votre grand-père, bien entendu, et avec plusieurs autres, et j'avais une envie irrésistible de me promener avec elle place Saint-Marc et le long de ce Grand Canal qui hantait depuis longtemps mes songes d'admirateur des *Mémoires d'outre-tombe*.

— Et vous avez réussi ?

— Hélas ! non. Elle m'aimait bien, je crois. Je lui étais très attaché. Elle était très secrète, très réservée et, s'il faut tout vous dire, il n'y a jamais rien eu entre nous.

Ce n'était pas tout à fait vrai. À Innsbruck déjà, puis à Trieste, un soir, j'avais embrassé Françoise Sombreuil, abandonnée dans mes bras, et pourtant lointaine et comme absente sous les baisers du jeune homme exalté que j'étais en ce temps-là. Pouvais-je raconter mes relations avec la femme du commandant Sombreuil à sa petite-fille sans prendre la posture peu reluisante d'un bellâtre ridicule et pourtant content de lui ? Pouvais-je surtout lui rapporter la conversation que, le lendemain même du jour où j'avais embrassé Françoise, j'avais surprise, dans la nuit de Trieste, entre Marenches et l'abbé Lemire qui avaient un peu abusé des vins de la région ? Je ne me souviens plus des termes exacts qu'ils avaient employés, mais leur sens était assez clair : dans l'ombre héroïque de son commandant de mari, Françoise Sombreuil avait un seul amour interdit et secret, elle le traînait derrière elle comme une souffrance et un bonheur, elle ne vivait que pour lui : elle avait été la maîtresse de son frère dont je croisais sans cesse la silhouette insignifiante. Peut-être l'était-elle encore ? Peut-être ne pouvait-elle pas coucher avec moi parce qu'elle couchait avec lui ?

— Votre grand-mère, dis-je à Clara, était une femme remarquable. Elle a été très bonne pour moi. Je l'admirais beaucoup. Quand je repense à elle, grâce à vous, je la revois au sortir d'un dîner officiel ou d'un concert à Innsbruck, ou à Salzbourg, en zone anglaise, d'où je la ramenais chez elle en voiture pendant que votre grand-père était retenu par le service auprès du gouverneur militaire ou du général Béthouart. Elle relevait lentement sa voilette sur ses cheveux sombres et, de ses yeux aussi bleus que les vôtres, elle me regardait avec une intensité dont je me souviens encore aujourd'hui, plus de soixante ans plus tard.

Ce que je ne racontais pas à Clara, qui m'écoutait en silence, deux Coca vides devant elle, son stylo suspendu, c'était que sa grand-mère écartait sa voilette pour que je puisse l'embrasser pendant qu'elle pensait à son frère.

— Je n'en ai jamais autant appris sur une grand-mère qui me paraissait bien lointaine : il me semble, en vous écoutant, la découvrir enfin.

Pas tellement, pensai-je.

— Combien de temps êtes-vous resté à Innsbruck avec elle ?

— Un peu moins de deux ans. De Gaulle quittait le pouvoir. De Stettin à Trieste, selon la formule de Churchill, un rideau de fer tombait sur l'Europe. La guerre froide entre alliés d'hier succédait à la guerre contre Hitler. La IVe République se mettait en place. Les prix montaient en flèche. Félix Gouin, Georges Bidault, Léon Blum étaient nommés successivement à la tête du gouvernement provisoire avant l'élection de Vincent Auriol à la présidence de la République. En une douzaine d'années, sous la présidence d'Auriol, puis de René Coty, élu au treizième tour de scrutin, Léon Blum à nouveau, Paul Ramadier, Robert Schuman, André Marie, Robert Schuman à nouveau, Henri Queuille, Georges Bidault à nouveau, Henri Queuille encore, René Pleven, Henri Queuille pour la troisième fois, René Pleven à nouveau, Edgar Faure, Antoine Pinay, René Mayer, Joseph Laniel, Pierre Mendès France, Edgar Faure à nouveau, Guy Mollet, Maurice Bourgès-Maunoury, Félix Gaillard, Pierre Pflimlin, vous voyez le carrousel ? vous entendez la rengaine ? d'autres peut-être encore dont je ne me souviens plus allaient gouverner quelques mois ou parfois quelques semaines avant d'être renversés ou de démissionner tour à tour. La guerre s'allumait en Indochine avant de passer à l'Algérie. La France était à bout, elle n'avait plus de politique, elle vivait au jour le jour. Elle avait du mal à guérir de sa défaite de 40 qui avait mis fin en quelques heures à trois siècles de domination politique, économique

72

et culturelle, des traités de Westphalie au déferlement des chars de Guderian. Je me remettais au travail. J'étais reçu à l'agrégation. Grâce au général Béthouart, poussé, j'imagine, par votre grand-père, poussé lui-même, à coup sûr, par votre grand-mère, André François-Poncet, normalien comme Léon Blum, comme Péguy, comme Giraudoux ou Sartre, haut-commissaire puis ambassadeur à Bonn, m'appelait auprès de lui.

— André François-Poncet, répétait Clara d'un ton un peu laborieux, en tirant la langue et en inscrivant ce nom sur son cahier quadrillé.

— André François-Poncet appartenait à cette lignée de diplomates qui, comme Camille Barrère, ambassadeur à Rome pendant vingt-huit ans, Maurice Paléologue à Saint-Pétersbourg à la veille de la Première Guerre ou encore les deux frères Cambon, Paul à Madrid et à Londres, Jules à Washington et à Berlin, s'efforçaient de poursuivre sous la république la tradition fondée sous la monarchie par les Choiseul et les Bernis. Il régnait en proconsul dans son château d'Ernich, près de Bonn, au-dessus du pont de Remagen, où il s'était installé avec éclat et d'où il lançait ses mots d'esprit à la façon d'un pape ciselant ses encycliques.

Il était entouré d'une cour d'énarques sortis de l'École fraîchement créée par Michel Debré au lendemain de la guerre, de normaliens en rupture d'université, de Rastignac de tout poil, assoiffés de leçons particulières permettant de grimper plus vite les marches escarpées de l'ascension administrative et sociale. Tous répétaient avec docilité et admiration les saillies et les calembours que l'ambassadeur émettait en frisant sa moustache. Ses collaborateurs les plus proches lui servaient souvent de cibles et ses mots cruels réclamaient des victimes une dose sérieuse de masochisme hiérarchique. Un de ses secrétaires s'appelait Luc et, au cours d'une de ces réunions de travail qui regroupaient autour de lui un état-major imposant, j'ai entendu le pro-consul, agacé de ne pas disposer sous sa main d'un document égaré, s'écrier :

— Il sera encore tombé dans le trou du Luc !

— La semaine suivante, un matin, nouveau comité. Le malheureux Luc arrive avec quelques minutes de retard. Il s'avance, la mine défaite, vers Jupiter tonnant et bredouille :

— Monsieur l'ambassadeur, je vous présente mes devoirs.

— La réponse le foudroie :

— Donnez-les-moi que je vous les corrige.

— Une autre version circule :

— Je n'ai que faire de vos devoirs. Ce que j'attends de vous, c'est votre respect.

— Un jour, le bourreau trouva son maître dans l'esclave dominé. Il venait de se livrer à un feu roulant de calembours et de contrepèteries qui soulevaient des tempêtes de rires lorsqu'il s'aperçut que le jeune Luc, d'ordinaire plutôt soumis aux facéties de l'ambassadeur, ne donnait pas le moindre signe d'hilarité.

— Alors, Luc, demanda-t-il avec surprise, vous ne riez pas ?

— Je n'en ai plus besoin, monsieur l'ambassadeur : je viens d'apprendre que j'étais muté à Londres.

— Il m'avait à la bonne parce que, un jour où nous longions le Rhin en voiture, il m'avait montré en agaçant sa moustache un lourd navire de commerce.

— Dites-moi, mon jeune ami, que transporte-t-il, ce bateau ?

— Du lignite, monsieur l'ambassadeur.

— Ah ! ah ! *du* lignite... Enfin j'ai un collaborateur qui connaît le genre des noms.

— Deux ou trois ans plus tard, j'allais retrouver André François-Poncet à Paris, à l'époque de son élection sous la Coupole au fauteuil de Pétain qui venait de mourir. Je l'interrogeai sur le discours de réception, évidemment plein d'embûches, qu'il était en train de préparer.

— J'ai fait le plus facile me dit-il : je viens de gagner la bataille de Verdun.

— Je l'entends encore, au temps de sa splendeur, autour de la table impressionnante de Schloss Ernich qui brillait de mille feux : il donnait un de ces dîners d'apparat où se pressaient la cour et la ville et jusqu'à des écrivains et des hommes politiques venus de Paris pour l'occasion. Il sortait d'une grippe qui l'avait affaibli pendant quelques jours et une dame empressée lui demandait de ses nouvelles.

— Comment allez-vous, monsieur l'ambassadeur ? Vous sentez-vous un peu mieux ?

— Mémoire ou improvisation, il répondait tout à trac :

> *Toujours fidèle à ma conduite*
> *Et sans trop nuire à ma santé,*
> *Je tire encor deux coups de suite,*
> *L'un en hiver, l'autre en été.*

— Vouliez-vous devenir diplomate ? me demanda Clara. Ou faire de la politique ?

— Quelle horreur ! lui dis-je. Ni l'un ni l'autre. Je ne voulais pas faire grand-chose. À vrai dire, rien du tout. Je voulais être libre. Et me promener dans le monde.

En ces temps de mépris pour la politique, j'admire beaucoup, je vous l'avoue, ceux qui se consacrent au service de l'État. J'ai plus d'estime pour les « affaires », au sens que donnait au mot le général de Gaulle, c'est-à-dire les affaires de la France, de la collectivité, du peuple, que pour les « affaires » au sens commercial, qui n'est jamais très loin du sens juridique. Je vais jusqu'à penser qu'un certain nombre de fonctions donnent droit à des privilèges. Je suis tenté d'appliquer dans ce domaine les règles que se fixait Pascal à l'égard des grandeurs d'établissement. Rien ne m'irrite comme les journalistes qui se font un point d'honneur de refuser son titre à un ministre qu'ils interrogent et qu'ils appellent monsieur Durand ou monsieur Dupont au lieu de l'appeler monsieur le ministre ou monsieur le Premier ministre. Et quoi de plus ridicule que les procès faits par la presse aux ministres qui roulent sur les autoroutes un peu plus vite que leurs concitoyens ? Broutilles, évidemment. Autrement sérieux est le passage si évident d'une politique des idées et des visions de l'histoire à une politique des sondages et de la publicité. Même sous ces espèces nouvelles, je suis tout prêt à entourer d'honneurs et même de privilèges ceux qui ont la tâche redoutable de diriger un pays. Je crains trop que les meilleurs ne finissent par se détourner de la conduite des affaires publiques. Je les assure d'avance, comment dit-on ? de ma considération, je m'incline devant eux à la façon de Pascal devant les ducs et les princes du sang. C'est vous dire que je me suis toujours senti et que je me sens aussi loin que possible de leurs préoccupations : elles me paraissent légitimes, nécessaires, estimables – et, en un mot, dérisoires. À un niveau élevé, peut-être le plus élevé, elles participent à ce que Pascal, toujours lui, appelle le

« divertissement ». Et Montaigne les traitait de « vacations farcesques ».

— Vous n'avez jamais pensé à vous présenter aux élections ? à devenir ministre ? à solliciter une ambassade – à Rome, par exemple, dans le souvenir de Chateaubriand ?

— Jamais. Trop modeste sans doute. Et sans doute trop orgueilleux.

— Mais que vouliez-vous faire quand vous étiez enfant, quand vous sortiez de Normale, quand vous traîniez dans les jupes de ces hommes d'État et d'action que vous avez admirés ?

— Ce que je voulais faire ? Le moins possible. J'aimais rêver. Ils me faisaient rêver. Je les voyais un peu comme des héros en réduction de Plutarque ou d'Homère. J'espérais toujours qu'ils allaient – comme de Gaulle – entreprendre de grandes choses que j'étais tout disposé à applaudir, mais de loin. Moi, j'étais ailleurs : je me voyais comme préposé aux bonheurs et aux songes.

Elle me regarda.

— Et que faisiez-vous pour répondre à cette haute vocation ?

— Ah ! lui dis-je, voilà le drame : je ne faisais rien du tout. Je triomphais dans la paresse. J'y étais incomparable. Aussi loin que je remonte dans mes souvenirs d'enfance, il n'y avait que les livres pour me plaire et pour me montrer un chemin que je ne suivais d'ailleurs pas.

— Vous écriviez ?

— Je n'y pensais même pas.

— Parce que vous ne connaissiez pas la littérature ?

— Parce que je la connaissais un peu. J'avais lu, vous le savez déjà, l'*Iliade* et l'*Odyssée*. J'avais feuilleté Virgile, et Tacite, et Horace. Je connaissais

Corneille et Racine, comme tous les écoliers de France. Je les avais même appris par cœur, à la mode de ce temps-là. Je pourrais encore vous réciter quelques scènes d'*Andromaque* ou de *Phèdre*. Mon grand-père, lui, ancien lieutenant de cavalerie, m'en récitait des actes entiers. J'avais mis le nez dans Saint-Simon, dans Chateaubriand, dans Proust. Je ne voyais pas la nécessité de leur ajouter quoi que ce fût. Je me disais que la vie était belle et que j'avais beaucoup de chance d'être un homme capable d'éprouver, à défaut de les exprimer, à peu près les mêmes sentiments que Phèdre, que Bérénice, qu'Ulysse et ce pauvre Swann, la tête tournée par Odette qui n'était pas son genre.

— Alors, pourquoi, un beau jour, vous être mis à écrire ?

— Par faiblesse, lui dis-je. Si vous voulez vraiment le savoir...

— Je suis là pour ça, dit Clara.

— Reprenez un peu de Coca, je vais vous le raconter.

— Nous y voilà, dit Clara.

— Un matin, au début du printemps, dans le bureau minuscule que j'occupais à Bonn entre deux téléphones que je regardais avec haine et des piles de dossiers qui m'ennuyaient à périr, l'idée me tomba dessus tout à coup que j'allais faire carrière dans ce qui ne me plaisait pas et que je perdais ma vie. Ce n'était pas la nuit mystique de Pascal le 23 novembre 1654, vous vous rappelez : « Feu. Dieu d'Abraham, Dieu d'Isaac, Dieu de Jacob, non des philosophes et des savants. Certitude. Certitude. Sentiment, joie, paix... Oubli du monde et de tout, hormis Dieu... Joie, joie, joie, pleurs de joie » ni la nuit de Gênes, entre le 4 et le 5 octobre 1892, où, tourmenté par un amour malheureux pour une certaine Mme de Rovira qu'il appelle « Mme de R... » ou « la Méduse » et dont personne ne sait plus rien, Paul Valéry, en un mouvement à peu près inverse de celui de Pascal, renonce à la passion et au sentiment pour se donner tout entier à la seule intelligence. Non, je ne me comparais pas à eux : je n'en étais pas tombé à ce point de mégalomanie. C'était tout de même une conversion : il fallait quitter les ambitions subalternes, il fallait faire autre chose.

Quelques années plus tôt, une aventure similaire m'était déjà arrivée. J'avais lu coup sur coup, à Plessis-lez-Vaudreuil, entre deux processions en l'honneur de la Vierge, entre deux chasses à courre où le sang coulait à flots, *Les Thibault* de Martin du Gard, deux volumes des *Hommes de bonne volonté*, de Jules Romains et un livre dont personne ne se souvient plus aujourd'hui : *Augustin ou le Maître est là*, de Joseph Malègue.

— Malègue ? dit Clara. Ça s'écrit comment ?

— Comme ça se prononce, lui dis-je. Un peu plus tard, j'allais tomber sur *Notre avant-guerre*, de Robert Brasillach. Dans tous ces ouvrages apparaissait une curieuse institution qui tenait du couvent, du laboratoire de pointe, d'une pièce de Labiche ou de Courteline et d'un asile pour agités mentaux : l'École normale de la rue d'Ulm. À un dîner de famille sous le lustre aux trompes de chasse auquel participaient mon grand-père et mon père, le chanoine Mouchoux et une demi-douzaine d'oncles et de tantes qui paraîtraient pittoresques aux jeunes gens d'aujourd'hui, je déclarai, à la stupeur générale, que j'avais décidé de me présenter, comme Jacques Thibault, comme Brasillach, comme Giraudoux, comme Jerphanion et Jallez...

— Comme qui ? dit mon oncle Henry.

... au concours de cette rue d'Ulm dont je ne savais presque rien.

— À quoi ? dit mon oncle Henry.

— C'est une école, dit mon grand-père, qui se souvenait de ses conversations avec Léon Blum. Une bonne école.

— Et que produit-elle, cette école ?

— Des professeurs, je crois, des chercheurs, euh..., des instituteurs, dit ma tante Yvonne d'une voix hésitante.

— Elle était abonnée au *Figaro* et à *L'Illustration* où elle ne manquait jamais les dessins de Cami et elle me passait les suppléments de *La Petite Illustration* : je me jetais avec délices sur *Miquette et sa mère*, sur *Le Roi*, sur *L'Habit vert*, sur *Knock*, sur *Topaze*, sur *Domino*, sur *La Femme en blanc* et sur *Jean de la Lune*.

— Je ne connais ni *Domino*, ni *La Femme en blanc*, ni *Jean de la Lune*, ni *Miquette et sa mère*, me dit Clara.

— Ce n'est pas grave, lui dis-je. La guerre éclatait : je préparais mon bac. La France s'écroulait, le maréchal Pétain s'installait à l'hôtel du Parc et le général de Gaulle à Carlton Gardens : j'entrais en hypokhâgne à Henri-IV. Le front russe s'embrasait, les chars de Brauchitsch, de Bock, de Guderian déboulaient vers Moscou, la flotte américaine était détruite à Pearl Harbor : je passais en khâgne. Les Alliés débarquaient en Afrique du Nord, les Allemands envahissaient la zone libre, le maréchal Paulus capitulait à Stalingrad : je forçais les portes de la rue d'Ulm et la tête me tournait.

— Revenons à Bonn, dit Clara.

— À Bonn, les choses ne traînèrent pas beaucoup. Je confiai au proconsul qu'enseigner me manquait. Il avait le culte de l'Université : il me rendit ma liberté avec une bénédiction qui était dans son genre.

— Vous ne serez pas Claudel, me dit-il, ni Giraudoux, ni Morand. Tâchez d'être Taine. Si vous pouvez. Ou Sainte-Beuve. Ou peut-être André Siegfried. Un observateur de notre monde et un grand professeur.

— Je fis une petite grimace.

— Je ne vise pas si haut. Rien du tout me conviendrait assez bien.

— Il tripota sa moustache.

— On dit ça, me lança-t-il.

— Je demandai Aix-en-Provence parce que j'aimais le soleil et les vieilles maisons. On me répondit que tout le monde demandait Aix-en-Provence et qu'on donnait le poste aux caciques, c'est-à-dire aux premiers de leur promotion. Je n'étais pas premier. Je demandai Grenoble à cause du ski. On me répondit que le poste venait d'être pourvu, mais qu'une gâterie s'offrait à moi : c'était Bryn Mawr.

— Bryn Mawr ? dit Clara.

— Une université modeste avec six mille jeunes filles. Je partis pour l'Amérique.

— L'Amérique ! s'écria Clara, voilà du nouveau ! Je ne serai pas venue pour rien. Nous allons avoir une page entière du journal... peut-être deux...

— Peut-être trois, lui dis-je.

— Peut-être trois. Racontez-moi l'Amérique telle que vous l'avez vue, sa vie quotidienne, sa place dans le monde, les universités américaines au lendemain de la guerre, la politique américaine, le roman américain...

— Certainement pas. Je ne suis pas devenu Taine, ni Sainte-Beuve, ni André Siegfried. Même au petit pied. Je vous dois un aveu : je suis un ennemi de la géopolitique, de la psychologie des peuples, des tableaux d'ensemble, de tout ce que nous lisons à longueur de journée d'intelligent et de boursouflé dans vos hebdomadaires et dans vos quotidiens.

— Pourtant..., commença Clara.

— Oui, je sais : je me suis moi-même répandu dans la presse, à la radio, à la télévision ; j'ai écrit des articles sur la Chine qui fait peur, sur nos élections successives, sur la mort des grands de ce monde, sur les catastrophes naturelles ; j'ai même dirigé un journal. J'ai passé mon temps à jouer ce jeu-là. Nous vivons dans un monde où règne le commentaire. Et souvent le commentaire sur le commentaire. Si jamais vous publiez l'interview que je suis en train de vous donner, je ne serais pas surpris qu'on m'interroge sur ce que je vous aurai dit. Il y aura des interviews sur une interview. Les pays étrangers, les relations internationales, la politique en général, l'évolution des mœurs et la situation du monde sont du gâteau pour les pompeux, les bavards, les professionnels de la comédie grave. Sur l'état du monde aujourd'hui, je m'en tiens volontiers au jugement de Mr Smith. Samuel Beckett avait un tailleur du nom de Jonathan Smith qui lui avait demandé six semaines pour une paire de pantalons.

— Mr Smith, lui dit Samuel Beckett en essayant son pantalon, vous n'êtes pas raisonnable : Dieu n'a mis que six jours à créer l'univers qui est plus vaste qu'un complet, et vous, vous m'avez fait attendre six semaines pour un malheureux pantalon.

— Ah ! Mr Beckett, lui répondit Mr Smith, regardez votre pantalon et regardez l'état du monde.

— J'aime beaucoup les récits de voyage. À

condition qu'ils se révèlent plus britanniques que nature et qu'ils s'abstiennent de ce fléau repoussant : les considérations générales.

L'Amérique était l'Amérique. Vous la connaissez comme moi. Il y a des hommes et des femmes. Des hommes qui aiment les femmes, des femmes qui aiment les hommes, des hommes qui aiment les hommes et des femmes qui aiment les femmes. Des saints, des héros, des assassins, des drogués, des gens qui en veulent et des gens qui s'en fichent. Comme ailleurs, il y a l'amour, l'argent, le savoir, la folie, la peur et l'espérance. Il y a Dieu. Plus encore que chez nous, il y a des gens de toute sorte et qui viennent de partout. Et si vous insistez et que vous me parlez de leur passé et de leur histoire, je vous dirai que leur histoire est la même que la nôtre : leur passé, c'est Copernic, et Kepler, et Galilée, et Newton, c'est Shakespeare et Cervantès, c'est Descartes et Platon, c'est la peinture flamande et la peinture italienne, c'est Homère et Virgile et Mozart et saint Augustin.

— À vous entendre, les Américains seraient des Européens.

— Mais ils le sont ! Que seraient-ils d'autre ? Il y a moins de différence entre un Américain et un Européen qu'entre un Grec et un Suédois. Les Américains sont des Européens qui ont fui la famine, la pauvreté, la tyrannie et la persécution : d'où le culte de la liberté et de l'égalité, l'amour des droits de l'homme – et le respect de l'argent. Ce sont aussi des Européens qui ont repoussé et massacré les Indiens pour s'emparer de leurs terres : d'où le goût de la violence. Ce sont enfin des Européens mêlés de Noirs, enfants d'esclaves, de Japonais et de Chinois – de plus en plus nombreux et de plus en plus influents –, de musulmans et de juifs : d'où une nation à vocation universelle. À l'origine, anglo-saxonne, puis hispanique et italienne, enfin slave, arabe, indienne, africaine et asiatique. On pourrait soutenir que l'Amérique est un monde en réduction et une Europe exagérée. L'Amérique est une Europe qui se serait dilatée aux dimensions de la planète. Plus de liberté qu'en Europe, plus de technique qu'en Europe, plus de violence qu'en Europe, plus de religion qu'en Europe, plus d'argent qu'en Europe, plus de naïveté qu'en Europe, plus d'hypocrisie qu'en Europe. L'Amérique est plus puissante que l'Europe parce que tout y est plus grand : les distances, les moyens, les fortunes, les immeubles, les ponts, les espérances, les illusions. L'Europe est plus civilisée que l'Amérique parce que tout y est plus modéré, plus ironique – l'Amérique est tout, sauf ironique –, plus usé par le temps.

— Elle vous a quand même apporté quelque chose, l'Amérique ?

— Beaucoup, lui dis-je. Et d'abord une Française.

— Ah ! dit Clara.

— On ne m'avait pas menti. Les jeunes filles à Bryn Mawr se ramassaient à la pelle. Et beaucoup étaient belles. L'idée me traversa la tête que j'allais finir ma vie en Amérique. C'était l'époque du plan Marshall, du blocus de Berlin, de la loi Taft-Hartley, du rapport Kinsey sur la sexualité masculine et du rapport Kefauver sur le crime organisé, des débuts du maccarthisme et de la guerre de Corée. Le président Truman laissait la place au général Eisenhower. Les Rosenberg étaient exécutés. La Bourse grimpait au plus haut depuis la crise de 29. Nous déjeunions à onze heures et demie, nous dînions à cinq heures et demie et le travail se poursuivait dans la grande bibliothèque de l'université jusque vers dix heures du soir. Les États-Unis faisaient l'apprentissage de la puissance et de la gloire : ils s'étaient hissés à la première place, longtemps occupée par la France, l'Angleterre et l'Allemagne. Mais ils n'étaient pas encore seuls : il y avait les États-Unis et il y avait l'URSS. C'était encore l'URSS de Staline, et Sartre annonçait, avec sa lucidité coutumière, qu'elle était sur le point de dépasser l'Amérique. Après la Première Guerre et avant la guerre froide, les Américains avaient gagné la Seconde Guerre mondiale – mais les Russes l'avaient faite. Les États-Unis avaient perdu trois cent mille hommes et la Russie quelque vingt-cinq ou vingt-sept millions – trois fois le nombre total des pertes de la guerre de 14-18.

— Un peu de géopolitique, peut-être ? murmura Clara.

— Pensez-vous ! lui dis-je. Plutôt le roman du monde moderne. Le KGB d'un côté, la CIA de l'autre. Déjà sort de l'ombre un jeune homme de trente-cinq ans en qui vont se résumer l'épopée, la romance, la tragédie, le feuilleton sentimental et politique des temps que nous avons vécus : John Fitzgerald Kennedy. L'arrière-grand-père est un immigré irlandais ; le grand-père est cabaretier ; le père est milliardaire grâce à l'importation d'alcool sous la prohibition, ambassadeur à Londres en 1940 et pour le moins ambigu en face des triomphes d'Adolf Hitler : il croit à la défaite de l'Angleterre et se déclare hostile à l'entrée en guerre des États-Unis.

Toute la famille semble sortir d'un roman noir et rose, d'un best-seller exagéré, d'un film de série B qui en aurait rajouté sur l'invraisemblable et sur le kitsch. Inutile de vous parler encore de Jackie

Bouvier-Kennedy, la beauté et le charme mêmes, qui a l'air inventée à la façon de Guenièvre ou d'Hélène de Troie, qui remplacera la Callas sur le pont d'un pétrolier sorti d'une tragédie grecque et dont vous savez déjà presque tout. Mais aussi les enfants – le merveilleux John-John, dont les culottes courtes et le regard buté ont fait pleurer la terre entière à l'enterrement de son père assassiné par Dieu sait qui et qui se tuera avec sa femme dans l'avion qu'il pilotait avec désinvolture – et les frères et sœurs, nouveaux Atrides, poursuivis par la célébrité et par toutes les Furies de la mythologie : Joseph, l'aîné, tué dans l'explosion d'un bombardier ; Rosemary, internée pour folie ; Kathleen, tuée dans un accident d'avion ; Eunice, dont la fille Maria s'amourachera d'un acteur athlétique et longtemps obscur, fils d'un Autrichien vaguement nazi du nom de Schwarzenegger ; Patricia, qui épouse Peter Lawford, l'acteur ; Robert, ministre de la Justice sous la présidence de son frère, amant (suspecté du pire) de Marilyn Monroe, assassiné à son tour, après son frère, le Président, par un Jordanien ; Edward, dont la voiture se jettera dans la mer près du pont de Chappaquiddick, noyant Mary Jo Kopechne, la secrétaire polonaise de son frère, le ministre. Sans compter tous les autres à la génération suivante – ils étaient neuf frères et sœurs et Robert aura onze enfants à lui seul –, frappés par le cancer, par l'alcoolisme, par la drogue, par les accidents de ski et d'avion, accusés de viol et de tricherie à l'université, incapables d'échapper à la publicité et à la malédiction. J'enseignais à mes jeunes filles la sagesse de Montaigne, le bon sens selon Descartes, l'honneur selon Corneille, les passions de l'amour et la fatalité chez Ronsard, chez Racine, chez Proust, chez Giraudoux :

Harsoir en vous couchant vous jurâtes vos yeux
D'être plus tôt que moi ce matin éveillée ;
Mais le dormir de l'aube, aux filles gracieux,

Vous tient d'un doux sommeil encor les yeux sillée.
Çà ! çà ! que je les baise et votre beau tétin
Cent fois pour vous apprendre à vous lever matin.

Ou :

Je le vis : je rougis, je pâlis à sa vue ;
Un trouble s'éleva dans mon âme éperdue ;
Mes yeux ne voyaient plus, je ne pouvais parler ;
Je sentis tout mon corps et transir et brûler...
Ce n'est plus une ardeur dans mes veines cachée :
C'est Vénus tout entière à sa proie attachée.

Ou :

L'amour, c'est l'espace et le temps rendus sensibles
au cœur.

Ou encore :

FEMME NARSÈS

Où en sommes-nous, ma pauvre Électre, où en
sommes-nous !

ÉLECTRE

Où nous en sommes ?

FEMME NARSÈS

Oui, explique ! Je ne saisis jamais bien vite. Je sens
évidemment qu'il se passe quelque chose, mais je me
rends mal compte. Comment cela s'appelle-t-il quand
le jour se lève, comme aujourd'hui, et que tout est
gâché, que tout est saccagé, et que l'air pourtant se
respire, et qu'on a tout perdu, que la ville brûle, que
les innocents s'entre-tuent, mais que les coupables
agonisent, dans un coin du jour qui se lève ?

Demande au mendiant. Il le sait.

LE MENDIANT
Cela a un très beau nom, femme Narsès. Cela s'appelle l'aurore.

— Elles avaient beaucoup de chance, dit Clara, les jeunes filles de Bryn Mawr.

— C'est moi qui avais beaucoup de chance d'appartenir à une langue qui a produit tant de chefs-d'œuvre et qui m'a donné tant de bonheur. Je lui devais tout : dans la mesure de mes moyens, je travaillais à sa gloire. J'aimais l'enseigner à de jeunes esprits avides d'apprendre, à des adolescentes qui me regardaient avec de grands yeux étonnés : j'ai toujours eu un côté pion, un côté donneur de leçons. Je donnais des leçons. Au bout d'un semestre ou deux, quand je voyais mes jeunes filles, qui ignoraient à mon arrivée jusqu'au nom de Du Bellay ou de Nerval, se mouvoir avec aisance entre Ronsard et Racine, entre *Fantasio* ou *Un caprice* de Musset et les sonnets de Baudelaire ou quelques passages de Proust – la jalousie de Swann, les dîners chez les Verdurin, la petite sonate de Vinteuil, les pavés de la cour des Guermantes à la fin du *Temps retrouvé* –, je me disais que je ne perdais pas mon temps et que j'avais fait le bon choix.

J'avais renoncé aux dîners officiels de Schloss Ernich auxquels participaient tout ce qui se nommait à Paris et des jeunes gens ambitieux et encore inconnus qui seraient demain ministres, aux voitures de fonction et aux plans de carrière. Je vivais au milieu des livres dans un coin reculé de l'Amérique profonde. Au cœur de ce pays dont allait dépendre notre histoire dans les cinquante ou les cent ans à venir, le monde apparaissait plus lointain et plus calme. Menacée de déclin, se retournant sans cesse sur un passé qui lui faisait monter le rouge au front, inquiète de son avenir, en proie à toutes les angoisses de l'histoire, l'Europe était nerveuse. Secouée de troubles raciaux, religieux, économiques, l'Amérique offrait à qui voulait, dans ses campagnes, dans ses petites villes, dans ses universités, des plages de sérénité où les bruits du dehors parvenaient étouffés. Elle avait conscience de sa force et de sa capacité à affronter les problèmes. Elle avait confiance en elle.

Les livres me tenaient compagnie ; les jeunes filles aussi. Je passais le plus clair de mon temps dans ma chambre à préparer mes cours, au fond des fauteuils confortables du club des professeurs où je retrouvais mes collègues, hommes ou femmes, devant des boissons qui ne prêtaient pas à rire et qui menaient parfois à des amorces de tragi-comédies, dans la bibliothèque où j'allais chercher les ouvrages dont j'avais besoin pour mes exposés.

Peut-être déjà à cette époque, avant même de me lier avec Lea et avec Marie...

— Qui est Lea ? demanda Clara. Et qui est Marie ?

— Un peu de patience, voulez-vous ? Peut-être déjà en ce temps-là, l'idée d'écrire moi-même un livre m'était-elle passée par l'esprit. À force d'en lire et de les aimer, je sentais m'envahir une sournoise tentation qui osait à peine passer la tête par la porte. Comme il serait délicieux d'aller prendre place un jour, entre Origène et Orwell, sur les rayons de la bibliothèque de Bryn Mawr ! L'ennui était que je n'avais rien à dire. L'envie d'écrire un livre a précédé de loin l'idée du livre à écrire. J'avais envie d'écrire, mais je ne savais pas quoi.

L'état où je me trouvais était un peu étrange. Des instants d'exaltation succédaient à des crises d'abattement. Les uns et les autres tournaient autour d'un désir refoulé incapable de s'exprimer : c'était un désir d'écriture. Était-ce un désir d'écriture ? C'était peut-être un désir de destin, de reconnaissance, d'amour. De temps en temps, je m'arrêtais au beau milieu du campus ou, le samedi soir, à Philadelphie ou à New York où j'allais passer le week-end, devant un marchand de chaussures ou une agence de voyages, et quelque chose me traversait qui ressemblait à une illumination. Les idées et les mots se bousculaient sous mon crâne dans un brouillard sans nom. Des forces se battaient en moi dans une confusion qui me hissait au-dessus de moi-même, qui me promettait des miracles et qui finissait par me faire peur. Et, rentré dans ma chambre, le découragement me prenait. Je feuilletais *Paludes*, *Le Paysan de Paris*, *Le soleil se lève aussi* et je me disais que jamais, au grand jamais, je ne pourrais commencer un livre, le poursuivre pendant des mois et des mois et trouver la force de le terminer. « Finir, écrit Delacroix dans son *Journal*, demande une âme d'acier. »

Il m'arrivait de noter dans un carnet noir que m'avait donné Lea de petites choses, des rencontres, des événements bizarres ou surprenants que des collègues m'avaient racontés ou que j'avais lus dans le journal et qui me semblaient constituer des points de départ de roman. L'histoire surtout me fournissait des personnages et des aventures qui me faisaient tourner la tête. D'Alcibiade au Vénitien Bragadin qui défend, pendant près d'un an, Famagouste, dans l'île de Chypre, assiégée par les Turcs, et qui finit écorché vif, d'Alexandre le Grand, évidemment, qui meurt à trente-trois ans après avoir conquis l'univers de son temps aux amours tumultueuses de Pierre Louÿs et de Marie de Régnier, des Vikings, guerriers, navigateurs ou marchands, surgis de leurs fjords mystérieux, qui découvrent l'Amérique avant Christophe Colomb et qui, sous le nom de Varègues, descendent vers Byzance et la Caspienne les grands fleuves de ce qui deviendra la Russie et l'Ukraine et, sous le nom de Normands, conquièrent à peu près en même temps l'Angleterre et la Sicile, fondant une sorte d'empire éclaté, virtuel et sans capitale, à Aliénor d'Aquitaine ou à Oscar Wilde, les talents, les caractères et les hasards de l'existence me remplissaient de stupeur et d'admiration. Faisant se rencontrer, par des mécanismes toujours nouveaux et toujours identiques, d'une subtilité merveilleuse, les amoureux, les amis, les adversaires, les maîtresses et les épouses, les amants et les maris, les bourreaux et les victimes, le hasard s'exerçait aussi, à des niveaux moins élevés, dans la vie de chaque jour. Il me faisait rêver à la richesse d'un univers qui réclamait en silence, à grands cris muets, dans la fièvre et le sang, dans l'amour et la haine et l'ambition et l'argent, d'être exploré et dépeint.

Le problème de la place de l'histoire vécue, du fait divers, de l'anecdote dans le roman me tourmentait beaucoup. Je pensais que de grandes richesses pouvaient se cacher dans les anecdotes, méprisées bien à tort par les penseurs professionnels et qui recelaient un peu du sel caché de l'histoire ; et je me disais du même mouvement qu'elles tiraient les livres vers le bas.

C'était l'époque des *Gommes* de Robbe-Grillet, que je recevais de Paris, un peu plus tard du *Voyeur*. L'énorme pavé de *L'Être et le Néant* trônait toujours sur ma table. Les surréalistes avaient changé l'image que nous nous faisions de la littérature. Proust, Joyce, Céline avaient apporté du nouveau. Il n'était pas possible d'écrire comme au siècle dernier – il y a maintenant plus de cent ans. Il fallait inventer autre chose. Mais quoi ? Je renonçais.

Les livres, grâce à Dieu, n'étaient pas seuls à m'entourer. Il y avait aussi les jeunes filles. Elles avaient dix-huit ou vingt ans. J'en avais vingt-cinq, vingt-six, vingt-huit. C'était le bel âge. Et l'Amérique n'en était pas encore aux temps ridicules où un homme et une femme y regarderaient à deux fois avant de s'engager seuls ensemble dans un ascenseur peccamineux et préféreraient laisser ouverte la porte de la pièce où ils se rencontreraient en tête à tête. Au lendemain de la guerre, au contraire, Bryn Mawr était fraîche, innocente, plutôt gaie. Le retour paradoxal du puritanisme sous le masque du féminisme militant était encore loin, et 68 aussi. L'Amérique était jeune et elle était victorieuse. Elle ne doutait de rien, ni d'abord de ses vertus. C'était l'Amérique de John Wayne et de Gary Cooper, l'Amérique des Grandes Plaines et des grands sentiments. Malgré les périls qui n'avaient pas disparu et qui se confondaient en ce temps-là avec le communisme, lui aussi triomphant dans les lointains de l'Europe de l'Est et de l'Asie chinoise, elle riait à l'avenir. C'était moi surtout qui étais jeune et, comme tous les jeunes gens, j'étais mélancolique et hardi. Moi non plus, je ne doutais pas de grand-chose – si ce n'était de moi.

On sonnait à la porte. C'était le courrier. Il m'était monté chaque matin par une vieille dame algérienne qui, sous le nom de gardienne, jouait le rôle de ce que romanciers et bourgeois appelaient une concierge dans des temps reculés.

— Voilà Fatima, dis-je à Clara.

— Bonjour, Fatima, dit Clara.

Fatima inclina la tête en silence, déposa le courrier sur ma table de travail et disparut aussi vite qu'elle était apparue.

— Elle a dû être belle, dit Clara.

— Elle l'a été, lui dis-je. Elle est fille et petite-fille de harkis et, restés en Algérie, son père et son grand-père ont été massacrés par le FLN.

— Mon Dieu ! dit Clara.

— Un jour où j'avais la grippe ou peut-être, je ne sais plus, une de ces périarthrites qui ne vous font pas de bien, elle m'a apporté un potage et des médicaments et raconté, dans des transports de larmes, la fin de son grand-père qui avait fait la guerre comme sergent dans l'armée d'Italie avant de se battre dans les Aurès aux côtés des Français et le supplice de son père qui, tout au long de la bataille d'Alger, avait servi de supplétif aux parachutistes de Salan qui torturaient les Arabes dans les caves de la Casbah. J'écoutais en silence. J'avais du mal à suivre. C'était un film de terreur un peu obscur, un mélange du *Grand Sommeil*, auquel personne n'a jamais rien compris, et des polars les plus noirs.

Fatima, encore toute jeune, et sa sœur, petite fille, avaient réussi par miracle à monter à bord d'un des bateaux qui, au lendemain des accords d'Évian, ramenaient en France les pieds-noirs auxquels s'étaient joints un certain nombre de harkis. Le père et le fils avaient désespérément cherché à s'embarquer eux aussi. Pour des raisons dérisoires – un enfant malade, un autre introuvable, une voiture en panne, un barrage sur une route –, obstacles sur obstacles s'étaient opposés à ce projet qui les aurait sauvés.

Le père d'abord, puis le fils avaient été arrêtés

après s'être cachés quelques jours au fond d'une cave. Le premier avait été roué de coups et laissé pour mort. Il s'était réveillé avec des douleurs insupportables : on lui avait ouvert le ventre qui avait été bourré de cailloux avant d'être grossièrement recousu. Il était solide, il avait une bonne santé. Il mit deux jours à mourir.

Le second traîna plus longtemps. Il se crut d'abord sauvé : il avait seulement été assommé et jeté, à flanc de montagne, dans le coin d'une grotte isolée, les mains étroitement serrées, selon une vieille recette marocaine et chinoise, par des lanières d'étoffe et de cuir alternativement arrosées d'eau et séchées au soleil. On le nourrissait, on lui donnait à boire. Il perdit un peu la tête. Jour après jour, très lentement, les ongles poussèrent dans la paume refermée. De temps en temps, ses liens étaient arrachés par ses gardes et la bouillie de ses paumes incisée à coups de couteau pour permettre aux ongles qui continuaient à pousser de pénétrer plus aisément dans la chair de ses mains en lambeaux. Il se cognait la tête contre les murs au milieu des rires de ses bourreaux. Il était devenu une espèce de pantin fou qui se traînait sur le sol en se cognant la tête contre les murs pour essayer de mourir, un corps toujours vivant et à peu près intact qui se tordait d'une douleur qui lui sortait des mains pour s'étendre à tout son être, déjà perdu dans les brumes.

— Arrêtez, je vous en prie !

C'était la voix de Clara. Elle se cachait la figure dans les mains.

— Ah ! monsieur Jean, me déclarait Fatima en mettant les poings sur les hanches, ça n'a pas été drôle.

— Non, ça n'avait pas été drôle. Quand, des mois

et des mois plus tard, son père avait fini par mourir, les ongles lui sortaient de l'autre côté de la main. J'ai connu Fatima, ses cheveux noirs tirés en arrière. Maintenant, avec l'âge et le chagrin, ils doivent être devenus gris. Mais je ne les distingue plus : ils sont couverts d'un foulard qui les cache aux yeux des hommes. C'est la marche d'une histoire qui se nourrit d'un passé aux racines innombrables et qui n'en finit pas d'avancer vers un avenir que personne, hier encore, ne pouvait imaginer.

— Et maintenant, dit Clara, elle vous apporte votre courrier...

— Oui, son grand-père est mort, son père est mort, et elle me monte mon courrier. Et savez-vous à quoi je pense en ouvrant toutes ces lettres ?

— À la douleur du monde ? dit Clara.

— Mais non, lui dis-je. Au temps que, chaque jour, me fait perdre ce courrier. Les hommes sont tristes et gais, lâches, courageux, ils pensent à Dieu et aux autres et à attraper leur métro, ils sont amoureux et maniaques, magnifiques et frivoles. Ils sont aussi égoïstes. Et comme les peintres, j'imagine, comme les grands capitaines, comme les chasseurs à l'affût, prêts à envoyer au diable les gêneurs qui les dérangent, les écrivains, plus encore que tous les autres, cultivent leur égoïsme.

Chaque matin, je perds deux heures à lire des lettres souvent délicieuses, à répondre par quelques mots, à feuilleter des manuscrits déjà refusés un peu partout et qui ne me concernent pas, puisque je ne suis, grâce à Dieu, ni critique ni éditeur. Je ne pense pas beaucoup au grand-père ni au père de Fatima, ni au sort des harkis abandonnés par les miens et dont le sang retombera sur nous, ni aux souffrances des hommes. Je peste contre le temps perdu qui pèse lourd à mon âge et je me promets d'oublier le précepte de ma grand-mère : « Toute lettre mérite réponse. »

— J'imagine que cette avalanche de papier et la crainte qu'elle vous inspire sont des phénomènes plutôt récents ?

— Pas du tout. Dans mes tout premiers livres, je suppliais déjà mes lecteurs de m'admirer en silence et de renoncer à m'écrire tout le bien qu'ils pensaient de moi. Je m'en souviens très bien. Toute ma vie, j'ai essayé d'être quelque chose comme un écrivain et d'échapper en même temps à ce statut si haut vanté d'homme de lettres que j'ai toujours méprisé.

Clara plissa les yeux.

— N'y a-t-il pas dans votre attitude quelque chose d'un peu ridicule ? Ou, en tout cas, de vaguement comique ?

Je me mis à rire.

— Je vous l'accorde. Je ne sais plus qui – Degas, peut-être ? – disait, en se moquant de lui-même : « Je voudrais être illustre et inconnu. » J'ai longtemps cherché à être connu. C'était une idée fixe dont je me repens avec honte. Je la paie assez cher. Je me vois comme ces starlettes qui, après s'être mises nues devant les photographes sur la plage du Carlton à Cannes pour essayer de faire parler d'elles, se dissimulent derrière des lunettes noires pour mieux passer inaperçues. Ma punition n'a pas traîné. Ma formule est, aujourd'hui : « Je n'arrive plus au bout de ce qui m'empêche de travailler. »

Beaucoup d'écrivains ont dénoncé avant moi l'espèce de conspiration nouée autour de ceux qui ont tant besoin de calme et de temps. Montherlant parle des « chronophages » et Camus s'apitoie sur lui-même : « Que de temps ai-je perdu à essayer d'en gagner ! » Une des explications du vieillissement des écrivains et du tarissement de leur inspiration peut sans doute être cherchée dans les sollicitations permanentes dont ils finissent par être l'objet. Rien n'incline au gâtisme comme de gérer son succès. Les jeunes gens n'ont rien d'autre que de l'avenir devant eux et les vieux écrivains sont empêtrés dans un passé qui ne cesse jamais de leur être jeté au visage.

— Ne me faites pas croire que l'oubli de vos livres passés ne vous consternerait pas !

— Bien sûr que si ! Je voudrais que tout le monde s'en souvienne et que personne ne m'en parle. L'âge, le temps qui passe nous entraînent dans des contradictions dont il devient presque impossible de sortir. Ce qu'il y a de plus beau dans la jeunesse, c'est son absence de calcul et de regards en arrière. Elle se jette en avant sans s'occuper de rien. Nous, nous traînons derrière nous tous les boulets de nos échecs – et, pis encore, de nos succès. Car il est plus facile d'effacer un échec que de se remettre d'un succès. J'ai souvent cité le mot foudroyant de Cioran : « J'ai connu toutes les formes de déchéance, y compris le succès. »

— Aviez-vous beaucoup de succès auprès de vos jeunes filles de Bryn Mawr ?

— Elles en avaient beaucoup auprès de moi. Je dois à leur jeunesse des souvenirs de gaieté et de lumière. Elles m'ont laissé un goût de bonheur, elles m'ont appris à être heureux. Mon passage à Bonn et à Schloss Ernich m'avait introduit dans un univers d'ambition. Mon séjour à Bryn Mawr et en Amérique a marqué un retour à l'adolescence et à son insouciance. Après les années noires de la guerre et de l'Occupation, le campus de Bryn Mawr m'était un mélange de Thébaïde, d'abbaye de Thélème, de plage aux plantes exotiques, une variété d'utopie à la Jean-Jacques Rousseau, un paradis perdu et enfin retrouvé. Les livres, les jeunes filles, la naïveté d'une Amérique qui n'était pas encore un empire, mais une démocratie victorieuse, pleine de confiance et d'élan, les grands espaces autour de moi, l'éloignement d'une Europe que les chagrins et les divisions entraînaient dans l'amertume et dans la dérision me faisaient vivre dans une sorte de royaume enchanté. Je ne lisais plus les journaux. La France était plus loin que l'Oregon ou le Minnesota. Quand je parlais de Paris, il fallait préciser qu'il s'agissait de la tour Eiffel et de Maurice Chevalier. Il y avait beaucoup d'autres Paris sur le continent américain. « Paris ?... Paris, France ?... », demandait, fier de son savoir, le *driver* venu de Porto Rico.

Je ne me souciais ni de carrière, ni d'argent, ni de politique. La samedi, je partais pour Philadelphie, pour Boston, pour New York où je m'étais fait des amis. L'été, je traversais l'Amérique en autocar ou en train et je me promenais dans le Wyoming ou en Californie. L'ambition, l'envie, l'avarice m'étaient devenues étrangères. Je buvais du lait, je mangeais des hot dogs et du pop-corn, je lisais Rabelais, Montaigne, Cervantès, *Les Mille et Une Nuits*. Je découvrais Borges et Alejo Carpentier. En khâgne et rue d'Ulm, j'avais appris presque tout sur Homère et Virgile, j'avais tourné autour de Descartes et de Kant. Voilà que je m'aventurais du côté de l'Égypte, de la Perse, de la Chine dont personne ne m'avait jamais parlé autour du Panthéon, que je me prenais d'affection pour saint Augustin ou pour Spinoza dont le moins qu'on puisse dire est qu'ils ne se faisaient pas la même idée de Dieu ni de notre passage ici-bas. Au-delà de la bibliothèque de Bryn Mawr et des conversations sans fin sur le campus, l'Amérique pour moi prend le visage de deux femmes.

— Enfin ! dit Clara.

— Aucune des deux n'était vraiment américaine. Aucune n'appartenait au clan redoutable et brillant des wasp : *white anglo-saxon protestant*. Et aucune n'était mon élève. Lea était juive, brune, polonaise, très gaie malgré tant de malheurs. Et Marie était blonde et française.

— Était-ce un malheur, demanda Clara, d'être polonaise et juive ?

— À son époque, certainement.

— Et est-ce un malheur d'être brune ?

— Non, c'est une chance au même titre que d'être blonde.

— Pas de différence ?

— Une différence, si. Une préférence, non. La vie de Lea était accablée de chagrins. Je l'avais rencontrée dans un cinéma – était-ce à New York ou à Philadelphie ? – dont j'ai oublié le nom. Mais je me souviens du film : c'était *Notorious*, de Hitchcock, avec Cary Grant et Ingrid Bergman. Elle était arrivée avec une amie, j'étais seul. Nous étions assis aux côtés l'un de l'autre. Au moment où Ingrid Bergman, empoisonnée par les nazis, descend, dans les bras de Cary Grant qui est venu la délivrer, l'escalier de la maison où elle est enfermée, je sentis la main de ma voisine me serrer le poignet avec tant de force que je poussai un cri étouffé. Elle ne l'entendit pas ou le mit sur le compte de l'émotion qu'elle éprouvait elle-même. Quand, agents tourmentés et secrets de la démocratie américaine aux prises avec le mal, Ingrid et Cary se retrouvent enfin seuls dans la voiture qui les emmène vers leur destin et vers la fin du film et que les méchants, vaincus, vont se dévorer entre eux, je me tournai vers ma voisine et je lui murmurai :

— Je crois que vous avez aimé le film...

— Le mot « Fin » s'inscrivait sur l'écran, les lumières se rallumaient dans la salle.

Elle me regarda avec hauteur et me lança un peu froidement :

— Pardon ?

— Je me frottai le poignet et lui dis en riant :

— Vous m'avez serré le bras si fort que, pour un peu, vous auriez pu me faire mal. J'ai droit à un sourire.

— Elle hésita un instant avant d'éclater de rire :

— J'ai beaucoup aimé le film !

— Elle n'aimait pas seulement les films. Elle aimait une vie qui ne l'avait pas épargnée. Vers le milieu du XIXe siècle, sa famille habitait, sous la domination russe qui n'était pas légère, une de ces bourgades où s'entassaient les Juifs de Pologne ou de Lituanie et qui portaient en yiddish le nom de *shtetl*. Son arrière-grand-père y exerçait les fonctions de rabbin. Ce n'est pas assez dire que les siens vivaient dans un climat de piété. La sévérité, la rigueur, l'austérité régnaient dans une famille ashkénaze où les rabbins se succédaient de père en fils et qui s'enorgueillissait de descendre du fameux Israël ben Elizier Ba'al-Shem tov, le plus célèbre des maîtres du bon Nom et l'un des fondateurs du mouvement hassidique.

Dès l'enfance, au milieu des chofar et des mezouzah, le grand-père faisait preuve d'une piété exaltée. Tout au long des journées, scandées par les rites et les prières, et parfois des nuits passées dans l'effusion, il lisait la Torah jusqu'à s'user les yeux. Lea vénérait la mémoire de ce grand-père qui n'avait pas manqué de devenir rabbin à son tour,

100

qu'elle n'avait jamais connu, mais dont elle avait tant entendu parler par son père et ses oncles qu'il lui était devenu familier. Rien ne l'intéressait hors la Torah, le Talmud, la splendeur de l'éternité et il faisait de sa maison une forteresse de la pureté juive. L'histoire des hommes dans sa vanité et dans ses ambitions était considérée comme *tref*, c'est-à-dire comme impure, et il n'y avait pas d'autre réalité que Dieu et la loi de Dieu.

— Le monde est plein de mystère, confiait-il à ses fils, qui l'écoutaient avec terreur, tout ce qui arrive est décrété par Dieu depuis toujours et le moindre fragment de la nature ou de nos pensées contient le secret des secrets.

— À intervalles presque réguliers, un spectre se levait sur le shtetl comme sur tous les Juifs de l'Europe de l'Est : le pogrom. Tantôt, à propos d'une bagarre, d'un incident mineur, d'une rumeur, la haine, toujours semblable à elle-même, naissait, personne ne savait trop pourquoi ni comment, des profondeurs de la population : on eût dit une houle qui s'enflait tout à coup et se déchaînait ; tantôt, sur l'ordre d'autorités invisibles qui relevaient de la légende, la police ou l'armée intervenaient ouvertement. Le pire, c'étaient les Cosaques.

Venus on ne savait d'où, le fouet à la main, un anneau à l'oreille, le bonnet rond sur la tête, ils déferlaient soudain dans les rues des villages ou des villes, pénétraient à cheval dans le heder ou dans la yeshiva – les écoles juives primaires ou talmudiques –, forçaient les demeures des rabbins, violaient femmes et jeunes filles, mettaient le feu aux maisons de bois et disparaissaient aussi vite qu'ils étaient apparus, ne laissant que des ruines derrière leur apocalypse et emmenant avec eux quelques hommes dans la force de l'âge qui étaient perdus à jamais.

Une première fois, vers la fin du XIXᵉ, le grand-père de Lea avait été arrêté par les Russes. Il était revenu par miracle, il avait retrouvé sa femme, la rebbetzin, et il avait béni le Tout-Puissant dont les desseins étaient impénétrables et qui l'avait rendu à sa Jérusalem céleste du fin fond de la Pologne. Quelques années plus tard, au début du siècle dernier, les cosaques s'étaient emparés de lui une seconde fois. La rumeur avait couru qu'il avait été jeté dans la sinistre forteresse Pierre-et-Paul, à Saint-Pétersbourg, avant d'être déporté en Sibérie, et il n'avait jamais reparu.

Yitskhok, son fils, le futur père de Lea, était alors un tout petit garçon qui se plongeait déjà à son tour dans la Torah, le Talmud, la kabbale et les Livres saints où il lisait avec effroi : « Du rire, j'ai dit : absurde ! Et du plaisir : à quoi sert-il ? » Le shtetl était en ruine, la maison avait brûlé, le maître n'était plus là. La grand-mère de Lea, Rachel, avait un frère à Varsovie qui la pressait de venir le rejoindre. Un beau jour, dans la crainte et le tremblement, ce qui restait de la famille partit pour la grande ville où, entre tramways bondés de voyageurs aux pensées impures et charrettes chargées de choux ou de pommes de terre, régnait la fièvre trouble de la luxure et de l'argent.

À Varsovie, le frère de la rebbetzin habitait, dans le quartier juif, une rue rendue célèbre dans le monde entier par Isaac Bashevis Singer, le plus grand des écrivains yiddish, qui l'a chantée dans des pages immortelles : la rue Krochmalna. Dans cette rue vivaient des rabbins, des juges, des artisans, des fourreurs, des tailleurs, des blanchisseuses, des porteurs d'eau, des marchands de fruits, des étudiants, des bouchers casher, des gandins qui roulaient sur l'or et même parfois en drosky, des veuves et des bons à rien auxquels se mêlaient de temps en temps, venus d'ailleurs, des démons, des dibbouks, des sorcières et des esprits malins. Prince du naturel et du surnaturel, Singer les décrit avec une tendre précision où le réalisme ne cesse jamais de se combiner avec le rêve et avec le fantastique. Comme Gabriel García Márquez, pourtant si loin de lui, il est un des maîtres de ce réalisme magique qui illumine à la fois *Cent Ans de solitude* et *La Couronne de plumes*. Et, comme Proust, qui est son extrême opposé, il part des particularismes d'un petit monde très étroit – les Juifs de la rue Krochmalna chez Singer, les duchesses du faubourg Saint-Germain chez Proust ; une bar-mitsva chez Singer, un concert à falbalas ou un raout chez Proust – pour s'élever à l'universel.

Un tiers de siècle après l'installation de la famille dans la rue Krochmalna, la rebbetzin s'était changée en une veuve déjà âgée, accablée de malheurs et entourée de respect. Son fils, qui était devenu rabbin comme son père, comme son grand-père, comme le père de son grand-père, venait de se marier et Lea était née. L'avenir pourtant était aussi sombre et peut-être plus sombre encore que le passé.

La guerre de 14-18 avait pesé durement sur la Pologne, sur Varsovie, sur la rue Krochmalna. Elle avait entraîné la mort de près d'un demi-million de soldats polonais qui se battaient par hasard et sans grande conviction soit du côté de l'Allemagne, soit du côté de l'Autriche, soit du côté de la Russie. En été 1915, la IXe armée allemande était entrée dans Varsovie, abandonnée par les Russes. Au cours du terrible hiver 1916, le typhus, la faim, le froid avaient tué beaucoup de monde dans la rue

103

Krochmalna. Et, quinze ou vingt ans plus tard, pour comble de malheur, la femme d'Yitskhok était morte à la naissance de Lea. Les corps avaient beaucoup souffert mais, surtout, les esprits étaient emportés dans un tourbillon qui épouvantait la vieille et respectable rebbetzin.

À l'extrême fin du XIXᵉ avait été fondée à Vilna – aujourd'hui Vilnius –, sous le nom de Bund, une Union générale des travailleurs juifs de Lituanie, Pologne et Russie qui constituait une sorte de parti socialiste juif. En 1917, la révolution éclate en Russie. Quelques années plus tard, dès que la jeune génération arrive à l'âge d'homme, la famille de Lea, cessant d'être unie dans la pieuse simplicité de la foi, se divise. Des trois frères de son père, l'un, le plus jeune, Moshe, confit en dévotions et fidèle à la tradition, envisage, lui aussi, de devenir rabbin comme son frère ; un autre, Menahem, est socialiste et militant du Bund ; et, à l'horreur de sa mère, le troisième, David, qui fait des études de médecine et porte de petites lunettes rondes sans monture qui le font ressembler au mari de Lara dans *Le Docteur Jivago*, se déclare bolchevik.

Dans le trouble des âmes, il y avait encore pire. S'évadant de la Torah et des Livres sacrés, Yitskhok, le rabbin, le père de Lea, se mettait à lire Pascal en allemand et Spinoza en polonais. Il était toujours aussi éloigné du marxisme et du socialisme chers à deux de ses frères, mais il commençait à s'écarter également de la foi de ses ancêtres et à s'interroger sur le silence de Dieu devant le malheur des hommes. Son père avait disparu depuis longtemps en Sibérie, sa femme était morte en donnant le jour à sa fille, deux de ses cousins avaient été tués à la guerre pour des causes qui n'étaient pas les leurs, sa mère apprenait qu'elle avait un cancer dont elle allait bientôt mourir et la situation des Juifs était plus désespérée que jamais.

Les Polonais ne les supportaient plus ; dans la rue Krochmalna, beaucoup de Juifs étaient devenus communistes à l'instar de David et utilisaient les pages des Livres sacrés comme papier de toilette ; et d'Allemagne parvenaient des nouvelles effrayantes. Pourquoi Dieu tardait-il si longtemps à envoyer son Messie ? Le rabbin en venait, à sa propre terreur, à développer en silence une sorte d'éthique de la protestation qui allait se transformer plus tard, après l'occupation de l'Europe presque entière par Hitler, en une guerre privée contre le Tout-Puissant. Un peu après notre rencontre, Lea allait me montrer quelques lignes que son père avait écrites pour elle à la veille de sa mort et où retentissait encore le souvenir de la Shoah :

« Je me dis souvent que Dieu désire que nous protestions. Il en a assez de ceux qui le louent tout le temps et le bénissent pour ses cruautés. Si je pouvais, je serais piquet de grève à la porte du Tout-Puissant avec une grande pancarte sur laquelle serait écrit : *Injuste envers la vie*. »

Une éternité plus tôt, deux ou trois ans après la prise du pouvoir à Berlin par Adolf Hitler, Yitskhok avait fait venir ses trois frères et il leur avait dit :

— Je crains que de grands malheurs ne nous attendent. Je ne crois plus en Varsovie, je ne crois plus en la Pologne, je ne crois plus en l'Europe pour assurer à ma fille la sécurité et la paix. Je quitte la rue Krochmalna. Je pars pour l'Amérique. Voulez-vous venir avec moi ?

— Pour des raisons diverses, chacun des trois frères lui avait fait la même réponse : ils lui avaient déclaré qu'ils étaient attachés à la terre où avaient vécu leurs ancêtres et qu'ils ne s'en iraient pas.

Menahem, le socialiste du Bund, et Moshe, le plus jeune des frères, qui était enfin devenu rabbin, trouvèrent la mort au camp de Treblinka où les avaient envoyés les Allemands. Impliqué dans le prétendu complot des blouses blanches, David, le communiste qui ressemblait au mari de Lara, fut tué par les Russes d'un coup de pistolet dans la nuque à peu près à l'époque où je rencontrais sa nièce Lea.

Yitskhok et sa fille, encore dans la petite enfance, passèrent par l'Autriche, la Suisse et la France où ils s'embarquèrent au Havre pour New York. Un ou deux ans plus tard, les deux sœurs du rabbin, les deux tantes de Lea, quittaient à leur tour la Pologne avec leurs maris. C'était l'époque de l'Anschluss et de l'entrée des troupes allemandes à Vienne. Il n'était plus question pour des Juifs de traverser ni l'Autriche ni l'Allemagne. Passant par l'URSS et la Turquie au prix des pires difficultés, les deux sœurs gagnèrent la Palestine sans passeports, presque sans argent. Une fois à Jérusalem, elles écrivirent à leur frère, qui leur envoya une aide modeste de New York où il s'était installé.

New York, où circule encore un métro aérien appelé *elevator*, compte à cette époque trois millions et demi de Juifs qui parlent le yiddish. Établis dans l'East Side, ils constituent la communauté yiddish la plus importante du monde. Il y a plus de Juifs à New York à la veille de la Seconde Guerre que sur la planète entière au début du XIXᵉ siècle. C'est que dans le premier quart du XXᵉ siècle sont arrivés à New York – en même temps que quatre millions d'Italiens, plusieurs millions de Polonais, plus d'un million d'Allemands, presque un million de Britanniques, de Scandinaves et d'Irlandais – près de deux millions de Juifs. Le Jewish Art Theater et la presse yiddish, avec le *Tageblatt*, la *Tsukunft* ou le *Jewish*

Daily Forward – en yiddish : *Forverts* – sont des institutions. Fondé par des socialistes pour combattre le *Tageblatt* jugé réactionnaire, le *Forward* finit par atteindre un tirage de deux cent cinquante mille exemplaires, avec onze éditions régionales. Le père de Lea, qui pense et agit de moins en moins en rabbin mais se sent de plus en plus attaché à son passé yiddish et de plus en plus tourmenté par le destin du monde et la marche de l'histoire, n'a pas trop de mal à trouver sa place dans ce bouillonnement de culture. Il vit de ses collaborations aux différents journaux yiddish et il va jusqu'à écrire dans sa langue maternelle un petit livre qui sera traduit en anglais : *Of a World that Is No More* – en yiddish : *Fun a velt vos iz nishto mer*. Car ce monde des Juifs de l'Europe de l'Est qui est tombé dans le passé avec ses souffrances, sa misère et sa gloire, il ne suffit pas de dire qu'il appartient au souvenir : il a disparu corps et biens de la surface du globe au même titre que le jardin d'Éden, le mont Sumeru, l'Atlantide ou l'Eldorado. Peut-être finira-t-on un jour par se demander s'il a jamais existé. Il est devenu une légende.

Comme son père quand il n'était pas écrasé par le malheur du monde, Lea était très gaie. Et elle aimait la vie. Nous nous promenions dans Central Park ou sur le campus de Bryn Mawr où elle venait me rejoindre, elle me racontait les épreuves et les souffrances des siens et nous pleurions ensemble. Nous riions aussi beaucoup : sans argent et sans appui, orpheline de père et de mère, son grand-père disparu dans la lointaine Sibérie, ses trois oncles massacrés, elle avait connu trop de catastrophes pour ne pas vouloir profiter de chaque instant de bonheur. Elle se précipitait dans le plaisir comme dans une conjuration destinée à faire reculer le mal dont elle avait tant souffert.

— Tu me fais penser, lui disais-je en tenant sa main dans la mienne, à ces femmes aimées de Chateaubriand qui avaient traversé la Terreur et qui avaient toutes perdu un père, un frère, un mari, un amant. Elles se jetaient dans les bras de l'Enchanteur parce qu'elles avaient été malheureuses et qu'elles avaient soif de bonheur.

— Elle riait :

— Tu te prends pour ton grand homme ?

— Je haussais les épaules. Je la serrais dans mes bras.

— Bien sûr que non. Mais tu me plais comme elles lui plaisaient. Et l'histoire a été dure pour elles comme elle a été dure pour toi.

— Je lui racontais Delphine de Custine qui avait été incarcérée à la prison des Carmes et dont le beau-père, le mari et l'amant – Alexandre de Beauharnais, le premier mari de Joséphine, la future impératrice – avaient été guillotinés coup sur coup. Je lui racontais qu'avant de monter à l'échafaud le mari de Delphine lui avait griffonné quelques lignes : « Pourquoi donc éprouverais-je aucun trouble ? Mourir est nécessaire et tout aussi simple que de naître. » Je lui racontais Mme de Duras dont le père, libéral à la façon de Malesherbes, puis conventionnel modéré, avait été guillotiné, lui aussi. Je lui racontais les aventures, que j'ai tant aimées, de Pauline de Beaumont et de Chateaubriand à Paris et à Rome. Et...

— Quelles aventures ? demanda Clara.

— Vous ne les connaissez pas ? j'en ai beaucoup parlé dans plusieurs de mes livres.

— Pardonnez-moi, dit Clara. Je suis très ignorante.

Nous nous mîmes à rire tous les deux.

— N'êtes-vous jamais allée à Rome ?

— Si, bien sûr. L'année dernière encore. Pour la deuxième fois.

— Seule ?

— Je croyais que c'était moi qui vous interrogeais ?

— Vous avez raison. À votre tour de me pardonner. Seule ou accompagnée, peut-être avez-vous visité, entre le Panthéon et la piazza Navona, l'église Saint-Louis-des-Français ? C'est là que Chateaubriand, alors secrétaire du cardinal Fesch, ambassadeur de Bonaparte auprès du Saint-Siège, a fait élever à la mémoire de Pauline de Beaumont qu'il avait aimée et trahie avant de l'aimer à nouveau un monument qui rappelle ses malheurs.

Pauline était la fille d'Armand-Marc de Montmorin-Saint-Herem, qui, en sa qualité de ministre des Affaires étrangères, avait signé le passeport de Louis XVI à la veille de la fuite à Varennes. Décrété d'arrestation, incarcéré à la prison de l'Abbaye, Montmorin était passé devant le tribunal révolutionnaire, qui l'avait acquitté. À la sortie du tribunal, en septembre 92, il avait été massacré par la foule. Le reste de la famille avait péri successivement. Au plus fort de la Terreur, la femme de M. de Montmorin et son fils Calixte, le frère de Pauline, avaient été embarqués sur la même charrette et guillotinés coup sur coup. Pauline, qui était phtisique, c'est-à-dire tuberculeuse, et qui crachait le sang – peut-être est-il permis de voir en elle la première poitrinaire d'un siècle dont la dernière victime sera la Dame aux camélias, appelée aussi la Traviata –, avait été épargnée. En bon gestionnaire des deniers de la Nation, Fouquier-Tinville avait estimé raisonnable d'éviter à la République des dépenses inutiles, de ne pas user la guillotine, qui avait déjà fort à faire, et de laisser agir la nature. Pauline avait dû à l'esprit d'économie de l'accusateur public de la Convention nationale d'être la seule de sa famille à échapper à l'échafaud.

Pauline n'était pas belle, mais le courage et le charme transfiguraient ses traits aigus, son visage amaigri et trop pâle. Elle avait épousé un imbécile qui s'appelait M. de Beaumont et elle était devenue l'amie d'un être lunaire et délicieux, un peu oublié de nos jours, du nom de Joseph Joubert. Esprit fin et délicat, résigné dès l'enfance à la demi-teinte et à l'ombre, malade à peine imaginaire, plein de manies et d'obsessions, tourmenté de sa santé qu'il soignait à coups de régimes aberrants et funestes, égoïste affiché qui passait son temps à s'occuper de son prochain, Joubert était une âme qui avait rencontré un corps par hasard et s'en arrangeait comme elle pouvait. D'un jugement sévère sur lui-même et sur les autres, il se promenait dans son jardin de Villeneuve-sur-Yonne en arrachant de ses livres les pages qui ne lui plaisaient pas et il écrivait des pensées que vous n'avez pas lues...

— Non, dit Clara.

— ... et que vous feriez bien de lire. Il était l'ami de Fontanes qui, très différent de lui, ne détestait pas les honneurs et ne fuyait pas les charges. Ambitieux et opportuniste, très introduit dans le monde qui parvenait au pouvoir avec le Consulat, Fontanes était à la fois l'amant d'une sœur de Bonaparte et l'ami de Chateaubriand. Vous savez comment ces choses-là fonctionnent : le hasard, les rencontres, la passion, le chagrin. Fontanes présenta son ami Chateaubriand à son ami Joubert, et Pauline de Beaumont, au désespoir aussitôt maîtrisé du second, tomba éperdument amoureuse du premier.

— Ah ! dit Clara.

— C'est comme ça, lui dis-je. Catholique et marié, l'Enchanteur écrivit dans le lit de sa maîtresse, à Savigny-sur-Orge, aux portes de Paris, une bonne partie de son ouvrage, *Génie du christianisme*, qui constitue une apologie de la modestie, de la chasteté, du célibat, de toutes les vertus chrétiennes et où Dieu est présenté comme le grand Solitaire de l'Univers, l'éternel Célibataire des Mondes. Le livre parut à la veille du jour choisi par Bonaparte pour rouvrir les églises de France fermées depuis dix ans et célébrer à Notre-Dame de Paris une messe solennelle à laquelle assistaient Talleyrand, évêque renégat, Fouché, prêtre régicide, et une foule de jeunes officiers révolutionnaires et victorieux qui n'avaient pas la moindre idée des fastes de la religion catholique : le dimanche de Pâques 1802.

Coup de théâtre et d'autel, *Génie du christianisme*, dont Mme de Staël avait prédit l'échec après avoir lu les épreuves :

— Ah ! mon Dieu ! notre pauvre Chateaubriand ! Cela va tomber à plat !

rencontra aussitôt, un peu à la façon du *Cid* à l'extrême fin de 1636 ou dans les tout premiers jours de 1637, un succès foudroyant.

— Un rêve d'écrivain, dit Clara.

— Oui, lui dis-je. De quoi rêver. Du jour au lendemain, Chateaubriand, qui avait connu la solitude et la misère au temps de son exil en Angleterre et que le spectre du suicide avait frôlé plus d'une fois, entrait vivant dans la gloire. Il connut toutes les griseries du succès, les hommes lui faisaient la cour, les femmes se jetaient à sa tête. Il se laissait faire. Il était le chantre du renouveau chrétien, il aimait aussi rire, il était bon garçon et il se donnait du plaisir par-dessus la tête. Selon la formule d'une de ses amies, il ne craignait pas le harem. Il aurait pu reprendre à son compte les mots de lord Byron : « Personne, depuis la guerre de Troie, n'a été aussi enlevé que moi. » Il ne mit pas très longtemps à négliger la pauvre Pauline. Elle avait été la compagne des nuits de labeur et d'angoisse : pour les jours de triomphe, il préféra Mme de Custine, qui, avec ses longs cheveux blonds et ses amants innombrables, était plus jeune et plus belle.

— Je suis sûre, m'interrompit Clara, que vous pourriez me parler longuement de cette Mme de Custine au lieu de me parler de vous.

— Oui, je pourrais, lui dis-je sans rire. Mais je vois bien que vous vous impatientez. Nous avons peu de temps devant nous et nous devons aller vite.

Par Fontanes, par Élisa, la sœur de Bonaparte, qui était la maîtresse de Fontanes, par le Premier consul, qui était tout-puissant, l'Enchanteur, la tête tournée, se fit nommer à Rome auprès du cardinal Fesch, qui était l'oncle de Napoléon et qui était corse comme lui. De temps à autre, pris sans doute d'un vague remords, il écrivait à Pauline, qui était restée en France où elle souffrait sans se plaindre et se soignait au Mont-Dore, pour lui demander de ses nouvelles et tapoter de loin ses joues creusées par la douleur.

— Je tousse moins, lui répondait-elle, mais je crois que c'est pour mourir sans bruit.

— Ah ! pas mal ! s'écria Clara.

— Oui, pas mal. Et même si bien que c'est de cette lettre de Pauline que date ma passion pour René et pour les dames qui l'entouraient. Si non seulement le grand homme, me disais-je, mais ses correspondantes s'expriment de cette façon, il faut aller y regarder de plus près. La lettre de Mme de Beaumont bouleversa son destinataire. L'illustre auteur d'*Atala* et de *Génie du christianisme* eut honte de sa conduite passée. Il proposa à Pauline de venir le rejoindre à Rome pour y mourir dans ses bras. Elle n'avait jamais cessé d'être amoureuse de lui. Elle accepta. Une des pages les plus étonnantes de l'histoire du cœur était sur le point de s'écrire.

— Bon ! dit Clara en se pelotonnant dans son fauteuil. Le récit des malheurs des autres fait toujours notre affaire.

— Pauline de Beaumont arriva en Italie déjà à demi morte. Le voyage par Lyon et Milan l'avait épuisée. René alla la chercher à Florence. La réalité était pire que tout ce qu'il pouvait craindre. Il fut terrifié à sa vue. Elle était l'ombre d'elle-même, elle ne pouvait plus marcher. À peine si elle ouvrait les yeux. Elle n'avait plus que la force de lui sourire.

La seule présence de René parut ressusciter Pauline. Elle était bien incapable de se jeter dans ses bras. Mais un pâle bonheur éclairait son visage ravagé par la souffrance et lui donnait quelque chose de plus grand que la beauté. Dans l'éclat finissant de cet automne qui était le dernier de leur passion tumultueuse, le voyage de Florence à Rome fut une sorte de chemin de croix illuminé par un amour qui se savait condamné. Dans la voiture qui roulait au pas pour éviter les cahots, Pauline reposait, immobile, sans un mot, dans les bras de René qui la serrait contre lui et la protégeait de son mieux. Faible, changeant, contradictoire, insupportable, le grand homme, grâce à Dieu, dans cet ultime trajet, n'est pas indigne de la grande âme qui s'était donnée à lui. Ils passèrent par Pérouse et par Terni où Mme de Beaumont exprima le désir d'aller voir la cascade. S'appuyant sur le bras de son amant, elle réunit toutes ses forces pour se lever et marcher. Elle ne put faire que quelques pas avant de s'écrouler en larmes. Alors, elle leva les yeux vers René qui la soutenait et lui dit en souriant au travers de ses larmes et d'une voix ironique :

— Il faut laisser tomber les flots.

— Sous le soleil déjà plus pâle mais encore rayonnant de l'automne italien, il y avait bien d'autres choses à laisser tomber que les feuilles des arbres et l'écume des eaux : des souvenirs cruels qu'il s'agissait d'oublier, des préoccupations médiocres qui avaient cessé tout à coup d'avoir le moindre sens, des espérances aussi, hélas ! auxquelles il fallait renoncer. Pauline savait à la fois qu'il y avait d'autres femmes dans la vie de son amour et que la sienne était terminée.

Ils entrèrent dans Rome tous les deux le 15 octobre 1803 par la via Appia bordée de tombeaux antiques : déjà la mort accueillait la mourante. René avait loué, place d'Espagne, sous la colline du Pincio, au bas de l'escalier monumental de la Trinité-des-Monts, entre un petit jardin avec des orangers et une cour plantée d'un figuier, une maison assez solitaire, connue sous le nom de Villa Margherita. Il y installa la malade, qui ne se nourrissait presque plus et s'alita aussitôt. Il lui restait quinze jours à vivre. Ce sont les quinze jours de passion et de mort de la Ville éternelle.

— J'espère toujours que vous finirez tout de même par me parler un peu de vous, dit Clara, mais je commence à comprendre pourquoi vous êtes si attaché à l'auteur d'*Atala* et des *Martyrs* qui m'ont tant ennuyée quand j'étais à l'école.

— Les choses n'étaient pas simples. Même si leurs conjoints étaient loin, Pauline et René étaient mariés tous les deux. Et lui était le plus grand écrivain catholique de son temps et il était en poste auprès du Saint-Père. Le scandale ne fut évité que parce que l'ombre de la mort planait sur sa maîtresse et que le régime pontifical était plus libéral et plus compréhensif qu'il n'était permis de le craindre. Très vite, parmi la ronde des médecins que René avait fait venir et qui se montraient plus pessimistes les uns que les autres, les carrosses de plusieurs membres du Sacré Collège – et d'abord ceux du cardinal Consalvi, secrétaire d'État de Pie VII, et du cardinal Fesch – se montrèrent devant la demeure du premier secrétaire. Le pape lui-même fit prendre des nouvelles de Pauline. Le plus délicat, comme souvent, était les mots. On passe sur les actes, mais leur formulation accroche. On ose faire, on n'ose pas dire. La difficulté majeure était de savoir comment appeler Pauline. Parler de « Mme de Beaumont » laissait supposer qu'il y avait quelque part un M. de Beaumont bien gênant. Il était évidemment impossible de se servir de « votre maîtresse », ni de « votre amie », ni de « Pauline », trop familier. Le mot de « compagne », c'était le bon temps et le bon ton, n'avait pas cours. Le pape et les cardinaux se rallièrent à des formules neutres, bienveillantes et un peu vagues : « la pauvre malade », « la fille de l'illustre M. de Montmorin », à l'extrême rigueur : « la belle comtesse ».

La belle comtesse n'allait pas bien. Et elle était radieuse. Elle était en train de mourir et l'Enchanteur l'aimait. Les séducteurs aiment la conquête et s'attachent à celles qui leur échappent. Chateaubriand s'était lassé de Pauline qui était douce et soumise et qui l'aimait à la folie. Voilà qu'elle était sur le point de lui échapper à jamais puisqu'elle était mourante. Il se remettait à l'aimer parce qu'elle allait disparaître et Pauline, qui n'avait pas tardé à comprendre qu'elle payait de sa vie cet amour retrouvé, acceptait l'échange non seulement avec résignation mais avec une sérénité qui touchait à l'extase.

Les derniers jours furent déchirants. Il y eut d'abord un mieux. À l'extrême fin d'octobre, fatiguée mais heureuse, Pauline se sentit presque bien. Il faisait un de ces temps d'automne merveilleux tels qu'on n'en voit qu'à Rome. Êtes-vous allée à Rome en automne ?

— Non, dit Clara. Au printemps.

— En automne, beaucoup plus chaud qu'à Florence, le soleil brille à Rome avec plus d'éclat qu'au printemps, l'air est pur et doux, une lumière irréelle semble tomber du ciel sur une terre à peine lasse, épanouie et glorieuse. Mme de Beaumont voulut sortir. Elle se leva, quitta sa chambre, monta en voiture, témoigna de la curiosité et de l'amusement pour tout ce qu'elle voyait. Elle allait vivre. Il l'aimait. Elle allait vivre parce qu'il l'aimait. Ils se mettaient à faire des projets : ils ne se quitteraient plus, ils iraient à Naples au printemps, ils verraient ensemble Capri, Sorrente, Amalfi, Ravello. Les yeux de la malade brillaient. Était-ce de fièvre ou de bonheur ? C'était de bonheur et de fièvre.

René lui proposa d'aller jusqu'au Colisée. Elle lui serra la main et sourit. Arrivés devant le Colisée, elle parvint à sortir de voiture et, appuyée sur René, elle alla s'asseoir sur une pierre. Ils restèrent un instant à contempler sous le soleil ce qui restait des ruines de la Rome chrétienne et martyre.

— Allons, dit-elle soudain en se serrant contre lui. J'ai froid.

— René, la portant presque, la ramena jusqu'à la voiture. Il la reconduisit à la petite maison de la place d'Espagne où elle se coucha pour ne plus se relever.

Les médecins revinrent. Ce furent de nouveau les examens, les conciliabules, les mines graves, les chuchotements : ils ne laissèrent cette fois aucun espoir. La fin commençait.

L'agonie fut d'une grande âme emportée par l'amour et d'une rapidité terrifiante. Elle demanda pardon à celui qui l'avait tant fait souffrir. Chateaubriand sanglotait. Elle consolait de son départ celui qui s'était enfin décidé à l'aimer. Apercevant des larmes dans les yeux de René, émerveillée de la douleur de son amant, elle lui tendit la main avec un pauvre sourire et lui dit :

— Vous êtes un enfant : ne vous y attendiez-vous pas ?

— Les sanglots étouffaient la voix de Chateaubriand. Il ne répondit rien.

C'était la divine surprise qu'elle avait tant espérée. Elle obtenait dans le malheur et la mort ce qu'il lui avait refusé dans le bonheur de la vie : elle souffrait, il pleurait ; elle mourait, il l'aimait. Tout le monde pleurait. René pleurait, Pauline pleurait, Lea pleurait, Clara pleurait, j'étais moi-même au bord des larmes. C'était le lendemain du jour des morts, le jeudi 3 novembre.

Le vendredi 4 novembre, elle voulut se confesser à l'abbé de Bonnevie qui avait prononcé, l'année précédente, l'oraison funèbre du général Leclerc, mari de Pauline Bonaparte, la future princesse Borghèse, mort de la fièvre jaune à Saint-Domingue après s'être battu contre Toussaint Louverture. L'abbé arriva presque aussitôt. Elle fit signe à René de se retirer et resta seule avec le prêtre. Dans la pièce voisine de celle où Pauline était en train de mourir et d'où parvenait le murmure de ses paroles balbutiées, le catholique professionnel, le soutien de l'autel, s'interrogeant sur sa part dans les malheurs et les maux dont se confessait la mourante, se prit la tête entre les mains et pleura.

Une heure plus tard, à peu près, l'abbé sortit de la chambre. Il avait les larmes aux yeux et à René, secoué de sanglots qu'il ne parvenait pas à arrêter, il dit qu'il n'avait jamais entendu de plus belle confession ni vu pareil héroïsme.

Le curé de la paroisse de la Trinité-des-Monts arriva peu après. La chambre s'était peu à peu remplie de cette foule de curieux, de bigots et d'indifférents qu'on ne peut empêcher de suivre un prêtre en Italie. Pauline de Beaumont vit ce formidable appareil sans le moindre signe de frayeur. Tout le monde se mit à genoux au moment de l'extrême-onction. Des convulsions saisirent la mourante. Elle ferma les yeux, reprit son calme, s'affaissa sur l'oreiller. René, toujours secoué de sanglots, porta la main sur le cœur. Il palpitait à toute allure. Et puis il s'arrêta. Tout était fini. Selon les propres mots de Chateaubriand, où se mêlent, comme toujours, inconscience et grandeur, elle était morte dans ses bras désespérée et ravie.

— Ah ! bravo ! disait Lea.

— Ah ! bravo ! dit Clara.

— Quel génie ! s'écriait Lea.

— Un mufle, peut-être ? souffla Clara.

— Un mufle, un génie, un bon garçon, un égoïste. Il est très possible que l'Enchanteur n'ait pas été bon à aimer. Il détruisait les vies. Et il les rendait fort douces. Dans mes années américaines, j'ai vécu de longs mois entre Lea et lui. Lea préparait un M.A. en littérature comparée et travaillait sur Chateaubriand et Byron. Fontanes, Joubert, Peel, Natalie et Cordelia, Augusta ou Teresa ou Margherita Cogni, dite la Fornarina, qui était belle et colère, Talleyrand, le pape Pie VII et Anabella

Milbanke et Céleste Buisson de La Vigne, les épouses légitimes, nous étaient plutôt plus proches que mes collègues de Bryn Mawr ou tous les McCarthy et MacArthur qui occupaient le tapis à l'époque. Aujourd'hui encore, je crois que j'en sais plus sur Chateaubriand que sur moi-même. Si vous me demandez ce que j'ai fait au cours de l'été 73 ou au printemps 87, il me faut réfléchir longuement et reconstruire tout mon passé – c'est-à-dire, en grande partie, l'inventer. Mais le printemps 1817, avec la rencontre, le 28 mai, de Chateaubriand et de Juliette Récamier rue Neuve-des-Mathurins, chez la fille de Mme de Staël en train de mourir à l'étage au-dessus, ou la semaine de Pâques 1829, avec l'office des Ténèbres et le *Miserere* d'Allegri à la chapelle Sixtine, la lettre si belle à Juliette – « Je sors de la chapelle Sixtine, après avoir assisté à Ténèbres et entendu chanter le *Miserere*. Je me souviens que vous m'aviez parlé de cette cérémonie et j'en étais, à cause de cela, cent fois plus touché... C'est une belle chose que Rome pour tout oublier, mépriser tout et mourir » – et l'irruption d'Hortense Allart au palais Simonetti, qui va suffire à faire voler allègrement en éclats tant de belles paroles et de pieuses intentions, je les connais par cœur et j'en sais tous les détails qui n'ont jamais cessé de m'enchanter.

Nous ne vivons ici et maintenant que par un hasard plus ou moins heureux et nous sommes liés au monde entier, dans l'espace et dans le temps, par des liens mystérieux. Je racontais à Lea l'inscription sur je ne sais plus quelle tombe de je ne sais plus quel cimetière : « Il naquit au XIXe, il mourut au XXe, il vécut au XVIIIe. » Beaucoup vivent avec les Grecs du temps de Périclès, avec les Égyptiens des pyramides et des tombes, avec les Aztèques ou les Incas, avec les Maccabées ou les Pères du désert.

Cette présence si forte des morts et notre amour pour eux – Lea me parlait souvent de son grand-père qu'elle n'avait pas connu et de ses oncles massacrés par l'histoire – ne nous empêchaient pas d'être vivants. Nous étions jeunes et en bonne santé parmi tant de désastres. Nous vivions avec force et avec gaieté. Nous n'aspirions pas à la vie éternelle : nous voulions épuiser le champ du possible.

Lea était juive, européenne, polonaise. Elle était devenue américaine. Comme nous avons ri ensemble ! Comme nous nous sommes amusés ! Nous n'avions pas d'argent, nous ne payions pas d'impôts. L'avenir était à nous. Les gratte-ciel s'inclinaient sur notre passage pour nous encourager. Les Noirs nous faisaient des clins d'œil avant de monter dans les autobus qui leur étaient réservés et de se battre avec les Blancs. À pied, en bateau, à bicyclette, nous nous promenions dans un coin de ce Nouveau Monde qui était sorti de notre Vieux Continent pour poursuivre son œuvre et pour le dominer. L'Amérique victorieuse était notre terrain de jeux.

L'idée me venait de m'installer en Amérique, d'épouser Lea, de devenir professeur dans l'une ou l'autre de ces universités aux noms prestigieux : Yale, Harvard, Princeton, Berkeley, de publier des livres savants qui me forceraient les portes de l'ACLS, l'American Council of Learned Societies, dont je connaissais déjà quelques membres érudits et âgés avec qui il m'arrivait de boire de temps à autre, dans nos larges fauteuils de cuir, un peu de porto, de whisky ou de pomerol.

Il y avait à cette époque aux États-Unis deux Français, d'inégale importance, qui étaient d'un grand secours à leurs compatriotes exilés. L'un était Henri Peyre, qui régnait, en véritable ambassadeur des activités de l'esprit, sur les relations culturelles et les échanges de professeurs entre les deux pays ; l'autre était George May, un spécialiste de la littérature comparée qui avait mon âge ou un peu plus et avec qui, Lea et moi, nous nous étions liés. J'étais allé le voir à Yale, où il résidait avec sa femme, et je lui avais fait part de mes hésitations sur mon avenir.

— Tu devrais rencontrer Henri Peyre, me dit-il. Il est beaucoup plus puissant et efficace que les bureaux de Paris et il te donnera des conseils.

— Comment l'aborder ? lui dis-je. Je ne le connais pas.

— Nous nous sommes vus plusieurs fois. Je vais t'écrire un mot pour lui.

— Muni de la lettre de George, je me rendis chez Henri Peyre. Il occupait un grand bureau précédé d'une pièce plus petite où travaillait une secrétaire et où j'attendis quelques instants. Il me reçut avec bienveillance, me parla des États-Unis qui étaient devenus sa seconde patrie et m'interrogea sur ce que je faisais et sur ce que je voulais faire. Je lui racontai brièvement ce que je viens de vous raconter, passai sous silence mes liens avec Lea, évoquai la rue d'Ulm, le passage du Rhin, l'Autriche, la figure de François-Poncet à Schloss Ernich et ma passion naissante pour Chateaubriand. Nous parlâmes un peu d'André Maurois, qu'il avait bien connu, et de Maurice Levaillant qui s'étaient l'un et l'autre occupés de l'Enchanteur ; nous parlâmes des *Mémoires d'outre-tombe* et de la *Vie de Rancé* où, en dépit de l'opinion de Sainte-Beuve qui, au moins en privé, avait trouvé l'ouvrage très faible, figurent tant de pages merveilleuses sur Retz – « Lovelace tortu et batailleur, vieil acrobate mitré » –, sur Corneille déjà âgé – « Il ne lui reste que cette tête chauve qui plane au-dessus de tout » –, sur Saint-Simon – « Il écrivait à la diable pour l'immortalité » –, sur l'amour – « L'amour est trompé, fugitif ou coupable » – et sur les lettres d'amour – « D'abord les lettres sont longues, vives, multipliées ; le jour n'y suffit pas : on écrit au coucher du soleil, on trace quelques mots au clair de lune... Voici qu'un matin quelque chose de presque insensible se glisse sur la beauté de cette passion comme une première ride sur le front d'une femme adorée. Les lettres s'abrègent, diminuent en nombre, se remplissent de nouvelles, de descriptions, de choses étrangères... Les serments vont toujours leur train ; ce sont toujours les mêmes mots, mais ils sont morts ; l'âme y manque : *je vous aime* n'est plus qu'une expression d'habitude, un protocole obligé, le *j'ai l'honneur d'être* de toute lettre d'amour » ; nous parlâmes des lettres si belles adressées par René, qui se faisait aussi appeler François-Auguste, à ses innombrables Madames ou au jeune Jean-Jacques Ampère – « À votre âge, Monsieur, il faut soigner sa vie ; au mien, il faut soigner sa mort. L'avenir au-delà de la tombe est la jeunesse des hommes à cheveux blancs ; je veux user de cette seconde jeunesse un peu mieux que je ne l'ai fait de la première » ou encore : « Je ne sais, Monsieur, dans quelle échelle cette lettre vous rencontrera ; si j'avais à choisir le lieu, je désirerais que ma réponse à vos lignes affectueuses de Rome vous atteignît à Athènes : vous auriez changé de ruines, et moi je n'aurais pas changé de pensées. Au-delà d'Athènes, il n'y a plus rien pour moi. Faites bien mes adieux au mont Hymette où j'ai laissé des abeilles ; au cap Sunium où j'ai entendu des grillons ; et au Pirée où la vague venait mourir à mes pieds dans le tombeau de Thémistocle. Il me faudra bientôt renoncer à tout ; j'erre encore dans ma mémoire, au milieu de mes souvenirs, mais ils s'effaceront... Vous n'aurez retrouvé ni une feuille des oliviers ni un grain des raisins que j'ai vus dans l'Attique. Je regrette jusqu'à l'herbe de mon temps : je n'ai pas eu la force de faire vivre une bruyère. »

Il me demanda si j'avais l'intention de rester dans l'enseignement.

— C'est mon métier, lui dis-je. L'administration m'ennuie, la politique ne me tente pas et j'aime beaucoup l'Amérique et les Américaines.

— Vous n'avez pas l'intention d'écrire ? me dit-il tout à trac.

— Je le regardai avec surprise.

— Pourquoi me posez-vous cette question ?

— Je ne sais pas. En vous écoutant, il m'a semblé que, peut-être...

— C'est une idée qui me passe parfois par la tête. Mais je ne sais pas quoi dire, et je ne sais pas par où commencer. Comment fait-on pour écrire ?

— On écrit, me dit-il.

— Il me garda encore quelque temps. Pour lui, il était très difficile d'écrire dans une langue et même sur une terre étrangères. Il y avait des exemples d'écrivains qui avaient abandonné leur langue natale pour une autre – longtemps le français, de plus en plus souvent l'anglais – où ils s'étaient illustrés : Ionesco ou Cioran, Nabokov ou Conrad. Mais ils étaient l'exception. L'exil n'est pas un bon terreau pour la littérature. Si vraiment l'envie d'écrire s'emparait un jour de moi, il me conseillait de rentrer en France ou, à la rigueur, en Italie ou en Espagne qui ne sont pas loin de Paris, et de me donner à la littérature avec la passion que mettent les peintres à se jeter dans la peinture. Nous nous serrâmes la main.

En sortant du bureau où m'avait reçu Henri Peyre, j'aperçus, assise dans un coin de la petite salle où j'avais moi-même attendu, une grande fille blonde et sombre. Je la vois encore d'ici, immobile devant moi, lumineuse et obscure, comme enfermée en elle même.

Je m'arrêtai un instant.

— Vous allez voir Henri Peyre ? lui demandai-je.

— Oui, me dit-elle sans un sourire.

— Le connaissez-vous déjà ?

— Non.

— Et vous êtes française ?

— Oui.

— Je suis sûr qu'il fera tout ce qu'il pourra pour vous aider. Un homme comme lui est une bénédiction pour nous autres, pauvres Français perdus en Amérique.

— Elle ne me répondit pas. Elle me regarda en silence. Elle avait des yeux qui me parurent presque noirs. Elle avait l'air de souffrir. Elle se taisait avec intensité.

— Bonne chance ! lui dis-je.

— Elle inclina la tête sans un mot.

J'avais le sentiment que ma rencontre avec Henri Peyre, où rien de précis ne s'était décidé, allait changer ma vie.

Je retrouvai Lea. Nous ne nous quittions plus beaucoup. Elle avait un petit nez, des seins très ronds. Je crois que je l'aimais.

— Vous aimez les seins ronds ? me demanda Clara.

— Beaucoup, lui dis-je.

L'envie me vint soudain de lui demander comment étaient les siens.

— Et les femmes ?

— J'étais jeune. J'avais la vie devant moi. Je

voulais en faire quelque chose et je ne savais pas quoi. Lea m'a beaucoup aidé par son courage et sa gaieté. Je lui dois énormément.

— Vous ne l'avez pas épousée ?

— Non. Je n'ai épousé personne. L'idée d'un ménage installé dans un appartement avec des horaires fixes et un métier régulier me faisait presque autant horreur que l'idée d'une carrière. Je n'avais pas envie de regarder ensemble, l'œil brillant, les cheveux au vent, ou assis dans la cuisine entre la machine à laver et deux tasses de café fumant, vers un avenir radieux. Je ne voulais pas d'une carrière et je ne voulais pas me marier.

— Qu'est-elle devenue, votre jeune fille ?

— La jeune fille blonde ?

— Non. La jeune fille juive.

— L'été arrivait. Nous partions ensemble pour la Californie. J'ai le souvenir de grandes plages presque vides en face du Pacifique. Il se passait quelque chose d'un peu étrange : j'étais très heureux avec Lea et je pensais à la jeune fille blonde que je ne connaissais pas, que j'avais à peine entr'aperçue, qui m'avait répondu avec une extrême réticence et dont j'ignorais jusqu'au nom. Ou je m'imagine peut-être simplement aujourd'hui que je pensais à elle. Il est très difficile de se rappeler après ce qu'on pensait avant.

— Après quoi ? Avant quoi ?

— Avant. Après. J'ai revu la jeune fille blonde.

— C'était Marie ?

— Oui, c'était Marie. Et je ne peux pas vous parler d'elle...

— Vous ne pouvez pas ?

— Non, je ne peux pas... Me permettez-vous plutôt de vous raconter encore une histoire ?

— Je suis là pour ça, je crois. Mais reconnaissez qu'il s'agit d'une manie.

— Passez-la-moi, je vous prie. J'ose espérer que vous ne le regretterez pas.

Il était une fois, dans un autre monde, dans des temps reculés, une princesse de conte de fées qui portait le joli nom de Natalie de Noailles.

— Nous voilà repartis, murmura Clara.

— Avec son cou très blanc, son joli visage encadré de boucles, ses grands yeux d'enfant mélancolique et gâté, Natalie de Noailles n'était pas, comme le proclamaient à l'envi et à tort plusieurs de ses admirateurs, une beauté incomparable. Mais, mise avec un goût très sûr et une élégance sans pareille, elle était une séductrice pleine de charme et proprement irrésistible. Une statue de *L'Amour filial*, par Pajou, perpétue son image au château de Mouchy ; un tableau célèbre de Dutailly la représente en chasseresse, un fusil sur l'épaule, un chapeau sur ses cheveux frisés, gracieuse, vaguement inquiétante, vêtue d'une blouse brodée et d'une fourrure légère. Autant vous le dire tout de suite : comme Pauline de Beaumont, comme Delphine de Custine, comme Juliette Récamier, la plus belle de toutes, la plus silencieuse aussi – Roger Nimier l'appelait « la grande vedette du muet » –, comme Hortense Allart, Natalie de Noailles a été une des maîtresses innombrables de l'auteur d'*Atala*, de *Génie du christianisme*, de la *Vie de Rancé* et des *Mémoires d'outre-tombe*. Et, comme Pauline, comme Delphine, son allure réservée, à l'extrême opposé de la beauté tapageuse des publicités américaines, scandinaves ou italiennes d'aujourd'hui, a quelque chose à la fois d'un peu triste, d'enchanteur et de secrètement hardi.

Une des clés de l'affaire est que Natalie de

Noailles a donné l'exemple en son temps d'une coquetterie prodigieuse. Peut-être à cause des malheurs qu'elle avait connus et que je vais vous raconter, elle voulait sans cesse plaire aux hommes et obtenir d'eux, jusqu'à la folie, des preuves toujours plus sûres de leur attachement et de leur admiration. Le tout aboutissait à des scènes étonnantes. Un témoignage capital nous est fourni par un des personnages les plus importants de l'époque, futur ministre des Affaires étrangères de la monarchie de Juillet, futur président du Conseil, Mathieu Molé, qui avait prêté serment d'avance à tous les régimes passés, présents et futurs et dont les relations avec Chateaubriand étaient devenues difficiles après avoir été très étroites : « Molé a réussi, écrit Chateaubriand, et tous les gens de sa sorte réussissent : il est médiocre, bas avec la puissance, arrogant avec la faiblesse ; il est riche, il a une antichambre chez sa belle-mère où il insulte les solliciteurs et une antichambre chez les ministres où il va se faire insulter. » Et Molé répond en écho : « Ce qui m'a toujours étonné chez M. de Chateaubriand, c'est sa capacité de s'émouvoir sans jamais rien ressentir. » L'hostilité mutuelle entre Chateaubriand et Molé s'explique en partie par leurs liens avec Natalie de Noailles : la future duchesse de Mouchy, que ses amis, plus tard, avec un mélange de tendresse et de pitié, allaient appeler « Mouche » ou « la Pauvre Mouche », devait devenir successivement – sort illustre et peu enviable – la maîtresse de l'un et de l'autre.

Mathieu Molé nous la dépeint dans ces fêtes du Directoire où, comme tant d'autres sorties vivantes et blessées des torrents de sang de la Terreur, elle se jetait dans les plaisirs du haut de ses chagrins : « C'était l'Armide. Sa grâce surpassait encore sa beauté. Soit qu'elle parlât, soit qu'elle chantât, le charme de sa voix était irrésistible. Sa coquetterie allait jusqu'à la manie. Elle ne pouvait supporter l'idée que les regards d'un homme s'arrêtassent sur elle avec indifférence. Je l'ai plus d'une fois surprise à table cherchant avec inquiétude sur le visage des domestiques qui nous servaient l'impression qu'elle produisait sur eux. » Et à la terrible et spirituelle Mme de Boigne, l'auteur des fameux *Mémoires d'une tante*, Natalie elle-même avouait avec simplicité : « Je suis bien malheureuse. Aussitôt que j'en aime un, il s'en trouve un autre qui me plaît davantage. » D'où venaient ces troubles et ces angoisses qui finiront dans la folie la plus noire et qui s'unissaient en attendant à tant de grâce et de charme ?

— Je ne suis pas venue pour ça, dit Clara, mais, franchement, j'aimerais bien le savoir.

Et, ayant allumé une cigarette, elle rejetait sa tête en arrière.

— Comme beaucoup de jeunes filles de son époque et comme Mme de Rénal dans *Le Rouge et le Noir*, Delphine de Custine, la rivale de Pauline de Beaumont, avait été mariée à seize ans. Fille du marquis de Laborde, banquier de la cour, fermier général, propriétaire du château de Méréville, à une vingtaine de kilomètres au sud d'Étampes, en Hurepoix, dont le beau parc avait été dessiné par Hubert Robert, Natalie le fut à quinze ans. Son mariage laisse le souvenir d'une de ces cérémonies de rêve qui enchantent les cœurs simples. Les cœurs, malheureusement, allaient se révéler compliqués.

Fils du prince de Poix, le vicomte Charles de Noailles, son mari, qui, par le jeu des morts et de l'hérédité, allait devenir plus tard duc de Mouchy

– les vieilles familles n'aiment rien tant que de multiplier des titres auxquels étaient liées jadis des dotations qui ne prêtaient pas à rire –, portait un des plus grands noms de la noblesse française. Pour son bonheur et son malheur, elle l'aima passionnément. Il ne faisait pas bon, à cette époque, être à la fois la fille d'un affameur du peuple et la femme d'un ci-devant. Comme Pauline, comme Delphine, comme Mme de Duras..., vous vous souvenez peut-être de leurs malheurs ?...

— Bien sûr que je m'en souviens : vous venez de m'en parler.

— ... Natalie de Noailles fut durement secouée par la tourmente révolutionnaire : son mari avait émigré dès 1792, son père fut guillotiné en avril 94, elle même fut emprisonnée avec sa mère, pendant toute la Terreur, à la maison d'arrêt du Plessis. Le 9 thermidor la libéra dans un état pitoyable et en proie à un ébranlement nerveux, dû sans doute aux épreuves qu'elle avait traversées.

Fuyant on ne sait trop quoi, elle se mit alors à voyager en Suisse, en Allemagne, en Hollande avec une espèce de frénésie, annonciatrice peut-être de la folie de la persécution et du délire ambulatoire qui allaient s'emparer d'elle au soir de sa vie, après la fin de sa liaison avec Chateaubriand d'abord, avec Molé ensuite. Derrière cette agitation, la jeune femme encore radieuse et déjà égarée n'avait qu'une seule idée en tête : rejoindre en Angleterre où il s'était réfugié le mari dont elle était folle.

Ce rêve de retrouvailles, Charles de Noailles était très loin de le partager. Allant jusqu'à encourager les tours et détours de Natalie à travers le continent, Charles avait tout fait pour prendre le relais de la Terreur défaillante et pour détourner sa femme de son projet de regroupement familial. Il avait de bonnes raisons pour tenter de l'éloigner le plus longtemps possible de Londres, où d'autres soucis l'occupaient : le prince de Galles, futur George IV, lui avait refilé une de ses anciennes maîtresses que l'héritier du trône avait d'ailleurs fini par épouser en secret avant de se séparer d'elle, au moins en apparence, et de prendre en grande pompe pour épouse et pour reine sa cousine Caroline de Brunswick. La maîtresse royale délaissée et récupérée par M. de Noailles s'appelait Maria Fitz-Herbert.

Maria Fitz-Herbert était une femme remarquable qui avait longtemps ébloui de sa beauté l'Angleterre de Tom Jones, de Clarisse Harlowe, de Tristram Shandy, de Barry Lyndon. Au moment où ses charmes se mettaient à décliner avec une lenteur éclatante, Charles de Noailles, mari d'une des jeunes femmes les plus séduisantes de France, s'était passionnément épris de ce monument historique.

Tombant à Londres, avec toutes ses illusions, dans le milieu fermé et un peu trouble de l'émigration, Natalie de Noailles y fit à peu près l'effet d'un pavé plein de grâce dans une mare à grenouilles. Tout le monde, dans ce cercle restreint qui vivait replié sur lui-même, était au courant de ses malheurs conjugaux et tout le monde – et d'abord les hommes – était disposé à la plaindre et à la consoler. D'autant plus que sa séduction et son charme étaient très réels. Mais il fallait reconnaître qu'elle était aussi bien gênante. Aux yeux du clan Noailles, en tout cas, la Terreur, pour une fois, le Comité de salut public, Robespierre, Fouquier-Tinville semblaient avoir du bon. Le Londres français tout entier ne parlait plus que de Charles, de Maria et de cette pauvre Natalie qui sortait, ahurie, de sa prison parisienne, si dure et si commode. Elle seule ne se doutait de rien. Elle ne pensait qu'à son mari, qui avait surtout envie de continuer à vivre à Londres après son arrivée comme il y vivait auparavant.

Il faut imaginer ici la vie sur les bords de la Tamise à l'extrême fin du XVIIIe, sous le gouvernement du second Pitt, au cours de la période qui va en France de la fin de la Terreur à l'ascension de Bonaparte. Exécutées quelques dizaines d'années plus tôt, les gravures de Hogarth peuvent encore nous en donner une idée. Rédigées sous forme de lettres, les fameuses *Reflections on the Revolution in France* d'Edmund Burke – qui est pourtant un whig, c'est-à-dire un libéral face aux tories conservateurs – ont connu, quatre ou cinq ans à peine avant l'arrivée de Natalie, un succès retentissant et entretiennent un climat très hostile à la France républicaine contre qui les Anglais mènent depuis 1793 une guerre quasi permanente, à peine coupée de quelques trêves. Retranchés dans leur île où l'ennemi ne met pas les pieds, ils continuent à manger du bœuf, à boire de la bière et du whisky à défaut de *claret*, à aller applaudir au théâtre les successeurs du grand Garrick inhumé à Westminster parmi les poètes et les maréchaux, à fréquenter les clubs, à gagner et surtout à perdre des sommes énormes au jeu, à se promener en voiture dans Pall Mall et dans les parcs qui font au cœur de la ville de grandes taches de verdure.

Natalie à peine débarquée, son mari s'arrangea, sous des prétextes tirés par les cheveux, pour l'envoyer dans le Norfolk. Le répit ne dura pas. Avec une ombre d'impatience, Natalie marqua bientôt son intention de venir rejoindre son mari à Londres dans les délais les plus brefs. Quelle raseuse ! Alors, Charles de Noailles eut une idée démoniaque : il monta une comédie cruelle pour la retenir loin de lui.

Au sein de l'émigration, il comptait parmi ses amis un certain Vintimille qui, d'un physique avenant et avec de jolies manières, avait une réputation de séducteur et de bourreau des cœurs. Il lui demanda de feindre pour Natalie une passion dévorante, de lui faire une cour de tous les instants, de l'occuper jour et nuit et de la détourner de son époux légitime qui avait d'autres chats à fouetter. Un autre Vintimille avait déjà accepté d'épouser, en France, un peu plus tôt, une des quatre sœurs Mailly, enceinte des œuvres de Louis XV, qui, successivement ou simultanément, les avait eues toutes les quatre pour maîtresses. Le Vintimille londonien savait vivre et aimait rire : il ne pouvait pas refuser le service que sollicitait son ami. Pour son amusement et son malheur, il accepta.

Vous avez déjà deviné, j'imagine, ce qui va se passer ?

— Pas vraiment, dit Clara. Je n'ai pas beaucoup d'imagination.

— Il se passa naturellement ce qui devait se passer dans un vaudeville tragique de ce genre, qui semble avoir été écrit par un Feydeau de la Révolution et du romantisme naissant, où les diamantaires belges et les poules de province auraient été remplacés par la plus haute aristocratie française, et la plus dévoyée, du temps de l'émigration : Vintimille se prit au jeu et devint éperdument amoureux de celle qu'il était chargé de séduire.

Même sans imagination, vous pouvez vous figurer comment les choses se sont déroulées avec une sage lenteur. Il y a d'abord la rencontre, impromptue et organisée avec soin ; les premières paroles : « Vous connaissez mon mari ? — C'est mon meilleur ami » ; un brin de conduite à la sortie du théâtre ; une promenade en calèche dans les jardins de Londres ; un pique-nique à la campagne ; des fleurs, des parfums, peut-être une paire de gants, des mots à toute heure du jour et de la nuit, respectueux et légers, puis de plus en plus tendres, et enfin enflammés ; la déclaration, un soir, au pied d'un arbre où il a fallu se réfugier pour éviter la pluie.

L'intéressant, chez Vintimille, est le passage, si ténu, presque imperceptible, de la comédie à la passion. À quel moment cesse-t-il de jouer pour se mettre à souffrir ? Très vite ? Tout à la fin ? Personne n'en sait rien – et peut-être pas lui-même. Comment se conduit-il, non seulement à l'égard de Natalie à qui le seul masque qu'il tend est bientôt celui de la vérité, mais à l'égard de Charles qu'il se met à tromper ? Chacun est libre de supposer à peu près ce qu'il veut. Natalie, de son côté, n'est pas insensible à Vintimille : il est beau, il est charmant, il a, même dans le mensonge, un accent de vérité. Quand il est sincère, c'est pis encore – ou mieux. Trompeur ou convaincu, il réussit son coup : elle lui céderait volontiers – si elle n'était pas, cette oie blanche, amoureuse de son mari. Elle ne peut pas aimer celui qui s'est mis à l'aimer parce qu'elle aime encore celui qui ne l'aime déjà plus.

Les choses balancent un instant entre fiction et réalité, entre mensonge et vérité. Vintimille se reprend, ricane, se débat contre l'amour qui l'envahit malgré lui, essaie de s'obstiner dans son rôle de tricheur. Rien n'y fait. La passion le submerge. Un tourbillon l'emporte. Le vernis du mal se craquelle. Une âme souffrante apparaît. Le diable est un ange, et il est beau. C'est le contraire de Dorian Gray.

Vintimille, qui n'est pas sot, ne tarde pas à se convaincre que l'amour de Natalie pour Charles est le seul obstacle à son amour soudain si pur pour Natalie. Il n'a pas beaucoup de mérite à comprendre la situation : Natalie passe son temps à la lui expliquer. La naïve joue sur le velours de sa candeur surprise, le libertin s'arrache les cheveux. Comment sortir du piège qu'il s'est posé à lui-même ?

La meilleure façon d'en sortir, la plus simple, la plus radicale serait de manger le morceau, de se jeter aux pieds de Natalie et de lui avouer, en larmes – vous voyez le tableau : on dirait d'un Greuze qui se serait fait aider par Fragonard –, toute l'étendue de la farce et la noirceur du complot. Il ne peut pas s'y résoudre. Les escrocs eux-mêmes, les voleurs, les assassins cultivent une forme d'honneur. Vintimille, qui a trompé Natalie avant de se mettre à l'aimer et qui a trompé Charles en rompant son contrat, ne veut pas aller jusqu'à ajouter la trahison envers son ami à toute cette série de mensonges à l'égard de son amour. Il veut l'emporter en silence sur Natalie. À la loyale, si j'ose dire.

Il serre les dents. Noailles lui répugne. Il commence à se mépriser d'avoir accepté un rôle qui maintenant lui fait honte. Toute l'affaire va tourner désormais autour du mépris qu'on peut porter ou inspirer aux autres et qu'il faut se porter et s'inspirer à soi-même. On ne voit plus souvent Vintimille autour des tables de jeu, sur le champ de courses d'Epsom devenu à la mode, grâce au comte de Derby, depuis une vingtaine d'années déjà, aux réunions des émigrés qui se retrouvent autour de liqueurs fortes dès la tombée de la nuit et jusqu'aux premières lueurs de l'aube pour parler entre eux de la France d'hier et de leur jeunesse évanouie. Où est donc passé Vintimille ? Il ne décolle plus de Natalie, il la suit comme son ombre, il ne vit plus que par elle et pour elle.

Elle, Natalie, ne comprend plus ce qui se passe. Il lui semble, est-ce possible ? que son mari la fuit. Elle ne parvient même plus à le voir. De temps à autre, il répond à ses lettres passionnées par quelques mots plutôt tièdes où l'esprit le plus bienveillant aurait du mal à déceler la moindre trace d'amour, et peut-être même d'attachement. Pourquoi, mon Dieu, pourquoi ? Aurait-elle fait quelque chose qui lui aurait déplu ? Elle se tord les mains, elle cherche dans sa mémoire, elle interroge Vintimille, l'ami le plus proche de son mari. Si Vintimille n'était pas là, elle se sentirait seule, abandonnée de tous. Charles fuit Natalie et Vintimille fuit Charles. Et Natalie n'a plus que Vintimille – c'est une chance : il ne la quitte pas – pour se raccrocher à la vie.

Elle devine qu'il y a un secret. Elle s'efforce, c'est un comble, de séduire Vintimille.

— Dites-moi, mon petit Vintimille : vous m'aimez un peu, je crois ?

— Je vous aime, dit Vintimille.

— Alors, aidez-moi. Je veux savoir. Je suis sûre que vous savez. Vous êtes le meilleur ami de Charles. Et je vous aime tendrement.

— Vous m'aimez !

— Tendrement. Si Charles n'était pas là, c'est vous que j'aimerais le plus. Où est Charles ? Que fait-il ? Pourquoi ne puis-je plus le voir ? Vous le savez. Dites-le-moi.

— M'aimerez-vous si je vous le dis ?

— Vous voyez ! Vous le savez !

— M'aimerez-vous encore si je vous le dis ?

— Mais je vous aime déjà !

— M'aimerez-vous encore plus ?

— Je ne peux pas vous aimer plus que je ne vous aime.

Vintimille se débat. Il lutte contre lui-même. Il résiste à la tentation d'accabler son ami. Il lutte contre Natalie, qui veut connaître le secret dont il est à la fois le dépositaire et la clé. Et contre celle qu'il aime d'une passion qui le surprend lui-même, il ne peut plus se défendre. Un vertige le prend. Dire la vérité, ce n'est pas seulement se laver à ses propres yeux de toute cette boue qui lui pèse depuis qu'il est un autre, c'est aussi plaire à Natalie et faire sauter du même coup le dernier, le seul obstacle à la passion qui le dévore. Il parle.

Il parle lentement et longuement. Il tient entre les siennes les deux mains de son amour et il lui raconte ce que vous savez et qu'elle ne savait pas. Il ne cache rien de sa bassesse passée qu'il partage avec Charles. Il s'accuse et il se repent du même mouvement, avec la même franchise, avec la même ardeur. Il ne connaissait pas Natalie quand il était lâche et menteur. Depuis qu'il la connaît, il la respecte et il l'aime. Elle l'a transfiguré. Il n'accable pas Charles, mais il ne le comprend plus : à ses yeux enfin ouverts, le mari de Natalie n'est pas digne de sa femme. Beauté célèbre, presque historique, Mrs Fitz-Herbert, qu'elle a croisée une ou deux fois dans un souper ou au théâtre, est de si loin moins belle qu'elle-même ! Ce qu'il y a de plus incompréhensible dans l'amour, ce ne sont pas ses crimes, mais ses erreurs. Les siennes le désespèrent. Il ne souhaite plus rien que de mettre sa vie aux pieds de celle qu'il aime et dont il espère, dans les larmes, le pardon et la tendresse.

Elle l'écoute avec une stupeur qui le cède bientôt à l'horreur. Elle comprend tout : l'éloignement, la

froideur, le silence. Son monde s'écroule. Charles !
Son seul amour. Qui croire, mon Dieu ! qui croire !
Un voile noir tombe sur sa vie. Une angoisse
s'empare d'elle. Elle s'enfonce, elle se noie. Heureusement, malheureusement, Vintimille est auprès
d'elle. Il la voit bouleversée. Il la prend dans ses
bras. À quoi bon résister ? Pour qui ? pour quoi ?
Les mains, les seins, les lèvres, tout ce qui était à
elle lui devient étranger. Comme Charles. À demi
inconsciente, elle s'abandonne.

Vintimille fut le premier amant de Natalie de
Noailles. Elle le méprisait parce qu'elle aimait son
mari. Et elle méprisait son mari parce qu'il l'avait
trompée en montant contre elle une honteuse
comédie. Les deux premiers hommes de sa vie tourmentée, son mari, son amant, elle les aima avec
haine, elle les aima avec mépris. Dans le cœur de
la future maîtresse de Chateaubriand et de Mathieu
Molé, l'amour se peignait des couleurs les plus
sombres. Tous ceux qui allaient l'aimer deviendraient les victimes d'une angoisse qui n'en finirait
pas d'accumuler des obstacles et de réclamer des
preuves et que les esprits légers traiteraient de
coquetterie. Et sa dernière victime sera elle-même.
Elle finira dans une folie qui était née à Londres :
dans toutes les facilités de l'existence, l'épreuve de
l'infidélité et de la trahison avait été plus dure que
la prison sous la Terreur.

Peu de choses sont aussi cruelles que le mépris
de ceux qu'on aime. Vintimille s'était donné corps
et âme à celle qu'il avait trompée avant de se
repentir et de l'aimer. Natalie fut sa maîtresse sans
jamais cesser de le mépriser. C'était encore l'époque
du Grand Tour qui envoyait en Italie tant de jeunes
Anglais dont le modèle reste le fils de ce lord Chesterfield qui écrivait des lettres célèbres. Vintimille

partit pour Naples. À Sorrente, en face de Capri, sous un soleil de printemps, au milieu des orangers et des citronniers qui plaisaient tant à Goethe et à beaucoup d'autres, il se jeta à l'eau. Il nagea longtemps vers le large et se noya.

— Vous savez..., me dit Clara.

Elle semblait un peu embarrassée.

— Oui ?... lui dis-je.

— Je vous croyais très gai.

— Mais je le suis ! m'écriai-je.

— Quand il a été question de notre rencontre, tout le monde, à la rédaction, m'a dit que j'avais beaucoup de chance : vous étiez charmant, vous passiez votre temps à rire, je m'amuserais beaucoup avec vous. Vous ne m'avez parlé que d'échecs, de folie et de mort. Vous êtes sinistre.

— Mon enfant, lui dis-je, ce n'est pas moi qui suis sinistre. C'est la vie. Elle est très gaie. Et elle est triste. Elle est une fête en larmes. Avec son immensité qui fait peur et ses mécanismes implacables qui nous réduisent à presque rien, à une poussière, à une misère qui se hausse du col parce qu'elle pense, le monde prête peu à rire. Et la vie est condamnée.

— À quoi ? demanda Clara avec une ombre d'insolence.

— Mais à la mort, lui dis-je. Ne le savez-vous pas ? Tout finit. Les amours éternelles finissent aussi par finir. Vous finirez. Je finirai. Je suis près de finir. Vous êtes loin de finir parce que vous êtes jeune. Mais vous finirez aussi. C'est un malheur. Et, en un sens, c'est une chance. On peut dire que, sous le soleil et au-delà du soleil, tout est triste et mal parce que tout finit. On peut dire aussi – et c'est pire, et c'est encore plus triste – que tout est bien : parce que tout finit.

— Ah ! je vois ça : vous pensez que le monde et la vie ne sont pas bien.

— Je pense exactement le contraire. J'ai aimé la vie à la folie. Et ce monde plein de mystère où j'ai été jeté, personne ne sait pourquoi. Mais je pense aussi qu'il est bon que ce monde ait une fin – et je crois qu'il en aura une dans des milliards d'années – et que, des milliards d'années avant sa fin, une douzaine ou une quinzaine de milliards d'années après son début, je sorte, minuscule jusqu'à l'inexistence, irremplaçable jusqu'à la gloire, de cette vie que j'ai beaucoup aimée.

— Je serais désolée, dit Clara, de sortir de cette vie.

— Moi aussi, lui dis-je. À première vue, au moins. À l'idée d'y rester, je m'en consolerais assez vite.

— Ou vous racontez n'importe quoi, dit Clara qui prenait de l'assurance, ou vous êtes vraiment très sombre.

— Pas du tout, lui dis-je. Au même titre que Faust – le savoir – ou don Juan – le sexe –, un de nos mythes fondateurs est l'histoire du Juif errant. Je lui ai consacré tout un livre.

— Je l'ai lu, dit Clara avec un sourire.

— Le Juif errant ne peut pas mourir. C'est la pire des malédictions. Les malédictions ne manquent pas, autour de nous. Vous vous rappelez la Genèse ? La faute, la chute, la condamnation : « Tu gagneras ton pain à la sueur de ton front » ?

— Bien sûr, dit Clara. Je n'ai pas lu l'*Iliade*, mais j'ai jeté un coup d'œil sur la Bible.

— Le travail est une malédiction. Mais, pis encore que le travail, l'absence de travail est une malédiction. La mort aussi est une malédiction. Ne pas mourir serait une autre malédiction – et bien pire que la première. Parce qu'il est mortel, l'homme nourrit le rêve fou de l'immortalité. Si, comme le Juif errant – qui porte beaucoup d'autres noms, tels qu'Ahasverus ou Laquedem –, il était immortel, il ne rêverait que de mourir. Nous voulons toujours autre chose : c'est notre grandeur et notre malheur. Dans une page merveilleuse, Borges parle, à propos du Juif errant, de sa quête désespérée d'une source de mortalité. Qui sait où est le mal ? Qui sait où est le bien ? Je crois que la vie n'est belle que parce que nous mourons. Les dieux immortels nous jalousent parce que nous sommes mortels.

— Vous pensez beaucoup à la mort ?

— Pas beaucoup. J'aime la vie. Mais la mort est là. « Nous courons sans souci dans le précipice, écrit Pascal, après que nous avons mis quelque chose devant nous pour nous empêcher de le voir. » Je le vois très bien, le précipice. C'est lui qui fait à la fois le néant et le prix de cette vie que nous menons. Parce que j'attends la mort, ma chère Clara, avec une sorte d'impatience, je ne crois à rien de ce monde d'illusion où tout n'est fait que pour passer. Et parce que je sais qu'elle va venir, je m'amuse de tout ce qu'il m'offre. La conviction que ce monde n'est qu'un néant n'est pas exclusive de la gaieté. Cioran était un des hommes les plus pessimistes et les plus sombres que j'aie jamais connus. Et c'était un des plus gais.

— À quoi croyez-vous donc dans ce monde ?

— Dans ce monde ?... Je viens de vous le dire : à rien.

— À rien ? Vraiment à rien ?

— Peut-être à l'idée que nous nous faisons de nous-mêmes. C'est-à-dire à presque rien.

— Et dans l'autre ? Si celui-ci est ce que vous dites, croyez-vous à un autre monde ?

— Ma chère Clara, lui demandai-je, combien de temps avons-nous passé ensemble ?

Elle regarda sa montre.

— Un peu plus d'une heure et demie, répondit-elle. À peine deux heures.

— Ne pensez-vous pas, lui dis-je, qu'il est un peu trop tôt pour parler déjà de Dieu ?

Elle étouffa un petit rire.

— Vous souvenez-vous encore, me demanda-t-elle, à quel propos vous m'avez entraînée dans l'Angleterre de la fin du XVIIIe siècle ?

— Bien sûr, lui dis-je. À propos de Marie.

— Ah ! je croyais que vous aviez oublié.

— Oublié ! Me prendriez-vous, par hasard, pour une racine d'estragon ? Pour un faible d'esprit ? Si je vous ai raconté l'histoire de Vintimille et de Natalie de Noailles, ce n'est pas pour vous amuser, pour passer le temps, par légèreté ou par lubie. C'est pour vous rappeler à la réalité : l'amour lui-même, qui est une des rares choses auxquelles nous puissions, dans cette vallée d'erreurs et de larmes, dans cette galerie de faux-semblants, être tentés de croire, est frappé de malédiction. Il l'emporte de très loin sur toutes les bassesses de ce monde – mais il lui appartient encore : il en partage la misère. Reflet du sacré, il est un rêve, une nuée, une illusion scintillante. Un peu plus haut que tout le reste, beaucoup plus haut peut-être, il est une des facettes les plus brillantes et les plus enivrantes du néant de ce monde.

Beaucoup se sont demandé si la place de l'amour n'était pas démesurément et artificiellement grossie dans la culture de notre époque. Nous en occupe-rions-nous autant si tant de poèmes, de tragédies, de romans et de films ne nous en parlaient pas ? Le cinéma, la télévision, les chansons en ont fait de nos jours une figure de rhétorique, le pont aux ânes de toute fiction, le plus sirupeux de tous les lieux communs. J'hésite, je vous l'avoue, à en parler à mon tour.

— N'hésitez plus, me dit Clara. Je meurs d'impatience.

— Ne vous moquez pas de moi, lui dis-je.

— Je n'oserais pas, me dit-elle.

Je lui jetai un regard noir.

— J'aimais Lea. Peut-être m'aimait-elle. J'aimais Lea et je ne pensais qu'à Marie que je ne connaissais pas. Pourquoi ? Je ne sais pas. Biologistes, anthropologues, psychologues, biographes, philosophes ou romanciers peuvent toujours proposer toute une batterie d'explications naturelles ou surnaturelles, elles ne nous avanceront pas beaucoup. On peut tout dire de l'amour, tout et le contraire de tout, tout et n'importe quoi. J'aimais Lea et je ne pensais qu'à Marie. Comment disait notre grand homme ? L'amour est trompé, fugitif ou coupable. Il est aussi invraisemblable.

Dans ce printemps américain entre la fin de la guerre de Corée et la prise du pouvoir par Fidel Castro à Cuba, le monde ne me concernait plus. Il faisait bien ce qu'il voulait. Je m'en désintéressais. Je ne le regardais pas. Je me débattais contre moi-même. Si je ne l'avais jamais revue, j'aurais fini, bien entendu, par oublier Marie. J'aurais épousé Lea, je serais devenu américain, j'habiterais le Wyoming ou le Massachusetts, je voterais démocrate ou républicain, j'attendrais le laitier et le *Washington Post*, je jetterais un coup d'œil à la télévision sur les matchs de base-ball, je jouerais peut-être au golf avec des universitaires ou des membres de l'ACLS.

Je ne serais pas en train de vous parler, dans notre vieille Europe éprouvée et fiévreuse, pour un journal en langue française, d'un passé radicalement différent de celui que j'aurais pu vivre aux côtés de Lea.

— Ah ! dit Clara en agitant d'un air rêveur son stylo entre deux doigts, peut-être aurais-je pu obtenir de vous une interview imaginaire...

— J'aurais pu être un autre. Ma vie aurait pu être différente. Est-ce possible ? Oui, sans doute. En principe. En théorie. Personne ne peut pourtant vivre une autre existence que la sienne. Quoi que vous puissiez inventer de plus invraisemblable et de plus fou, votre vie le récupère, l'absorbe, le fait sien. Nous sommes libres à chaque instant d'emprunter devant nous un chemin différent de celui que nous allons suivre et tout s'enchaîne derrière nous avec une nécessité rigoureuse qui ne laisse place à aucun écart et que nous appelons notre histoire.

Nous vivons dans deux mondes opposés, irréductibles l'un à l'autre : le monde de la liberté, celui de Sartre ou de Bergson, où nous sommes libres de part en part, et le monde de la nécessité, celui de Spinoza ou de Marx, où règne le jeu implacable de la cause et de l'effet. Entre les deux flotte le hasard, chauve-souris du destin. Je suis libre : voyez mes ailes – et nécessaire : vivent les causes et les effets. Bien au-delà de notre existence personnelle, l'univers, la vie, la pensée naissent, coup sur coup, de hasards très hautement improbables. Et la nécessité les emporte. Dans l'histoire de l'univers comme dans notre histoire propre, dans la phylogenèse comme dans l'ontogenèse...

— Vous voilà bien savant, dit Clara en fronçant les sourcils.

— Bah ! les mots sont compliqués, mais c'est

simple comme bonjour : dans l'histoire de l'espèce comme dans celle des individus, ce qui m'a toujours étonné et presque épouvanté, c'est combien, à tous les niveaux, les choix les plus décisifs peuvent dépendre de hasards qui auraient pu ne pas se produire et qui se sont pourtant produits pour fabriquer notre histoire et pour nous fabriquer.

Vous savez, comme tout le monde, qu'il y a soixante-cinq millions d'années, à l'époque du crétacé, vers la fin de l'ère secondaire, les dinosaures de vingt-cinq ou trente mètres de long, qui régnaient en maîtres sur une Terre où les hommes n'avaient pas encore apparu, ont été détruits par une catastrophe due peut-être à la rencontre – purement accidentelle, et pourtant nécessaire – d'une énorme météorite et de notre planète. Pas mal de millénaires plus tôt, il y a deux cent cinquante millions d'années, à l'extrême fin du primaire, plus exactement à la fin du permien...

— Oh la la ! dit Clara.

— ... une autre catastrophe, plus violente encore, avait rayé de la surface de la Terre la quasi-totalité des espèces alors vivantes. Dans un livre célèbre, *La vie est belle*, le paléontologue américain Stephen Jay Gould s'appuie sur ces cataclysmes à répétition – les savants en comptent cinq depuis un peu plus d'un demi-milliard d'années – pour revoir la théorie de l'évolution des espèces à laquelle Darwin a attaché son nom. Il l'incline dans le sens de la contingence, c'est-à-dire du hasard. Ce ne sont pas les espèces les plus aptes qui survivent, celles qui sont le plus capables d'affronter la sélection naturelle. Ce sont simplement celles qui ont le plus de chance, celles qui réussissent par hasard à passer au travers des grandes hécatombes de l'histoire ou de la préhistoire. Du coup, l'homme lui-même cesse d'être ce qu'il était depuis des siècles pour les philosophes et les théologiens : le but de la création, la fin vers laquelle tend toute l'histoire de la vie. Il devient, lui aussi, le seul fruit du hasard. Il n'est plus nécessaire à l'univers. Il est un accident dans la vie. Il aurait pu ne pas être. Si par extraordinaire, hypothèse un peu absurde, l'histoire recommençait à nouveau de zéro, il n'aurait aucune chance d'apparaître une seconde fois.

— Vous y croyez, vous, à cette théorie ?

— Allez savoir ! lui dis-je. Il m'arrive, je l'avoue, de me sentir aussi nécessaire que les arbres du Palais-Royal – vous entendez les oiseaux ?...

— Il faudrait être sourd pour ne pas les entendre.

— ... que la chute de l'Empire romain, que le Soleil au-dessus de ma tête. Auraient-ils pu ne pas être ? Ils sont : il doivent donc être. Et moi, je me sens, en vérité, aussi nécessaire que Dieu lui-même. Et aussi éternel. Puisque je suis son image et un fragment minuscule, et plongé dans le temps, de son éternité.

Et parfois, en revanche, il me semble que, comme le Soleil qui brille bêtement là-haut, comme l'Empire romain, comme ces arbres du Palais-Royal qui ne sont là que pour quelques siècles ou peut-être quelques années, je ne relève que d'un hasard qui m'a jeté, inutile et de trop, dans ce rêve éveillé, aux allures de cauchemar, que nous appelons le monde.

Mais à peine me suis-je abandonné aux séductions du hasard que le doute me saisit à nouveau. Il y a du hasard, qui le nierait ? Il est même permis de soutenir que tout n'est que hasard. Mes parents sont un hasard, et leur union aussi. Ma naissance est un hasard, et la vôtre aussi. Toute ma vie n'est qu'un hasard indéfiniment répété, dont je pourrais nommer les étapes. J'ai rencontré Georges Bidault, René Julliard, Kléber Haedens, Pierre Lazareff, Roger Caillois, Emmanuel Berl, Aragon, Jeanne Hersch, Gaston Gallimard. Ils auraient pu m'ignorer : ils ont changé ma vie. J'ai eu des maîtres et des complices. Ils s'appelaient Garric, Nivat, Boudout, Hyppolite, Alba, Dieny, Althusser. Sans eux, je serais un autre. Je ne voudrais pas me vanter, mais sans Homère, et Virgile, et Horace, et Chateaubriand, et Proust, et Bach, et Mozart, et Piero della Francesca, et Jules Renard, et Cioran, je serais aussi très différent de ce que j'ai été. Je leur dois beaucoup à tous. Ils se sont trouvés sur mon chemin – ou je me suis trouvé sur le leur. Je suis né par hasard à Plessis-lez-Vaudreuil, au cœur de la France catholique et rurale, je ne me suis pas tué en voiture sur les routes de Toscane ou d'Ombrie, je n'ai pas fait naufrage dans le Dodécanèse, je ne suis pas passé sous les roues de l'autobus S qui desservait le Quartier latin dans des temps immémoriaux. Par le plus pur des hasards, je n'ai attrapé ni la peste ni le choléra. Quelle chance ! Comme vous, ma chère Clara, comme tout le monde, avec mon caractère, mes défauts, mes qualités, la couleur de mes cheveux ou de mes yeux, je ne suis qu'un hasard transformé en destin.

Le hasard règne partout : là-haut, dans les galaxies ; tout en bas, dans ces particules dont on m'assure qu'elles sont régies par des relations d'incertitude et par l'indétermination. Et pourtant, l'ordre aussi ne cesse de régner partout. Il n'en finit pas de se défaire et de tomber en morceaux avant de se remettre de lui-même autour des choses. De notre sacré vieux big bang – ou d'ailleurs de n'importe quoi qui se situerait à l'origine ou aussi près que possible de ce que nous appelons l'origine –, il a mené jusqu'à moi. S'il n'y a eu que des hasards, ils ont tous été dans le même sens : ils ont créé la matière, et puis la vie, et puis l'homme, et puis la pensée, et puis, coucou, moi-même – avant de créer bien autre chose dont nous ignorons encore tout.

C'est toujours la même histoire : nous sommes libres, mais tout est nécessaire. Tout aurait pu être différent et tout est réglé avec la précision la plus rigoureuse. L'univers est le fruit du hasard, mais le hasard est bon garçon : il n'y avait qu'une chance sur des milliards de milliards de voir naître la première cellule vivante ou la première molécule d'ARN ou d'ADN – et cette chance-là s'est produite. L'histoire du monde est un miracle qui peut être comparé à la performance d'un archer qui réussirait à envoyer sa flèche dans le cœur d'une cible située à des millions de kilomètres ou d'un joueur de cartes qui, par hasard et sans tricher, sortirait un million de fois de suite dans le même ordre toutes les cartes de son jeu. Il n'y a peut-être que du hasard, mais il était dès le début drôlement organisé puisqu'il a abouti non au néant ou au chaos, mais à Freud, à Einstein, à Picasso, à Charlot et, au passage, à nous et à notre conversation d'aujourd'hui. L'ordre n'est peut-être fait que de hasard, mais les hasards marchent en bon ordre.

Un écrivain français – je crois que ce n'était pas Sartre ; Barthes, peut-être ? ou Camus ? ou Nathalie Sarraute ? je ne me souviens pas bien – venait donner une conférence aux étudiants de Yale. La culture, avec ses implications politiques et économiques, commençait déjà à remplacer le sport et la religion dans les préoccupations des jeunes Américains. Henri Peyre, comme toujours, avait tout organisé. L'agitation régnait, presque l'excitation. Je n'ai jamais beaucoup aimé les conférences. Ni les miennes ni celles des autres. Nous avions prévu, Lea et moi, de partir une nouvelle fois, le matin même de la conférence, pour une quinzaine de jours vers les plages de la Californie, du côté de Big Sur. L'idée de retarder notre départ de vingt-quatre heures pour assister à une de ces manifestations culturelles qui m'ont toujours semblé ridicules m'était insupportable.

— Tu dois y aller, me disait Lea. Tu t'es lié avec Peyre. Il ne comprendrait pas ton absence.

— Tu crois ? lui disais-je.

— J'en suis sûre.

— Je la serrais contre moi.

— Tu as toujours raison.

— Pour une fois, elle n'avait pas raison. Marie était là.

Clara avança la main pour écraser sa cigarette dans le cendrier avant de se renverser à nouveau en arrière dans son fauteuil, le stylo à la main.

— J'ai bien fait de venir. Vous allez me raconter tout ça.

Je me levai. Je fis quelques pas en silence.

— Ma chère Clara, lui dis-je, vous êtes jeune, vous êtes jolie, vous êtes charmante. Vous avez un long cou et des seins peut-être ronds...

— Vous n'en savez rien, me dit-elle.

— Je me le demande, lui dis-je. Je commence, en vérité, à avoir de l'affection pour vous. C'est pour cette raison que je vous ai parlé de votre mère, de Lisbeth, de Lea, de Marie, qui ont joué successivement, et parfois simultanément, un rôle dans mon existence et peut-être dans mes livres. Vous n'imaginez tout de même pas que je vais déballer devant vous, à mon âge, une vie privée que j'ai toujours essayé de dissimuler avec un soin jaloux ?

— Elle intéresserait pourtant beaucoup nos lecteurs, et peut-être encore plus nos lectrices, qui sont aussi les vôtres. Ce n'est pas moi qui vous apprendrai ce que réclame la littérature d'aujourd'hui ni autour de quoi elle tourne.

— Je sais. Les livres, de notre temps, comme les films, donnent à voir avec acharnement. Parfois avec succès, souvent sans beaucoup de talent. L'important, dans notre société de voyeurs et de masochistes, façonnée et incarnée par la télévision, est de se mettre à nu sous la lumière des projecteurs. De se vanter de ses succès et de ses échecs sous prétexte de vérité et de prise de conscience. De se livrer tout entier et de jeter en pâture tout ce qu'il y a de plus secret dans la vie de chacun. Jean-Jacques Rousseau a commencé avec génie, suivi de Gide et des autres : de l'audace ! encore de l'audace ! toujours de l'audace ! Tous, de nos jours, presque sans exception, leur ont emboîté le pas. Ils finiraient par payer pour descendre aussi bas que possible et pour tout raconter d'eux.

Je me garde bien de les imiter. Ce n'est pas qu'ils me choquent : je serais mal placé pour m'offusquer de quoi que ce soit. Je crains plutôt pour eux un avenir moins complaisant que les lecteurs d'aujourd'hui. Rien ne change comme la mode – qui n'est faite que pour ça. Rien ne vieillit comme l'avant-garde. Rien ne prêtera plus à rire demain que les provocations d'hier. Et le ressassement érotique, quand il n'est pas soutenu par le talent d'un Sade, d'un Apollinaire, d'un Pierre Louÿs que j'admire plus que personne, est une des causes les plus sûres, parmi d'autres, du déclin de la littérature.

L'audace, de nos jours, est d'ailleurs devenue si banale et si facile que mieux vaudrait en avoir honte. La hardiesse serait plutôt du côté du refus. J'ai toujours écrit à contre-courant. Et je n'ai pas l'intention de changer. Et puis, j'aime le secret. La transparence ? Très peu pour moi. Je ne détesterais pas cultiver le mystère. Ceux qui voudraient en savoir plus sur mes débordements, je les envoie se faire foutre à ma place.

— Merci beaucoup, dit Clara.

— Ce n'est qu'une suggestion, lui dis-je, et elle ne vous concerne pas : restez avec moi. Les classiques ne se mettaient en scène qu'avec une extrême prudence. Chateaubriand prenait ses distances avec la réalité, Proust la travestissait. Je parle souvent de mon temps, quelquefois de moi-même, presque jamais de ma vie privée. Je m'avance masqué. Je dirais volontiers que je cherche d'abord à me dissimuler. Il ne faudrait pas me pousser beaucoup pour que j'avoue mon ambition : elle est moins de laisser des traces de ce misérable tas de secrets qu'aura été ma vie que de les effacer. Cioran s'étonne quelque part que la seule perspective d'avoir un jour des biographes ne nous empêche pas d'écrire, et même de vivre. J'espère bien ne jamais être affublé de biographes. Mais on ne sait jamais. Dans le doute et par précaution, je me charge de la tâche moi-même et je m'efforce de brouiller les pistes.

— Quel malheur ! s'écria Clara. Nous n'aurons pas trois pages.

— C'est très fâcheux, lui dis-je.

— Et nos lecteurs...

— Ils se consoleront, assurai-je. Il doit être près d'une heure.

Elle regarda sa montre.

— Une heure vingt, dit-elle.

— Une heure vingt ! Précipitons nos pas vers le marchand de vin ! Voulez-vous déjeuner avec moi ?

— Pourquoi pas ? me dit-elle. Je suis libre comme l'air.

— C'est comme ça qu'il faut être, lui dis-je. Pour être prête à tout, n'acceptez jamais rien. Allons-y !

La rue Montpensier semblait sortir d'une petite ville de province. Elle était calme et silencieuse. Nous la suivîmes jusqu'à la place André-Malraux qui nous fit rentrer dans Paris avec ses flots de voitures qui jaillissaient de l'Opéra ou de la rue de Richelieu en rangs tumultueux. Laissant à notre gauche la kyrielle des institutions – le Conseil constitutionnel, la Comédie-Française, le Conseil d'État, le ministère de la Culture, plus loin la Banque de France –, nous traversâmes la rue de Rivoli pour passer sous les guichets du Louvre. À gauche, la pyramide de verre et d'acier voulue par Mitterrand, au loin la Cour carrée ; à droite, l'arc de triomphe du Carrousel avec ses périodes d'une simplicité orgueilleuse auxquelles Vivant Denon, l'auteur de la *Description de l'Égypte* et de *Point de lendemain* d'où Louis Malle devait tirer *Les Amants*, avait apporté son concours :

UNE TROISIÈME COALITION ÉCLATE SUR LE CONTINENT
LES FRANÇAIS VOLENT DE L'OCÉAN AU DANUBE

À LA VOIX DU VAINQUEUR D'AUSTERLITZ
L'EMPIRE D'ALLEMAGNE TOMBE
VENISE EST RÉUNIE À LA COURONNE DE FER
L'ITALIE ENTIÈRE SE RANGE SOUS LES LOIS
DE SON LIBÉRATEUR

Nous marchions sur les restes du vieux Louvre de Philippe Auguste, sur ses tours et ses remparts enterrés par le temps.

Nous franchîmes la Seine sur le pont du Carrousel. Nous étions au cœur de Paris. Accoudés au parapet, nous regardâmes quelques instants le fleuve qui venait avec nonchalance de la passerelle des Arts, entre la Coupole et la Cour carrée, du Pont-Neuf, de Notre-Dame, de l'île de la Cité et de l'île Saint-Louis. Quelques nuages se poursuivaient dans le ciel. Un peintre essayait un peu en vain de les fixer sur sa toile. Une péniche passa sous le pont : le marin nous fit signe. Nous agitâmes nos bras. Le soleil frappait la Monnaie installée dans le palais Conti, les marches de l'Institut, le quai où avaient vécu Voltaire, Musset, George Sand, Montherlant, Antoine Blondin et tant d'autres.

— Comme c'est beau ! dit Clara.

C'était très beau.

— Quelles ruines, lui dis-je, dans mille ans ! Ou peut-être même avant.

— Ne parlez pas de malheur, dit Clara, emportée par l'enthousiasme. Je crois qu'il n'y a rien de plus beau.

— Je ne sais pas, lui dis-je. Rome est très belle aussi. Et Sienne. Et Venise. Et Udaipur est très beau. Mais ici, c'est chez nous. Et ce n'est pas mal non plus. Ce paysage est quelque chose comme un album de famille. Toute une foule de souvenirs surgit d'entre les pierres. Henri IV sur son pont, le Louvre et ses rois, la guillotine à deux pas, Napoléon aux Tuileries, les barricades de la Commune dans la rue de Rivoli, les peintres et les écrivains qui rôdent un peu partout. Tant de gloire, tant de sang, tant de victoires, tant de défaites... La médiocrité est contagieuse, et la grandeur aussi.

Mais ne traînons pas trop ou le fourneau sera éteint et nous n'aurons plus rien à nous mettre sous la dent.

— Où allons-nous ? demanda Clara.

— Au Voltaire, lui dis-je. C'est un très bon bistrot sur le quai du même nom, au coin de la rue de Beaune.

Thierry était là. Il nous donna ma table, qui était encore libre, au fond, dans le coin à droite. Clara prit des asperges et je ne sais plus quel poisson ; moi, comme d'habitude, des œufs pochés à l'oseille et un filet de bœuf. De la dernière Cène aux splendeurs du prince de Bénévent et de son cuisinier Carême, du banquet de Ravenne où, sur l'ordre de Théodoric, les Hérules d'Odoacre furent massacrés jusqu'au dernier par leurs voisins ostrogoths aux petits soupers de Louis XV ou aux dîners Magny où se retrouvaient Flaubert, Zola, les Goncourt, George Sand, la table et ses manières ont joué depuis toujours un rôle considérable dans l'histoire des hommes. Tout au long du XXe et au début du siècle suivant, nous avons passé notre temps à déjeuner et à dîner pour parler avec d'autres, pour avancer nos affaires, pour servir nos amours, pour donner des nouvelles ou pour en recevoir, ou simplement pour nous nourrir et pour être plus heureux. Je constatai avec plaisir que Clara avait bon appétit : je déteste les femmes qui picorent sous prétexte de régime et chipotent dans leur assiette.

La situation changeait un peu. Clara en face de moi n'était plus une journaliste venue m'interroger pour cet hebdomadaire où j'avais lu, avec des sentiments divers, les articles de JJSS au temps de sa splendeur et du *Défi américain* pour lequel, dans son ardeur un peu folle et qui ne doutait jamais de rien, il avait, un moment, espéré le Goncourt...

— Vous savez, j'imagine, qui était Jean-Jacques Servan-Schreiber ?

Le nom lui disait quelque chose, mais, franchement, elle aurait été bien en peine, tant le passé s'efface vite, de parler de lui, qui avait occupé dans son époque une place si considérable, avec un peu de détails.

... de Françoise Giroud, pourrie de charme, d'intelligence, d'une passion dévorante pour ce même JJSS, d'une ambition féroce, de François Mauriac que ses positions sur l'indépendance du Maroc avaient contraint à quitter *Le Figaro* pour *L'Express*, de Raymond Aron, qui avait suivi le même chemin, un quart de siècle plus tard, après sa rupture, au *Figaro*, avec Robert Hersant, qui avait lui aussi, en son temps, fait couler tant d'encre, le plus souvent indignée. C'était toute la comédie du pouvoir pendant une trentaine d'années qui me revenait à l'esprit en regardant la jeune femme absorber ses asperges. Savait-elle seulement, la jeune Clara, qu'elle était un maillon, minuscule et charmant, d'une formidable aventure ? Comme j'avais été moi-même, quelque trente ans avant elle, un rouage à peine plus mémorable d'une aventure parallèle.

Clara Sombreuil m'apparaissait maintenant comme une amie à qui je versais un verre ou deux, ou peut-être trois, d'un petit saint-émilion pour l'égayer un peu, la remercier d'être venue et lui rendre la vie plus plaisante. Je me demandais vaguement si je me mettais, moi aussi, à changer à ses yeux. Elle devait avoir des idées, des souvenirs, des espérances, des passions. Et elle avait un long cou dont elle se servait assez bien.

— Je fais ce que je peux, lui dis-je en remplissant

son verre, pour être à la hauteur de cette réputation, usurpée je le crains, dont vous m'avez accoutré.

— Vous y réussissez, me dit-elle. Le vin est bon.

— Tant mieux. Autant que cette journée ne soit pas totalement perdue. Êtes-vous contente de la vie ?

— Ça peut aller, me dit-elle. Je ne m'ennuie pas.

— Bravo ! lui dis-je. Dans la vie comme en littérature, en peinture, en musique, dans tous les arts, l'ennui est la pire des choses. Il faut le fuir à tout prix. C'est le père de tous les vices. Il y a quatre ou cinq siècles, et davantage, ce que les directeurs de conscience un peu sérieux redoutaient plus que tout, c'était l'*acedia*. Vous connaissez l'acedia ?

— Pas du tout, dit Clara. Mais c'est vrai que vous avez un côté pion.

— L'acedia était un mélange de tristesse et d'ennui qui pouvait aller jusqu'au désespoir. Et le désespoir, vous en avez entendu parler, n'est-ce pas ? on ne sait jamais où il mène. Luttons contre l'acedia ! Êtes-vous amoureuse ? C'est le meilleur remède.

— Après tout ce que vous m'avez dit, j'y regarderai à deux fois avant de me déclarer amoureuse.

— Vous auriez tort. Ne croyez pas les livres. Ne croyez même pas ce que je vous dis. Il n'y a pas de fatalité. Il n'y a pas de précédent. Tout recommence avec vous. Truqué ou pas, fugitif ou pas, l'amour est encore ce qu'on a trouvé de mieux pour rendre la vie supportable. Il n'y a que deux choses qui vaillent la peine d'être cultivées : le travail et l'amour. Presque tout le reste est trompeur et n'a pas beaucoup de sens. Et le travail lui-même, je me demande parfois si, avec un peu d'efforts, je ne pourrais pas m'en passer. De quoi vous occupez-vous au journal ? Et qu'avez-vous envie de faire ?

155

Nous parlions ainsi, dans cette langue française en train de décliner après avoir régné trois cents ans sur le monde, au fond du restaurant Voltaire, sur les bords de la Seine, dans les premières années du XXIᵉ siècle après le Christ, et nous mangions les asperges et les œufs pochés apportés par Thierry et nous buvions notre saint-émilion. C'était le printemps. Elle s'occupait de culture...

— Je n'en suis pas fou, lui disais-je. Surtout quand elle se monte la tête avec une majuscule.

— Mais c'est votre métier ! me répondait-elle avec vivacité.

... des films, des livres, et elle consacrait des portraits aux gens dont on parlait, à ceux que le système, pour une raison ou pour une autre, et souvent sans raison, faisait sortir du lot. Elle avait eu deux aventures qui s'étaient terminées en eau de boudin, l'une avec un ethnologue plus âgé qui passait son temps en Afrique et en Amazonie, l'autre avec un jeune comédien qui avait tenté de se suicider. Et elle avait envie, comme tout le monde, de s'attaquer à un roman qui la délivrerait de son passé et la rendrait libre et célèbre.

— Faites ça, lui disais-je.

— Croyez-vous, me demandait-elle, que je pourrais écrire ? Accepteriez-vous de m'aider, de lire mon manuscrit ?

— Heu..., lui disais-je. Soyons honnête : rien n'est moins sûr. La lecture des manuscrits est un des exercices – il y en a beaucoup d'autres – où je suis le plus nul. Je n'étais pas fait pour être éditeur, je n'étais pas fait pour être critique.

— Et pour quoi, à votre avis, étiez-vous donc fait ?

Il y avait dans sa voix comme une ombre de reproche et un peu d'ironie.

Je lui pris la main un instant.

— Je vais vous le dire : pour rien. C'est quand je ne fais rien que je suis le plus supportable. Quand j'étais jeune et que je n'avais rien fait du tout, j'étais presque charmant.

— Vous avez fini par faire pas mal de choses.

— Et par être moins charmant.

— Je ne sais pas, me dit-elle.

— Et qu'ai-je donc fait de ma vie ? Quelques livres, un point, c'est tout. Je n'ai rien inventé, je n'ai pas sauvé le monde, je ne l'ai pas non plus bouleversé, je n'ai pas marqué mon temps à la façon de ceux que nous avons croisés sur notre chemin jusqu'ici. Je n'ai pas été Bernadotte, ni Marceau, ni Murat – quelle époque ! –, je n'ai pas été Saint-Just, ni Talleyrand, ni Sully. Ni même rien d'approchant. Je n'ai pas découvert des terres nouvelles. Je n'ai pas changé notre avenir. Dites : est-ce que ce n'est pas à sangloter ?

— Vous avez écrit des livres. Y a-t-il beaucoup mieux ?

— Même au royaume des livres, et je vous accorde qu'il n'y a pas mieux, je n'ai pas ouvert des chemins nouveaux. Croyez-vous que je n'ai pas rêvé, moi aussi, d'être Joyce ou Lautréamont ? Et savez-vous ce que j'ai fait ?

— Non, me dit-elle. Mais je serais ravie de le savoir.

— Ce que j'ai pu, lui dis-je.

— Ce n'était pas si mal, me dit-elle. Et peut-être avez-vous donné un peu de bonheur à quelques-uns.

— Si c'est vrai, lui dis-je, c'est ce que j'ai fait de mieux.

Nous revenions. Nous repassions la Seine dans l'autre sens. De l'autre côté du pont, deux grands anges de pierre nous montraient le chemin. Nous

nous glissions à nouveau entre le palais des Tuileries qui avait disparu depuis plus d'un siècle et cette aile du Louvre d'où, quelques années à peine plus tôt, le puissant ministère des Finances avait émigré vers Bercy.

— Il y aurait un joli livre à écrire sur la topographie politique, administrative et sociale de Paris depuis deux ou trois siècles. À tout seigneur, tout honneur : édifié sous Louis XV, acheté et habité par la marquise de Pompadour, le palais de l'Élysée sert successivement de garde-meuble, puis d'annexe à l'Imprimerie nationale, puis, sous le Directoire, de salle des ventes et d'établissement de danse et de jeu, avant d'être loué par appartements et exploité par un marchand de glaces. Murat l'achète et le cède à Napoléon. Joséphine s'y installe et le garde après son divorce. L'Empereur y signe sa seconde abdication en 1815. Le duc de Berry y habite avant son assassinat par Louvel sur les marches de l'Opéra alors situé rue Louvois. Après la révolution de 1848, il redevient un lieu de plaisirs sous le nom d'Élysée national. Depuis Thiers et Mac-Mahon, tous les présidents de la IIIe, de la IVe et de la Ve République, sans aucune exception, y ont tour à tour fixé leur résidence.

Construit au début du XVIIIe pour le maréchal de Montmorency, achevé pour le comte de Matignon, devenu prince de Monaco par son mariage avec une Grimaldi, l'hôtel Matignon, rue de Varenne, porte d'abord le nom d'hôtel de Monaco. Talleyrand l'achète en 1808 à un personnage surprenant, ami des lettres, amateur d'art, grand collectionneur, joueur de whist et homme d'affaires : Quintin Crawfurd. Il s'y établit en 1810, pour deux ans, après son renvoi par Napoléon et la scène légendaire où l'Empereur l'aurait traité de « merde dans un bas de soie » et où il aurait répondu : « Quel dommage qu'un si grand homme soit si mal élevé ! » Napoléon finit par lui racheter l'hôtel de Monaco qui sera donné plus tard à la reine Hortense. En 1811, Talleyrand acquiert, rue Saint-Florentin, à deux pas de la Concorde, au coin de la toute nouvelle rue de Rivoli, l'hôtel – siège, aujourd'hui, du consulat américain –, où il mourra en 1838.

Ce Crawfurd, dont je ne sais pas grand-chose...

Clara s'arrêta devant les guichets du Louvre.

— Je ne peux pas croire, dit-elle avec une moue, qu'il ait joué un rôle dans votre vie...

— Pas vraiment, lui dis-je, mais il m'a longtemps fait rêver. Il y a des gens, comme ça, des noms, des lieux, des choses que je ne connais pas et qui n'en finissent pas de me trotter dans la tête. Vous le savez bien : écrire, c'est avoir des obsessions. Quintin Crawfurd, je ne sais pas pourquoi, est une petite obsession. Écossais de naissance, il a fait fortune – par quels moyens ? à la suite de quelles aventures ? – en Inde, puis à Manille. Vous rappelez-vous le passeport de Louis XVI signé par Montmorin, le père de Pauline de Beaumont, et la fuite à Varennes ?

— La fuite à Varennes ? dit Clara. Je ne pense qu'à ça.

— En partie au moins, c'était Crawfurd qui l'avait financée. Aventurier royaliste établi à Paris, manifestement agent de renseignements – c'est-à-dire espion – au service des Anglais, il est sans doute surveillé, mais, par un mystère étrange, il ne sera jamais arrêté par la police de Fouché. Il vit avec une ballerine italienne du nom d'Anne-Éléonore Franchi, appelée Mme Sullivan. Elle a eu, de son côté, d'innombrables aventures et elle est la mère du fameux comte Alfred d'Orsay, prince des dandys, modèle de tous les « lions » de la Restauration immortalisés par Balzac. Plus encore que Quintin Crawfurd, c'est elle, l'ancienne ballerine, qui vend au prince de Bénévent l'hôtel de Monaco où s'installera, près d'un siècle plus tard, après de nouvelles aventures dont je crois devoir vous faire grâce, l'ambassade d'Autriche-Hongrie à Paris. Confisqué pendant la Première Guerre par le gouvernement français, il est mis à la disposition du président du Conseil des ministres. Son premier occupant à ce titre sera Léon Blum, l'ami de mon grand-père, en 1936.

— C'est *La Ronde*, dit Clara

— La ronde ? Quelle ronde ?

— *La Ronde* d'Arthur Schnitzler, *La Ronde* de Max Ophüls. Il y avait Simone Signoret, Danielle Darrieux, Simone Simon, Gérard Philipe, Serge Reggiani, Daniel Gélin, Jean-Louis Barrault, beaucoup d'autres... Vous souvenez-vous ?... Il y avait trop de bons acteurs pour faire un très grand film, mais c'était tout de même très bien. Nous aussi, comme dans *La Ronde*, nous passons de l'un à l'autre et nous finissons par revenir à notre point de départ. Auriez-vous par hasard encore d'autres déménagements de ministères sur votre carnet de bal ?

— Toute une foule, lui dis-je. Le ministère des Affaires étrangères, par exemple, n'est établi que depuis peu sur les bords de la Seine, sur ce quai d'Orsay qui lui a donné son nom. Quand Talleyrand...

— Encore !

— Oui, encore lui... Il prend pas mal de place, vous savez. Presque autant que Chateaubriand, son ennemi de toujours. Quand Talleyrand, en été 1797, à son retour d'Amérique où il s'était réfugié, est nommé ministre des Relations extérieures par le Directoire, il emménage, entre la rue de Grenelle et la rue du Bac, entre cour et jardin, dans l'hôtel Galliffet qui abrite aujourd'hui les services culturels de l'ambassade d'Italie, installée elle-même juste en face, de l'autre côté, rue de Varenne, dans l'ancien hôtel Boisgelin.

Le 28 décembre 1822, successeur indirect de Talleyrand qu'il déteste et méprise pour ses serments successifs – avec le serment à Louis-Philippe, il y en aura treize en tout –, pour son ralliement à l'Empire, pour sa vie privée, pour son cynisme, pour son goût des affaires et des trafics, Chateaubriand est nommé à son tour ministre des Affaires étrangères. Cette reconnaissance de ses capacités politiques, l'ancien ambassadeur à Londres – où, sept ans plus tard, toujours la ronde ! lui succédera Talleyrand –, le futur ambassadeur à Rome l'attendait avec une impatience à peine dissimulée. Mais, épicurien catholique et paradoxal, monarchiste d'opposition, insupportable et génial, il joue ou fait semblant de jouer avec la tentation de refuser avec superbe ce qu'il espérait avec avidité : le rêve, pour l'ultra épris de liberté, pour le chrétien couvert de femmes, pour le visionnaire égaré dans la politique, était un ministère refusé. Offert, bien sûr – mais refusé. « Lorsque le ministère lui fut proposé, écrit Pasquier, l'ami de Molé, l'amant de la terrible Mme de Boigne dont il avait attrapé par contagion un peu de la méchanceté intelligente, il fallut lui faire presque violence pour lui faire accepter le pouvoir dont il brûlait de s'emparer. »

Savez-vous qu'il existe un vieux mot français pour désigner les sentiments qui agitaient notre vicomte ? C'est le mot accisème.

— Accisème ? dit Clara.

— Oui, l'accisème, c'est-à-dire le refus apparent et trompeur de ce qu'on souhaite avec le plus d'ardeur. À tort ou à raison, les anciens grammairiens faisaient venir ce mot d'Aco, une nymphe, ou une créature de ce genre, qui, comme beaucoup de femmes, n'exprimait ses désirs que par des refus.

— Je ne crois pas être comme ça, dit Clara avec cette moue que je commençais à lui connaître.

— Tant mieux, lui dis-je. Je vous félicite. Il y a beaucoup de mots disparus qui mériteraient bien de revivre. Cavalcadour, par exemple : un homme capable de donner beaucoup de plaisir à une femme...

— Ah oui ! dit Clara, ce mot-là, on n'aurait pas dû y renoncer.

— ... ou cavillation : un raisonnement subtil et captieux. Ou encore manicordion – c'était un instrument à cordes du genre clavecin –, utilisé surtout par allusion à des amours clandestines et secrètes : « Elle a longtemps joué du manicordion. »

Le 1er janvier 1823, après trois jours d'accisème et la crise terminée, l'ennemi de Talleyrand se résout enfin à quitter son appartement et ses chats de la rue de l'Université pour aller s'installer non plus dans l'hôtel Galliffet, rive gauche, mais rive droite, rue des Capucines, où le ministère venait d'être transféré il y avait un peu plus d'un an.

On pourrait se livrer au même exercice à propos de chacun de nos palais nationaux. L'histoire du palais du Luxembourg est connue de tous. Mais le palais Bourbon, où siègent nos députés républicains...

— Mon Dieu ! dit Clara. Si nous nous en tenions aux ministères ?

— Vous avez raison, lui dis-je. Je suis toujours trop long...

— Mais non ! dit Clara. Je proteste. Je vous reprochais ce matin votre obstination à vous taire...

— On a toujours tort de parler. On est maître de son silence, on est esclave de ses paroles. Laissons tomber. Disons seulement que la plupart des ministères se sont adonnés à ce genre de promenades à travers le Paris des deux siècles écoulés. De nos jours, une bonne partie des anciens hôtels situés entre la Seine, le boulevard Saint-Germain, la rue du Bac, la rue de Babylone, le boulevard des Invalides et la rue de Constantine appartiennent, directement ou indirectement, à l'État qui les a acquis peu à peu pour y installer ses services. Les vieilles familles aristocratiques, les classes possédantes, les financiers, les hommes d'affaires, les bourgeois nantis, les riches plus ou moins anciens et plus ou moins nouveaux, tous ceux qui avaient l'habitude de se considérer eux-mêmes comme la « société » par excellence ou le « monde » tout court et qui avaient longtemps habité le Marais, place des Vosges, rue Vieille-du-Temple ou du côté de la rue de Clichy avant de se retrouver entre eux dans le faubourg Saint-Germain ont été chassés de leurs hôtels de la rive gauche vers l'ouest, avant de nouvelles migrations.

— Et vers où, demanda Clara, ces nouvelles migrations ?

— N'importe où, répondis-je. Dans ce domaine comme ailleurs, les choses ont beaucoup bougé. Il n'y a plus de règles. Dans la capitale, n'importe qui, désormais, habite presque n'importe où. À la Bastille, si le cœur vous en dit, ou sur le canal Saint-Martin, ou du côté de la Santé ou des Buttes-Chaumont, chères à Aragon. Les changements ne

se limitent pas à la disparition des vieux hôtels parti-
culiers du faubourg Saint-Germain. D'autres mouvements plus décisifs se sont produits dans Paris
depuis un siècle ou deux. Un peu partout, les plus
pauvres – et c'est un drame – ont été expulsés du
centre historique de la ville où ils habitaient encore,
au temps de Balzac, à côté et même parfois au-
dessous ou au-dessus de leurs propriétaires. Et les
plus aisés s'installent où ils veulent et où ils peuvent.

Vaguement fatiguée ou peut-être ennuyée par ma
longue tirade où se mêlaient pédantisme et topographie historique, elle avait pris mon bras. À la fin
du chemin que nous avions, une heure et demie plus
tôt, parcouru en sens inverse, nous nous retrouvions
au pied de chez moi. Nous montions reprendre nos
places autour de deux tasses de café.

— Et maintenant, me dit-elle, à peine assise dans
son fauteuil, vous ne pouvez plus y couper : vous
allez me parler de Marie !

— Beaucoup de choses, chez vous, sont très
dignes d'attention. Une des plus admirables est
votre suite dans les idées.

— Mon entêtement ? demanda Clara.

— C'est vous qui le dites. Appelez ça comme
vous voudrez. Vous savez déjà l'essentiel : Marie
assistait à la conférence organisée à Yale par Henri
Peyre et à laquelle Lea m'avait presque contraint à
me rendre ; et elle n'est plus sortie de ma vie. Je
ne vous en dirai pas beaucoup plus. Non seulement
parce que je n'ai pas l'habitude de livrer ma vie
privée au public, mais parce que rien n'est devenu
plus ennuyeux que les éternelles histoires d'amour,
toujours semblables à elles-mêmes, qui font, depuis
trop longtemps, le fond de sauce des livres que nous
lisons avec une obstination de plus en plus lassée.

De *La Princesse de Clèves* à *L'Éducation senti-mentale*, à *The Sun also Rises* ou à *Belle du Seigneur*, de *Bérénice* ou de *Phèdre* à *Casque d'or*, à *Out of Africa*, à *Sur la route de Madison*, toute une foule de chefs-d'œuvre où un homme rencontre une femme et le plus souvent la perd – ou l'inverse : il arrive aussi à l'homme pour une raison ou pour une autre, une passion nouvelle, la société, la mort, d'échapper à la femme – nous ont donné de grands bonheurs. Et peut-être les plus grands : aucun des ressorts de nos misérables existences, ni l'art, ni le savoir, ni l'argent, ni le pouvoir, ni la gloire, ni rien d'autre n'est plus capable que l'amour de faire battre nos cœurs. Au point que littérature et amour se sont longtemps confondus. Pour ne rien dire du cinéma où Ava Gardner, Gene Tierney, Katharine Hepburn, Rita Hayworth ou Ingrid Bergman finissent tou-jours, sous nos applaudissements, ah ! bravo ! bravo ! une buée dans les yeux et la gorge qui se serre, tarte à voir, comme dit l'autre, et plus ringard tu meurs mais personne ne fait mieux, par tomber dans les bras de quelqu'un – ou par en sortir. Je suis le premier à penser qu'un roman sans amour, un film où Robert Redford ne se tuerait pas en avion, où Lauren Bacall ne demanderait pas à Humphrey Bogart s'il sait comment faire pour siffler, où Cary Grant ne descendrait pas ses marches avec son fardeau bien-aimé dans les bras, où Clint et Meryl ne se retrouveraient pas sur le pont avant de se séparer à jamais sous les torrents de pluie qui tombent sur Des Moines, capitale de l'Iowa, fran-chement, on s'en passerait. Vingt fois, cent fois, mille fois, dans les films, dans les livres, avant de nous faire mourir d'ennui par leur répétition et leur médiocrité, les histoires d'amour nous ont fait mourir de peur, de chagrin et de bonheur.

Clara poussa un soupir.

— Ah ! dit-elle, j'en étais sûre : nous aurions pu les avoir, nos trois pages...

— Vous voyez bien pourquoi ce privilège de l'amour n'en finit jamais, dans notre civilisation de l'image et de la sensation, de renaître de ses cendres. Chacun de nous a connu, au moins une fois dans sa vie, ou s'est imaginé connaître, à travers films et livres, les tremblements, les bouleversements, l'exaltation de la passion. Tout le reste ne compte plus, tout le reste, et le sort des empires, et le destin de l'homme, et la morale, et l'art, et toutes les balançoires de l'intelligence professionnelle, est réduit à néant. Par une alchimie mystérieuse, le sens de l'existence nous est enfin révélé. L'amour est la plus douce des drogues dures. Il nous parle de nous-mêmes. Il nous entraîne derrière lui. Il force tous les barrages. Il est seul à régner et il nous fait souffrir autant qu'il nous enchante. Et les obstacles font partie de l'enchantement : ils renforcent encore notre dépendance. Au point, chacun le sait, et vous le savez aussi, qu'il n'y a pas de passion sans obstacles et que l'obstacle est nécessaire à l'éclosion de la passion et à sa persistance.

— Et vous, dit Clara, vous en avez connu, des obstacles, dans votre histoire avec Marie ?

— Il me semble souvent que je n'ai rien connu d'autre. Vous ai-je dit déjà que j'aimais Lea ?

— Vous me l'avez chanté sur tous les tons.

— Je ne suis pas passé de Lea à Marie comme on change de chemise. Mon amour pour Marie est d'abord une histoire de souffrance. Lea a souffert de l'irruption de Marie ; et moi, j'ai souffert de la souffrance de Lea. Elle en avait déjà vu beaucoup autour d'elle. Elle était gaie et fragile. Je me suis beaucoup reproché d'ajouter encore à la vision meurtrière qu'elle avait de ce monde qu'elle aurait tant voulu aimer, et qu'elle aimait peut-être à travers moi. Il y a quelque chose de funeste dans cette passion qui, impatiente de nous emporter au-delà de nous-mêmes, se moque bien de nos liens, de ce que nous étions avant elle et peut-être de ce que nous désirions. Elle détruit tout sur son passage, et d'abord nos amours. On n'aime plus personne dès qu'on aime.

Quand j'ai revu Marie, toujours blonde, toujours éclatante de beauté, toujours sombre et silencieuse, parmi les assistants de cette conférence de Yale où ma vie a basculé et dont j'ai tout oublié parce que Marie était là, j'ai su aussitôt qu'il était inutile d'essayer de lutter contre cette déesse cruelle, peut-être imaginaire et pourtant toute-puissante, que nous appelons la passion. Mais le chagrin de Lea était un couteau dans mon bonheur. Je me sentais à la fois transporté et coupable. À tort évidemment, je me voyais inventer des sentiments nouveaux : ce qui montait en moi, c'était un bonheur désolé.

Je ne sais pas pourquoi je vous raconte cette histoire, vieille maintenant d'un demi-siècle, et où la fraîcheur des amours de jeunesse – je n'étais pas encore très vieux – est teintée de remords. Peut-être, surtout après avoir déjeuné ensemble, êtes-vous devenue pour moi non plus seulement une journaliste chargée de m'interroger, mais une confidente, une analyste, une espèce de confesseur...

— Quel honneur ! dit Clara.

— Vous l'avez sans doute remarqué : il y a des sujets sur lesquels j'ai un peu de mal à m'exprimer. J'ai mis du temps à en venir à ces rencontres américaines que vous attendiez avec une impatience à peine dissimulée. J'ai longtemps tourné autour d'elles, j'ai pris des chemins de traverse. J'aurais sûrement été incapable de vous en parler ce matin. Maintenant, après la bouteille de saint-émilion que nous avons partagée, j'ai pu vous dire quelques mots de l'entrée de Marie dans ma vie et du chagrin de Lea. C'était ma jeunesse et, comme toutes les jeunesses, elle était tourmentée et radieuse.

— Et qu'est devenue Lea, je vous prie ? L'avez-vous revue ?

— Il y a une vingtaine d'années – je dirigeais un journal, en ce temps-là –, le mur de Berlin tombait. Avec l'assassinat de l'archiduc François-Ferdinand à Sarajevo par Princip le 28 juin 1914, avec la révolution d'Octobre – qui s'est déroulée pour nous au cours du mois de novembre de notre calendrier grégorien, en décalage de treize jours sur le calendrier russe encore julien qui remontait à Jules César –, avec le jeudi noir d'octobre 1929, la prise du pouvoir par Hitler en 1933, la défaite de la France en mai 40, l'opération Barbarossa le 21 juin 41, l'attaque japonaise sur Pearl Harbor le 7 décembre de la même année, Stalingrad dans l'hiver 42-43, avec le débarquement allié en Normandie le 6 juin 44, la fin novembre 1989 est une des dates clés de cet atroce XXe siècle, que vous avez à peine effleuré...

— Je suis née en...

— Je sais... et où j'ai passé le plus clair de ma vie. Moins cruel que le mien et sans doute, je le crains, que le vôtre, moins stupide que ne le prétendait Léon Daudet, le XIXe siècle... Vous savez, bien sûr, qui était Léon Daudet ?

— Léon ? dit Clara. Pas vraiment. Je connais seulement Alphonse.

— Vous avez tort. D'une partialité révoltante, Léon Daudet, le fils d'Alphonse, est un écrivain d'un talent formidable. Il découvre Proust, Céline, beaucoup d'autres. Ses souvenirs sont irrésistibles. Ses portraits sont très réussis. Il est drôle, injuste et cruel. Du charmant Henri de Régnier, le gendre de Heredia, le mari de Marie qui a eu tant d'amants plus séduisants les uns que les autres, le gentilhomme aux longues moustaches qui a écrit sur Venise de petites choses si jolies...

> *Au vent frais de la lagune*
> *Qui l'oriente à son gré,*
> *Tu fais tourner ta Fortune,*
> *Ô Dogana di mare !*

> *Le soleil chauffe les dalles*
> *Sur le quai des Esclavons.*
> *Tes détours et tes dédales,*
> *Venise, nous les savons !*

> *Car, sinueuse et délicate*
> *Comme l'œuvre de tes fuseaux,*
> *Venise ressemble à l'agate*
> *Avec ses veines de canaux.*

... il disait qu'il ressemblait à un cadavre au menton de galoche, oublié debout, sous la pluie, en habit d'académicien, par un assassin distrait. Eh bien, ce XIXe siècle que Daudet déteste surtout à cause de ceux – Chateaubriand, Lamartine, Hugo – qu'il appelle drôlement les « moitrinaires », ce XIXe siècle est très long. Pour nous, Français, pour l'Europe bien sûr, pour le monde entier qui, à l'époque, ne s'en doute pas encore, il commence avec évidence en 1789. Et il s'achève avec la guerre de 14. Le XXe en revanche, est très court : 1914-1989. Très court, et très meurtrier. Cent millions, cent cinquante millions, peut-être deux cents millions de morts par violence ? On ne sait pas. Cent millions en tout cas, au bas mot. Ce qui ferait en moyenne plus d'un million de victimes par an.

Le plus remarquable est que ces victimes ne sont pas, si j'ose dire, des morts à titre privé. Notre temps passe pour violent : dans la vie quotidienne, il tue cependant beaucoup moins que jadis. Chez nous, en France, nous sommes passés de plus de vingt crimes de sang par an pour cent mille habitants au XIIIᵉ siècle et de dix-sept en 1600 à moins de quatre de nos jours. On en parle beaucoup plus à cause du goût de la presse, de la radio, de la télévision surtout, pour les faits divers. Mais la décrue est sensible. Un peu partout, malgré le milieu de Marseille, la camorra napolitaine, la n'dranghetta calabraise, la mafia de Sicile, de Chicago ou de Russie, les enfants de Tijuca et des favellas de Rio, les yakuza du Japon, les pirates des Célèbes ou de la mer de Chine, le crime s'essouffle.

— Mais alors, vos cent ou deux cents millions de morts, qui donc les a tués ?

— Qui ? Mais vous le savez bien : Hitler, Staline, Mao, les Khmers rouges de Pol Pot, la guerre entre l'Irak de Saddam Hussein et l'Iran de Khomeiny, les Hutus du Rwanda, les Arabes du Soudan, la politique, la religion, l'État. Ils sont morts pour des idées qui étaient devenues folles. Pour la nation. Pour la race. Pour la classe sociale. Pour une image de Dieu. Pour le paradis sur la terre. Qui veut faire l'ange fait la bête. Une bête sauvage et cruelle qui a pataugé dans le sang sous les acclamations de foules innombrables et d'esprits distingués. Pour le siècle de l'humanisme, des droits de l'homme, de tant d'efforts en faveur de la paix, c'est un joli résultat.

On a pu soutenir que l'affreux XXᵉ siècle s'achève le 11 septembre 2001. Je ne le crois pas. L'attentat contre le World Trade Center de New York, qui ouvre plutôt, après un interrègne de douze ans, ce XXIe siècle dont nous savons encore peu de chose, appartient à un autre cycle : celui du terrorisme extrémiste, jusqu'à présent essentiellement musulman, qui n'est pas beaucoup plus gai que tant d'horreurs passées, et qui, en dépit de quelques signes avant-coureurs, était encore imprévisible dans les dernières années du XXe siècle, dominé par les États, leur raison, leur puissance et leur fameux équilibre. Raymond Aron, l'observateur le plus intelligent de la seconde moitié du siècle, un des seuls à ne pas avoir déshonoré comme tant d'autres le nom d'intellectuel et à ne pas s'être pavané et vautré, d'un côté ou de l'autre, dans tant d'erreurs et de crimes, ne peut même pas imaginer ce que va devenir l'histoire quelques années à peine après sa mort en 1983. Son monde à lui est dominé par l'opposition entre le bloc soviétique et les démocraties occidentales. Il est d'ailleurs pessimiste sur l'issue de son combat contre le marxisme et son hypostase stalinienne. La chute du mur de Berlin, qui marque la défaite du communisme et le triomphe, au moins provisoire, de la démocratie et qui clôt avec évidence le siècle du totalitarisme d'État, l'aurait rempli de joie – et de stupeur.

Nous étions quelques-uns à nous retrouver à Berlin en cette fin de novembre ou ce début de décembre 1989. Votre père était en train de mourir...

— Ah ! dit Clara, vous vous en souvenez...

— Bien sûr, lui dis-je : nous avons parlé de lui ce matin. Mstislav Rostropovitch venait de jouer du violoncelle au pied du mur en train d'être détruit et une agitation joyeuse enflammait toute la ville, l'Europe au-delà de la ville et le monde presque entier.

Toute l'année, les Français avaient célébré le deuxième centenaire de leur Révolution. Un cortège organisé par Goude, qui devenait célèbre d'un jour à l'autre pour avoir inventé quelque chose de nouveau qui ne relevait ni du sport, ni de l'art, ni de la science, ni de la littérature, ni du monde des idées et qui appartenait plutôt à une sorte de théâtre collectif où se mêlaient l'histoire, la mode, le souvenir, l'imagination et une ombre encore timide et presque imperceptible d'érotisme, annonciatrice lointaine des défilés de la Love ou de la Gay Pride, avait parcouru des Champs-Élysées plus habitués aux trompettes de la Garde républicaine, aux tabliers des sapeurs, au pas lent de la Légion, aux sabots des chevaux des hussards ou des cuirassiers, aux chenillettes des chars d'assaut qui laissaient leurs traces sur le macadam de l'avenue. De 1789 à 1989 s'étendaient deux cents ans de révolutions en chaîne à travers toute l'Europe. Avec sa grande et deux petites, plus une populaire et patriotique, plus une nationale et résignée, et une libératrice, plus la toute dernière qui, selon la prédiction de Karl Marx dans son rôle de prophète, de metteur en scène perpétuel, de directeur des opérations et de Père éternel de tous les anges révoltés, avait été une pantalonnade parodique et comédienne sur fond de médias extasiés, avec un mort par arrêt du cœur et un autre par noyade, la France, à elle seule, en comptait une bonne demi-douzaine.

Tout le monde, depuis deux siècles, avait appris que la révolution dévorait ses enfants. Voilà qu'elle se dévorait elle-même. Avec l'aide de la fameuse généalogie des philosophes allemands – « Kant, *qui genuit* Fichte, *qui genuit* Schelling, *qui genuit* Hegel, *qui genuit* Marx... » –, les révolutions françaises avaient accouché avec retard de la révolution d'Octobre. Trois quarts de siècle plus tard, selon une formule célèbre, la dictature du prolétariat s'était changée en dictature sur le prolétariat et les masses en avaient assez d'un pouvoir qui avait fini par se retourner contre elles. Le serpent se mordait la queue. Les peuples se soulevaient contre le système qui les avait si longtemps fascinés et qui devait faire leur bonheur. La boucle était bouclée. Le mythe majeur d'une dizaine ou d'une douzaine de générations successives s'effondrait avec le mur.

Un historien japonais, c'est-à-dire américain, proclamait la fin de l'histoire. C'est fou, le nombre de choses dont, à tort ou à raison, notre temps égaré a annoncé la fin : fin des forêts, fin de l'eau, fin de l'air pur, fin du pétrole, fin de la mer Caspienne ou de la Méditerranée, fin de la philosophie, fin du roman, fin de la nation, fin de l'histoire. L'un des buts avoués du marxisme était de mettre fin à l'histoire, fruit de la lutte des classes. À peine le communisme stalinien hors combat, la pensée libérale, prenant à son tour, sans trembler et sans rire, le relais de son adversaire, annonçait la fin de l'histoire. En dépit de Fukuyama, ce qui était fini, ce n'était pas l'histoire qui poursuit, bon pied, bon œil, à peine essoufflée, toujours prête à repartir au boulot, son petit bonhomme de chemin. Ce n'était sûrement pas le changement, les grands mouvements collectifs, la violence, la compétition. Ce qui était peut-être fini, c'était les rêves traditionnels de conquête militaire et les révolutions.

— Parce que vous pensez qu'il n'y aura plus de révolutions ?

— Oh ! il y en aura encore beaucoup. Une révolution est toujours possible en Arabie, au Maroc, en Amérique latine, un peu partout en Afrique. Il est difficile d'en imaginer une aux États-Unis, au

Canada, au Japon, en Australie, en Allemagne, en France, en Europe en général. D'autres catastrophes sont possibles – faudrait-il dire probables ? –, mais une révolution y est peu vraisemblable. Plus sûrement que toute autorité, légitime ou non, la démocratie, le vote, le socialisme, l'impôt ont tué la révolution qui jouissait d'une santé insolente dans l'opposition à la monarchie ou à la dictature, au moins tant qu'elles étaient faibles ou dès qu'elles le devenaient – et toutes les dictatures finissent, à un moment ou à un autre, par se relâcher et s'affaiblir. Nous sommes entrés dans un monde non seulement unifié et très petit, mais souple, fluide, presque liquide, malléable jusqu'à l'inexistence et demain virtuel. Ce qui a pu faire naître la conviction que l'histoire était finie, avec ses idées de permanence et de réalité, ses structures, ses institutions, et qu'elle laissait la place à autre chose.

— À quoi, par exemple ?

— Comment, à quoi ? Ouvrez les yeux, regardez, écoutez autour de vous la rumeur de ce temps. Au plaisir, au sexe, à la violence quotidienne, à la drogue : à tout ce qui pourrait lutter contre l'ennui et rendre à notre pauvre histoire liquéfiée un peu de la réalité, de la dureté et de l'exaltation que lui procuraient la guerre, les uniformes, les distinctions sociales abolies et les révolutions disparues.

Je me promenais dans Berlin où venait d'exploser ce paradis communiste qui avait fait rêver depuis tant d'années tant de millions d'hommes et de femmes. Soixante-douze ans après la révolution d'Octobre, personne, vraiment personne n'aurait osé ni même pu prédire ce séisme, sans doute préparé de longue main mais sans trop d'espoir de succès par la guerre des étoiles de Reagan, par

Jean-Paul II, par le Vatican, par le cardinal Wyszynski, par Solidarność en Pologne. Maintenant que le mur était tombé, il n'était pas difficile de prévoir la suite des événements : la désintégration du pouvoir soviétique, la fin du communisme poststalinien, le basculement de l'Europe de l'Est, l'effondrement d'une Yougoslavie longtemps tenue à bout de bras par Tito, récupérateur communiste de la résistance nationale, président à vie, équilibriste de génie entre l'Est et l'Ouest, icone universellement respectée de la plus sanglante des dictatures qui apparaissait, aux yeux des puissances médusées et à l'image de la grande sœur russe qu'il contestait, comme la patrie des droits de l'homme, des peuples réconciliés et de la paix entre les nations.

Je m'étais rendu plusieurs fois de Bonn à Berlin au temps de François-Poncet. Perdu dans la suite du général Béthouart, j'étais même venu d'Autriche, en uniforme, passer quelques heures dans l'ancienne capitale rasée jusqu'au sol à la façon de Carthage ou de ces villes d'Orient détruites par les Perses ou par les Mongols. Je n'avais pas connu le Berlin des années d'avant-guerre, mais j'avais lu *Berlin Alexanderplatz* de Döblin et *Adieu à Berlin* de Christopher Isherwood, j'avais vu des films de propagande où, au son de musiques guerrières, sous des flots de drapeaux frappés de la croix gammée, éclatait l'orgueil d'une ville impatiente de régner sur une Europe dont une bonne centaine de millions d'habitants avaient pour langue l'allemand. Il ne restait qu'un désastre de ce triomphe avorté. La ville de Humboldt, de Fichte, de Hegel, du professeur Unrat et de *L'Ange bleu* avait disparu. Sur les décombres du parti unique, de la pureté de la race, du national-socialisme vaincu par ses propres armes et par la violence qu'il avait déchaînée, on aurait pu semer du sel. Unter den Linden n'existait plus ; élevée à la fin du XVIIIᵉ siècle, la porte de Brandebourg était en ruine ; écrasés par les bombes et par les orgues de Staline, tous les grands bâtiments, l'Akademie der Künste, le Kaiser Friedrich Museum, l'université, le Reichstag, la Chancellerie, les théâtres, l'Opéra avaient été ravagés par les flammes. Seuls, le château de Charlottenburg et une ou deux églises dressaient encore au loin leurs silhouettes fantomatiques. Le souvenir du pillage et des viols n'était pas effacé. Le spectacle était terrifiant. Ce qui restait de Berlin était un décor de cauchemar.

Maintenant, après quarante-quatre ans de séparation et d'hostilité, je voyais se réunir les deux moitiés de la ville, la soviétique et l'occidentale. Il n'était pas sorcier de deviner que Berlin n'allait plus beaucoup tarder à remplacer Bonn dans le rôle de capitale d'une Allemagne nouvelle qui allait se dégager peu à peu de la vallée du Rhin, des ports de la mer du Nord et des lacs de Bavière pour porter à nouveau ses regards vers une Europe de l'Est orpheline de la patrie du communisme.

Ce soir-là, nous étions quelques-uns à nous être retrouvés au Kempinski, sur le Kurfürstendamm, pour échanger nos impressions. Il y avait des Anglais, des Américains, des Français, des diplomates et des militaires, un éditeur, un homme de théâtre, une actrice suédoise assez belle et célèbre, et plusieurs journalistes. Nous attendions le gouverneur du Wisconsin, qui avait été candidat malheureux à l'investiture démocrate contre le républicain George Bush, l'homme de la première guerre du Golfe, le père de notre George Deubeulyou. Le correspondant de CNN était en train de m'expliquer, je crois encore entendre son français merveilleux, à peine coloré par l'accent américain, les mécanismes très subtils de la guerre des étoiles, mélange de bluff gigantesque et de menace très réelle imposé aux Soviétiques par un Ronald Reagan qui pouvait prétendre à bon droit au titre de vainqueur de la Troisième Guerre mondiale.

— Vous autres, en France, me disait Harold King, sous prétexte qu'ils n'ont lu ni Proust ni Joyce et qu'ils ne sont pas des intellectuels à la mode de votre rive gauche et de Saint-Germain-des-Prés, vous avez la fâcheuse habitude de prendre nos présidents pour de malheureux imbéciles. Vous avez fait le coup à Truman qui avait vendu des bretelles, vous l'avez refait à Reagan qui était un acteur de série B, ce qui ne l'a pas empêché d'être un grand président et un homme d'État qui a sa place dans notre histoire, et aussi dans la vôtre.

— Ah ! que voulez-vous, lui disais-je, c'était un peu comme si, chez nous, Lino Ventura ou Eddie Constantine était entré à l'Élysée. Et encore ! Je doute un peu que Ronald Reagan ait jamais eu à l'écran le quart du talent de Lino Ventura dans *Touchez pas au grisbi* ou dans *Les Tontons flingueurs*...

— Vous souvenez-vous des *Tontons flingueurs*, où les détonations des silencieux font un petit bruit sec – glup ! glup ! – qui intrigue vaguement Pierre Bertin, dans le rôle du président de La Foy, un sourd ahuri et pompeux, fonctions au FMI, gants beurre frais et lorgnon ? Il vient, sous un orage de fer et de feu, demander à Lino Ventura, pour son fils Antoine, c'est-à-dire pour Claude Rich, la main de Patricia, fille de Louis le Mexicain, alias Jacques Dumesnil, truand mort dans son lit, arraché trop tôt à la considération générale.

— Si je m'en souviens ! s'écria Clara. Et la scène d'ivresse dans la cuisine où se préparent les sandwichs – au beurre d'anchois, je crois – pour les amis de Mlle Patricia !

— Mon Dieu ! lui dis-je. Il y a dans cette cuisine, armés jusqu'à la gueule, Bernard Blier, Francis Blanche, Jean Lefebvre, Robert Dalban et Lino Ventura – le pendant de Reagan. Plus beurrés que les sandwichs qu'ils sont en train de beurrer, ils boivent un truc bizarre et brutal qui a comme un goût de pomme mais qui contient autre chose et qui leur rappelle leur jeunesse et un bordel à Saigon avec des volets rouges.

— Ce film un peu dédaigné par les esprits supérieurs, demanda Clara avec beaucoup d'allure, serait-il permis de dire que c'est une espèce de chef-d'œuvre ?

— Je crois que oui, lui répondis-je. Un chef-d'œuvre très français, sans doute. Et peut-être un peu trop. Mais, grâce à Lautner, à Simonin, à Audiard, et à des acteurs formidables, un chef-d'œuvre à coup sûr et qui ne peut être comparé qu'aux grandes comédies américaines de Capra, de Cukor ou de Lubitsch, *New York-Miami*, *Philadelphia Story* ou *Trouble in Paradise*.

Le rival malheureux du rival malheureux du président des États-Unis faisait son entrée dans le hall du Kempinski. C'était un homme grand et fort, au nez proéminent dans un visage important qui rappelait ces trognes de condottieri ou de sicaires peintes par des artistes de second ordre qu'on voit à Venise ou à Florence.

— Voilà Harry Gersholm, me disait Harold King. Ne vous y trompez pas : l'homme est intéressant et cache un esprit assez fin sous une apparence un peu grossière. Il a été, à vingt ans, le bras droit d'Allan Dulles au moment de la création de la CIA à laquelle il a appartenu pendant une dizaine d'années. Il a démissionné deux ou trois ans avant la catastrophe de la baie des Cochons en 1961. On le retrouve au Vietnam en 1968, au temps du président Johnson, puis en 69 et en 72 sous la présidence de Nixon : il est un des artisans du retrait des États-Unis. Il y a une dizaine d'années, Jimmy Carter l'a nommé ambassadeur en Pologne. Et le voilà, depuis quelque temps déjà, gouverneur démocrate du Wisconsin.

— Une femme brune, un peu forte, avec quelques cheveux blancs et qui avait peut-être été belle, accompagnait le gouverneur qui passait parmi nous en serrant la main de chacun. J'échangeai quelques mots avec lui : il me parla du journal que je dirigeais et qui lui était familier,

— Je le lis souvent, me dit-il,

de Paris où il avait vécu vers la fin de la guerre d'Algérie, de plusieurs restaurants dont il avait gardé un souvenir ému et il me demanda des nouvelles de la santé de François Mitterrand. Puis il se tourna vers l'actrice suédoise qu'il ne semblait pas mécontent de retrouver. À peine s'était-il éloigné de quelques pas que la femme brune se planta devant moi.

— *Good evening, my dear*, me dit-elle. *How are you ? Are you still in love with your charming old vicomte ?*

— Je me taisais, interloqué, cherchant en vain à comprendre ce que la femme du gouverneur – j'aimais ces mots : « la femme du gouverneur... » – pouvait bien vouloir dire.

— Vous ne me reconnaissez pas, je crois, murmura-t-elle. Je suis...

— Lea ! s'écria Clara.

— C'était Lea. Trente-cinq années s'étaient écoulées. Les Français avaient perdu la guerre d'Algérie. Les Américains avaient perdu la guerre du Vietnam. Mai 68 était tombé sur Paris comme une foudre un peu mouillée. De Gaulle était mort. Les années soixante-dix avaient secoué la famille, la tradition, le pétrole, la musique, les habitudes, les mœurs. La Chine devenait une grande puissance. Et voilà que le communisme s'écroulait sous nos yeux écarquillés. Je la regardais avec stupeur. Elle avait beaucoup changé.

— Lea ! m'écriai-je.

— Elle se mit à rire. Elle riait moins, mais son rire était toujours le même. Ses yeux vifs brillaient encore. Je la reconnus tout à coup à travers les années Elle était une autre et elle était la même. La tête me tournait un peu. Je lui pris les mains.

— Lea..., lui dis-je.

— Tu n'as pas bougé, me dit-elle. Je suis contente de te voir. Que de choses j'ai à te raconter...

— Je pense bien, lui dis-je. Trente-cinq ans...

— Elle ne vivait plus que pour Israël. Elle me parla aussitôt de la guerre de Cinquante Ans – qui allait peut-être devenir une nouvelle guerre de Cent Ans. Chacun de nous a une idée fixe qui oriente toute sa vie. Pour beaucoup, la famille, le foyer, les enfants. Pour quelques-uns, le savoir, le pouvoir, l'alcool, le jeu. Pour les Anglais, l'Angleterre, et souvent les jardins. Pour de Gaulle, la France. Pour Harold King, l'information. Pour moi, les livres. Pour Lea, et elle n'avait peut-être pas tort, le monde entier, en cette fin de siècle, tournait autour du conflit entre Israël et les Arabes.

— C'est déjà la guerre la plus longue depuis plus d'un demi-millénaire. Et elle n'est pas près de finir.

— Elle m'avait entraîné dans un coin de la salle où nous étions réunis et elle me parlait de Begin, de Tsahal, de Rabin, de Peres, d'Arafat, qu'elle exécrait, du Mossad et de l'affaire d'Entebbe qui, vieille déjà de vingt ans, lui avait laissé un souvenir de feu.

— Quelle audace ! Quelle fierté ! Le monde entier avait peur et voulait tout céder. L'esprit de Munich était de retour. Vos journaux – elle appuya sur le « vos » – donnaient dans la lâcheté et dans le défaitisme. Il fallait négocier à tout prix avec les terroristes. Les Juifs ont montré ce qu'ils étaient capables de faire. Et nous avons eu un seul mort ; le colonel Jonathan Netanyahou, le héros d'Entebbe, le frère de Benjamin qui fera, un jour, j'en suis sûre, souviens-toi de ce nom, beaucoup parler de lui.

— L'épopée du peuple élu se poursuivait en Israël encerclé par les Arabes. Les yeux de Lea lançaient des flammes. Sa vie avait un sens. Elle se confondait avec son peuple.

— Je vais m'installer chaque année un ou deux mois à Jérusalem. Tout ce qui me reste de ma famille est établi sur cette terre. Nos morts ne sont pas tous là – ils sont en cendres un peu partout, aux quatre coins de l'Europe –, mais leur culte et leur souvenir sont en Israël. C'est le centre du monde. Et l'avenir de l'humanité dépend en grande partie de ce qui va se passer là-bas.

— Nous avons passé deux heures ensemble. Nous ne nous occupions pas de Berlin, nous ne nous occupions pas des autres : ils s'étaient évanouis. Nous avons parlé de Yale, de Bryn Mawr, des cinémas de New York, du métro aérien qui avait disparu, des grandes plages de l'Ouest où nous nous étions jetés tous les deux dans la mer. Mais surtout d'Israël où nous n'étions jamais allés ensemble.

— Ce qui m'attriste, me disait-elle, c'est le sentiment que l'attitude des gens a changé à notre égard. En Europe, en tout cas. Les Américains nous restent fidèles. Mais en Allemagne, en France, en Espagne, en Italie, un peu partout, si les bombes et les attentats soulèvent toujours autant d'émotion – et comment n'en soulèveraient-ils pas ? –, la propagande palestinienne commence à porter ses fruits.

— Tu as raison, lui disais-je. Prenez garde ! Vous êtes le peuple élu. Mais le peuple élu, aujourd'hui, est plutôt en ballottage.

— Ah ! vous êtes drôle, dit Clara.

— Très. Le mot, malheureusement, est de Tristan Bernard. Il ne faisait pas rire Lea.

— Pouvons-nous accepter que des assassins soutenus en sous-main par Arafat viennent tuer des femmes et des enfants dans nos autobus et dans nos restaurants ? Toutes les actions que nous menons ne sont jamais que des représailles. Mieux ciblées, je t'assure, que les bombardements alliés en Normandie à la fin de la guerre. Et nous nous faisons traiter d'occupants, de bourreaux, de Prussiens du Moyen-Orient et, pourquoi pas ? de nazis !...

— Vous n'êtes pas devenus des bourreaux, lui dis-je. Non, bien sûr que non. Mais vous avez cessé d'être des victimes. Vous n'êtes pas des bourreaux, et les Palestiniens sont des victimes. Ils sont regroupés dans des camps où la vie est insupportable, ils sont des réfugiés et ils sont des victimes.

— Et nous, nous ne sommes pas des victimes, peut-être ?

— C'est vrai, lui dis-je. Vous êtes les victimes de vos victimes.

— Ce qu'il y a de nouveau, et ce que beaucoup ne nous pardonnent pas, c'est que nous rendons les coups qui nous sont assénés.

— Les coups que vous portez sont au moins aussi

182

durs que les coups que vous recevez. Ils alimentent la machine infernale. La guerre nourrit la guerre.

— Tu voudrais peut-être que nous nous laissions égorger ! Nous a-t-on assez reproché d'avoir tendu le cou ! Ces temps-là sont finis. Des épées d'acier sont sorties de la fournaise où nous avons été jetés, nous nous battons pour survivre. Nous avons la force, mais, pour une fois – ça ferait plaisir à Pascal –, cette force-là est juste.

— Le drame est qu'à défaut de la force qui, pour un temps au moins, vous est encore réservée, la justice, cette fugitive du camp des vainqueurs, est des deux côtés. Les Palestiniens n'ont-ils pas droit aussi à leur terre et à un État ?

— Ils y ont droit. Mais nous aussi. Israël est notre terre. Depuis toujours. Et pour toujours. Depuis beaucoup plus longtemps que l'Amérique n'est aux Américains. Depuis plus longtemps que la France n'est aux Français. Longtemps, les Juifs d'un peu partout, tourmentés, pourchassés, ont entendu un cri : « En Palestine ! En Palestine ! » Et, maintenant que nous y sommes, un autre cri s'élève : « Hors de Palestine ! Hors de Palestine ! » Nous sommes juifs, nous sommes israéliens, nous ne demandons qu'à vivre en paix, mais nous ne voulons pas être chassés de la terre de nos ancêtres.

— Les Palestiniens ne disent pas autre chose. Il n'y a qu'une terre pour deux peuples.

— Les Juifs n'ont jamais cessé d'être persécutés. Hier, ils étaient persécutés parce qu'ils n'avaient pas de terre à eux. Aujourd'hui, ils sont persécutés parce qu'ils en ont trouvé une – et qui est d'ailleurs la leur.

— C'est aussi la terre des Palestiniens. Partagez-la avec eux !

— Nous ne demandons rien d'autre. Tu sais bien

qu'ils ne le veulent pas. Il est hors de question pour les Juifs d'exterminer les Arabes ni de les jeter à la mer. Le rêve des Arabes est de nous exterminer et de nous jeter à la mer.

— Elle n'était plus aussi mince. Elle portait un collier de perles autour du cou et une émeraude à l'annulaire de sa main gauche.

— Ils sont pauvres, lui dis-je, et vous êtes riches.

— Nous sommes riches parce que nous travaillons. Là où nous sommes, nous avons changé le désert en jardin. Là où nous ne sommes pas, il est resté un désert. Nous sommes une démocratie entourée de régimes qui sont très loin d'être des démocraties. Nous aidons les nôtres. Est-ce à nous d'aider les autres qui sont nos ennemis et qui ne rêvent que de notre mort ? Les plus grosses fortunes du monde sont arabes. Les Arabes riches se gardent bien d'aider les Arabes pauvres. La politique arabe est toujours la politique du pire : ils mettent des enfants en tête de leurs cortèges de lanceurs de pierres, ils choisissent des adolescents et des adolescentes de plus en plus jeunes pour déposer leurs bombes et les riches n'aident les pauvres que s'ils sont des terroristes.

— Ce qu'il y a de plus grave pour vous, et probablement de décisif, c'est que vous êtes un petit nombre et que les Arabes sont nombreux. À l'intérieur même d'Israël comme à l'extérieur, vous finirez, un jour ou l'autre, par être submergés par le nombre. Votre ennemi le plus cruel, c'est la démographie. Arafat a fait échouer et fera échouer tous les accords successifs...

— Ah ! tu m'accordes que c'est lui qui les fait échouer ?

— Je crois que tout le monde le reconnaît : il les fait échouer parce qu'il mise sur le temps qui passe.

Vous vous battez. Il attend. N'attendez pas trop pour choisir la paix ! Quelle issue vois-tu à cette guerre qui n'en finit pas ?

— L'issue, je ne sais pas. Je ne suis sûre que de deux choses. De notre bon droit d'abord : parce que nous sommes chez nous ; de notre courage ensuite – et il ne faiblira pas. Dieu pourvoira au reste.

— Dans la nuit de Berlin, nous parlions, nous parlions. Les hommes sont devenus des hommes lorsqu'ils se sont mis à parler, personne ne sait trop quand, ni pourquoi, ni comment. La station debout, la main, le fameux pouce opposable, le chant, les larmes, le rire ont sûrement fait beaucoup pour l'avènement de quelque chose qui ressemblait à l'homme. Ce qu'il y a eu de décisif, c'était la parole. Le verbe. Ce que les Grecs appelaient *logos*. Le Verbe fait le lien entre Dieu et les hommes. Le logos introduit les hommes au règne de la raison. Il y a des langages qui ne sont pas liés à la parole. Les abeilles ont un langage, les oies ont un langage, déchiffré par Karl von Frisch, par Lorenz ou par Benveniste. Nous pouvons, nous aussi, communiquer par gestes...

— Les bras d'honneur ? dit Clara, les pieds de nez, les hochements de tête ?

— Et tout le reste, lui dis-je. Mais le propre de l'homme est de communiquer par le langage. Il parle parce qu'il pense – et peut-être ne pense-t-il que parce qu'il parle. Depuis quelques centaines de milliers d'années, les hommes parlent les uns aux autres. Et, en même temps, ils pensent. Sans que nous sachions très bien ce qui de la pensée ou de la parole précède et commande l'autre.

L'écriture, si récente – peut-être un peu plus de cinq mille ans –, est une invention formidable. Elle n'est qu'une conséquence mineure de l'irruption de la parole dans la matière et dans la vie. Les grandes étapes de notre généalogie lointaine sont le big bang, la formation de la Terre, l'apparition de la vie. Et puis la naissance de la parole, inséparable de la pensée. Tout le reste, le feu, l'art, l'agriculture, les chiffres, la roue, la ville, l'écriture, le zéro sont des inventions de génie, mais en fin de compte secondaires. Avant de marcher à deux pattes, d'être politique, de rire, de peindre, de faire des mathématiques ou de découvrir l'univers, l'homme est un animal qui parle. Et, de toutes les créatures connues, il est la seule à parler. La capacité de parole met une barrière infranchissable entre les hommes et les autres.

La parole émise par l'homme est un objet très étrange. Non pas peut-être le plus étrange de tous les objets possibles, car il y a dans l'univers toute une foule de phénomènes plus surprenants les uns que les autres. Mais d'un statut si particulier qu'il est difficile de parler de la parole. Elle a une réalité : vous la prononcez, vous l'écoutez, vous l'enregistrez, vous la reproduisez – et vous la comprenez. Mais cette réalité est d'une fluidité et d'une subtilité qui l'approchent de l'inexistence. Un son a quelque chose d'évanescent par nature. Le plus souvent, ce qu'on entend est plus passager que ce qu'on voit : la peinture reste là quand le concert a pris fin, la couleur persiste et la chanson s'évanouit. Les paroles partent dans le vent : *verba volant*. Et, si volatiles, elles pèsent très lourd. Même quand elles ne sont pas d'honneur et qu'elles ne semblent pas nous engager tout entiers. La combinaison dans la parole du son et du sens donne un contenu très fort, parfois violent, parfois très doux, toujours un peu

186

terrifiant, même dans la frivolité, à cette quasi-inexistence, à cette aspiration d'air, à cette expiration, à ce crissement de chair contre les dents, et en fait quelque chose à la fois de plein et de transparent où se combattent l'être et le néant. Dieu se dissimule dans la parole des hommes, et le Diable la lui dispute.

Où sont passées les paroles proférées par les hommes depuis qu'ils savent parler ? Nulle part, évidemment. À la différence de la matière, des corps, des cendres, des couleurs, elles ne pourrissent même pas quelque part. À la façon de la pensée avec laquelle elles se confondent – en plus concret, en plus réel : presque aussi concrètes, presque aussi réelles que des actions, mais un peu moins –, elles se sont évaporées. Peut-on pourtant soutenir que tout se passe comme si elles n'avaient jamais existé ? La masse indéfinie de toutes les paroles prononcées crée, à la marge du vide, une sorte de fond sonore. Elles imprègnent l'univers. Elles doublent le monde réel d'un halo virtuel.

J'ai souvent rêvé à toutes les paroles à jamais perdues qui se sont succédé tout au long de tant de millénaires. Paroles de prière et de commandement, paroles de menace et d'amour, paroles de pitié et de haine, paroles de vérité et paroles de mensonge, paroles d'honneur et de déshonneur, paroles profondes et pleines de sens et paroles de presque rien. Je les voyais comme d'immenses armées vêtues d'uniformes de toutes les couleurs en train de parader et de se combattre dans les plaines interminables de l'histoire. De temps en temps surgissait de la masse des combattants la silhouette d'un grand capitaine ou d'un général de génie. Peut-être une des tâches du romancier – il y en a beaucoup d'autres et il fait bien ce qu'il veut – est-elle de recueillir ces paroles qui échappent à l'historien trop occupé du prix du blé, des mariages des princes, du sort des nations, et au besoin de les inventer : ce qu'Aragon, mieux que personne, appelle le mentir-vrai. Dans la salle bourrée de monde de l'hôtel Kempinski où passaient des serveurs qui nous versaient à boire, je me souvenais des paroles, vérité et mensonge, que, pendant près de deux ans, sur une terre étrangère, j'avais échangées avec Lea.

— Et Marie ? me demandait Lea.

— Elle est morte, lui répondais-je.

— Elle est morte ! s'écria Clara. Mais vous ne m'en avez rien dit !...

— Ah ! elle est morte..., murmurait Lea.

— Elle se tut un instant. Les paroles ne disent pas tout.

— Sur une route des Abruzzes. Elle a été tuée sur le coup.

— Vous étiez là ? demanda Clara.

— J'étais là, lui dis-je. Et je n'ai pas envie d'en parler.

— Je suis désolée..., dit Clara.

— C'est déjà vieux, lui dis-je. Et la fête est en larmes.

— Lea me prenait la main. Je me taisais à mon tour. Le gouverneur revenait vers nous.

— Vous vous connaissiez déjà, je crois ? Vous avez beaucoup parlé. Vous avez refait le monde, j'imagine.

— Ah ! dit Lea, il ne va pas tellement mieux après notre intervention.

— Le brouhaha des fins de soirées s'élevait autour de nous. Nous étions tous debout, nous nous préparions à partir. Beaucoup avaient déjà leur manteau sur le dos. Le gouverneur me serra la main. J'embrassai Lea.

— M'avez-vous pardonné ? murmurai-je.

— Elle fit un geste de la tête qui pouvait signifier n'importe quoi.

— Pauvre Lea ! s'écria Clara.

— Elle n'était pas malheureuse, lui dis-je. Elle avait deux garçons et une fille. Un des garçons est astronaute. Aux dernières nouvelles, il s'entraîne pour partir un jour vers Mars. L'autre fait de la musique. Assez moderne, je crois. Électronique, et tout ça. La fille veut devenir avocate. Ou l'est peut-être déjà devenue. Avec, derrière la tête, des idées de politique. Il n'est pas exclu que Lea soit plus contente avec le gouverneur qu'elle ne l'aurait jamais été avec moi.

— Je ne suis pas sûre, dit Clara, que vous portiez bonheur aux femmes de votre vie. Croyez-vous au moins que Marie a été heureuse avec vous ?

— Je l'espère, lui répondis-je. Elle me disait que oui.

Le téléphone sonnait.

— C'est assommant..., dis-je à Clara. Je peux laisser sonner.

— Mais non ! me dit Clara. Répondez.

C'était mon neveu Charles. Il a neuf ans. Ou peut-être huit, ou dix, je ne sais pas. Il est en CM2 – je ne sais pas non plus très bien ce que c'est. Ce que nous appelions la septième, je crois. Il voulait savoir – « Ah ! Bonjour, oncle Jean... Euh... voilà : j'ai besoin de ton aide... Maman m'a dit... » – comment s'écrivaient des chausse-trapes et le pluriel de portail et de soupirail.

— Le pluriel de portail et de soupirail ? dit Clara. Je crois que c'est portails et soupirails.

— Je crois que c'est soupiraux.

— Ça me semble bizarre.

— À moi aussi. Mais le charme de la grammaire, c'est sa bizarrerie. La grammaire n'est pas logique. Les règles sont ce qu'elles sont, un point, c'est tout. On peut les trouver absurdes – et il m'arrive de les trouver absurdes.

— Vous n'y croyez pas, je pense, vous qui ne croyez à rien ? me dit Clara en riant.

— Pas plus qu'aux manières de table, à la façon de s'habiller, à la mode, à la politesse, à la vie en société, à la nation, à la famille, peut-être à la religion. Mais j'appartiens à une famille, à un pays, à une société, à une langue, à une religion. Je leur suis redevable : je me plie à leurs règles.

À tort ou à raison, je reconnais aux hommes en général une dignité particulière. Je les préfère, j'ai le regret de le dire, aux chiens si fidèles, aux chats que j'aime beaucoup, aux chevaux qui sont si beaux, aux canards sauvages, aux licornes, aux croyances, aux opinions des uns ou des autres, et même souvent aux miennes, aux attachements de toute nature, à toutes les règles possibles. Avant d'être ceci ou cela, ce que je suis d'abord, c'est un homme parmi les autres. J'appartiens au monde, à la Terre, à la vie, aux hommes. Vous n'imaginez pas que je trouve les Français supérieurs aux autres peuples ? Ni ma famille meilleure que les autres ? Ni notre grammaire sans queue ni tête, avec ses verbes irréguliers et ses cortèges d'exceptions, préférable à notre bonne vieille grammaire grecque ou à la grammaire latine qui ont aussi leurs délires et qui ont aussi leur beauté ? Mais qu'est-ce que vous voulez que je vous dise ? C'est ma patrie, c'est ma famille, c'est ma langue. Je les respecte, je leur suis fidèle. J'écris soupiraux dès qu'il y a plus d'un soupirail.

Je fais la part du hasard, de l'arbitraire, de l'absurde dans cette fidélité. J'ai de la chance. La France est un grand pays, sa langue a produit des chefs-d'œuvre qui nous donnent encore du bonheur, ma famille est sympathique, ma religion est très belle. De chacun de ces honneurs, je pourrais vous parler pendant des heures. L'histoire de France est une suite presque ininterrompue de catastrophes mêlées de quelques succès, mais nous en sommes fiers d'un bout à l'autre ; notre langue est absurde – je me garde bien de l'avouer à Charles – et elle est en déclin, mais nous y sommes attachés plus qu'à n'importe quoi ; ma famille a ses drames, ses ridicules, son ennui profond comme toutes les autres familles, mais je n'en changerais pas volontiers ; je ne suis pas tout à fait sûr que la religion catholique, apostolique et romaine, qui est la mienne, avec son pape, son Vatican, son Sacré Collège, ses évêques et ses enfants de chœur – non, je ne parlerai pas de l'Inquisition –, soit immuable pour des millénaires, mais je me ferais tuer pour elle.

— Vraiment ? dit Clara.

— Vraiment, petite insolente. Et je préfère m'entourer d'un certain nombre de règles arbitraires – l'usage du zéro, par exemple, ou celui de notre calendrier – qui ont fait leurs preuves à travers le temps. C'est ce qu'on appelle, je crois, être fidèle à un passé, à une culture et à une civilisation.

Je ne mets pas au-dessus de tout cette culture et cette civilisation. Il y en a eu d'autres, peut-être plus grandes, et qui ont toutes disparu, les unes après les autres. Il n'est pas interdit de penser que les Grecs de Périclès, les Italiens de la Renaissance, les Français du Grand Siècle ou du siècle des Lumières valaient autant ou mieux que nous. Et nous commençons à savoir que nous déclinerons comme les autres ont décliné. Et nous n'ignorons plus la nécessité des Barbares. Et je crois au changement et à ce qu'il est convenu d'appeler le progrès. Mais nous appartenons à une façon de penser, de nous tenir, de parler et d'écrire avec laquelle, jusqu'au bout et sans trop d'illusions, avec ce qu'il faut d'ironie et de courage mêlés, j'essaierai de me confondre. Pour la seule et très bonne raison que c'est la mienne depuis toujours, qu'elle ne me semble pas pire que les autres, que je n'ai pas l'intention d'en adopter une autre et que je compte bien mourir sans renier ce que j'étais.

— Eh bien ! dit Clara, voilà un coup de téléphone d'un petit garçon de neuf ans qui nous aura entraînés assez loin.

— Oh ! pas très loin, lui dis-je. Lao-tseu, Épicure, Marc Aurèle, Montaigne, Pascal, La Rochefoucauld ou Cioran sont allés autrement loin. Je me traîne sur leurs pas.

— Loin de Marie, en tout cas.

— Je ne m'éloigne jamais beaucoup de Marie. Elle est dans mes pensées, elle est dans tous mes livres. Malgré tous les obstacles, ma vie, pendant des années, a tourné autour d'elle.

— Ah ! voilà encore les obstacles..., dit Clara. Voilà encore Lea...

— Lea n'était qu'un des obstacles. Il y en a eu beaucoup d'autres. Et ils étaient plus rudes.

— Parlons-en, voulez-vous ?

Elle ne lâchait pas prise facilement.

— Je ne crois pas, lui dis-je. Il faudrait à nouveau remonter assez loin.

— Remontons, soupira Clara. Remontons. Je commence à être habituée à votre façon de procéder. On dirait que nous descendons, ou que nous remontons, un escalier en colimaçon. Vous avancez en spirale dans le labyrinthe de vos souvenirs...

— Vous voilà bien subtile, tout à coup. Vous souvenez-vous de mon père ?

— Votre père, votre grand-père sont déjà de vieux amis, dit Clara. Votre grand-père était pétainiste. Votre père était plutôt léger, si je ne me trompe ? Chasses à courre et croisières, golf au printemps, ski en hiver ?

— À peu près, lui dis-je. Grand chasseur, en effet. Et il skiait très bien. Un sportif, un fêtard, si vous y tenez, un homme qui savait vivre et qui aimait la vie. Il a été mobilisé en 1939. Il a été envoyé sur la frontière belge, là où le commandement français, qui croyait dur comme fer à la ligne Maginot – vous ne pouvez pas imaginer ce que représentait la ligne Maginot dans les années sombres de l'avant-guerre : une forme de sécurité collective élevée à la hauteur d'une institution nationale –, attendait l'attaque allemande.

Il y a eu dans notre histoire un moment surprenant qui s'est étendu sur près de dix mois. Nous l'appelions la « drôle de guerre ». C'était la pointe extrême, l'ultime efflorescence d'une angoisse qui n'en finissait pas. Un homme de ma génération a vécu pendant une douzaine d'années à l'ombre sinistre d'Adolf Hitler. Au début de sa *Confession d'un enfant du siècle*, Musset montre très bien ce qu'était une enfance à l'aube d'un XIXe dominé par l'épopée de la Révolution et par l'ombre gigantesque de Napoléon Bonaparte. Nous, nous avons vécu dans l'attente d'une catastrophe annoncée. Pour le meilleur ou pour le pire – je suis de ceux qui croient que c'était pour le pire –, la catastrophe a été retardée de crise en crise et d'année en année. Crise de l'entrée des troupes hitlériennes dans la

Rhénanie démilitarisée : « Les Allemands occupent l'Allemagne », titrait *Le Canard enchaîné*. Crise de l'Anschluss de l'Autriche. Crise des Sudètes, qui se dénoue à Munich et par le retour triomphal – parce que la paix est sauvée jusqu'à la prochaine crise et à l'occupation de Prague et de la Bohême-Moravie – de Chamberlain à Londres, l'homme au parapluie, vous vous souvenez ? et de Daladier à Paris. Dans ses *Chemins de la liberté*, un roman que vous n'avez pas lu...

— Non, dit Clara. J'aurais dû ?

— Je n'en suis pas sûr, lui dis-je... Sartre raconte ce retour. Daladier est dans l'avion et il aperçoit une foule immense qui l'attend au Bourget. Ou à Villacoublay, je ne sais plus. Il croit que les gens sont là pour le huer, peut-être pour lui faire un mauvais sort, et il se prépare à les affronter. Mais, l'avion à peine posé, il comprend qu'ils l'acclament. Alors il se retourne vers un de ses acolytes et il murmure entre ses dents : « Ah ! les cons ! » Sans parler des crises internes à l'Allemagne nationale-socialiste qui nous plongeaient dans l'effroi et qui ont servi de décor à tant de livres et de films, *Les Damnés* de Visconti, par exemple : la Nuit des longs couteaux qui voit le massacre de Röhm et des chefs des SA sur les bords d'un lac de Bavière en juin 34 ou la Nuit de cristal, annonciatrice de la persécution et de l'extermination des Juifs.

Je me souviens très bien de mon amère déception en septembre 38, après la honteuse reculade de l'accord de Munich. Jamais paix ne fut plus cruelle. Je n'étais encore qu'un enfant et j'admirais déjà Churchill et sa fameuse apostrophe : « Vous aviez le choix entre la guerre et le déshonneur. Vous avez choisi le déshonneur et vous aurez la guerre tout de même. » Ne me prenez surtout pas pour un héros en culotte courte. La rentrée des classes avait été retardée dans l'attente de la guerre et je jouais dans les greniers de Plessis-lez-Vaudreuil avec des cousins de mon âge. Quand mon grand-père ou mon père, l'air tourmenté, est venu nous interrompre pour nous annoncer le recul des démocraties devant le menteur professionnel et international, un double sentiment que je ne suis pas capable de démêler m'a envahi d'un seul coup : la honte pour mon pays et, peut-être plus forte encore, la consternation de retourner au lycée. Ce que craignent le moins les jeunes gens, ce qu'ils vont parfois jusqu'à attendre et même à espérer, ce sont les grandes catastrophes.

Un an plus tard, selon la prophétie de Churchill, l'affaire de Dantzig – qui se souvient encore aujourd'hui de ce couloir de Dantzig qui occupait nos jours et nos nuits ? – a fait entrer dans nos vies le spectre de la guerre qui rôdait autour de nous depuis plus de six ans. Il est entré sur la pointe des pieds. Nous attendions un déchaînement, une pluie de bombes sur Paris, des combats de titans sur la frontière. Rien. Un calme plat. La routine des communiqués – « À l'Est, rien de nouveau » – nous enfonçait dans une attente molle et nerveuse qui portait officiellement le nom révélateur de « défense passive » et qui émoussait chaque jour un peu plus ce qu'il nous restait d'énergie. La « drôle de guerre » commençait.

Et elle s'éternisait. L'automne passait. Puis l'hiver. Le printemps approchait, et il était plus beau et plus chaud que jamais. Le mois de mai, à son tour, s'annonçait sans nuages. À quoi pensions-nous ? À durer, je le crains. Que vouliez-vous qu'on fît ? Nous allions au bois de Chaville, nous courions après les filles. Nous vivions dans un cauchemar qui ne cessait de se dérober et nous le bénissions de tarder et de nous épargner. C'était toujours autant de gagné. Nous n'avions plus de projets, plus d'espérances, plus d'avenir. Nous nous accrochions à un présent qui ne promettait que des désastres – des désastres à crédit qui se refusaient à éclater.

Le matin du 10 mai, comme des millions de Français, je dormais dans mon lit, rue Claude-Bernard, à Paris, du sommeil de l'inconscient. Je m'étais assoupi la veille au soir sur un numéro de la NRF déjà vieux de quelques mois où Sartre réglait son compte à Mauriac. L'auteur de *La Nausée* et du *Mur* reprochait à l'auteur du *Désert de l'amour* sa conception du roman. J'étais jeune encore, je ne comprenais pas tout et je lisais avec fièvre des textes qui me faisaient battre le cœur et dépassaient ma pauvre tête. J'avais cru saisir au vol que Sartre refusait au romancier le droit d'entrer quand il voulait et comme il voulait dans la pensée, dans les passions, dans les sentiments de ses personnages et d'en sortir à son gré. Dieu seul, soutenait-il, a un droit de va-et-vient dans la conscience de ses créatures. Je m'étais endormi en nage sur une formule qui m'avait enchanté, qui allait jeter Mauriac pour longtemps, je l'apprendrais plus tard, dans le désespoir et le silence et qui est à jamais liée pour moi au dénouement de la « drôle de guerre » : « Dieu n'est pas un romancier, M. Mauriac non plus. »

— Les troupes allemandes sont entrées en Belgique, la Hollande est bombardée, l'offensive générale est déclenchée sur tous les fronts.

— Le soleil se levait à peine. Mon grand-père, qui guettait les nouvelles à toutes les heures du jour et de la nuit devant une vieille radio à galène et de bois qui crachotait des choses sinistres, était debout devant moi. J'avais du mal à ouvrir les yeux. Sartre et Mauriac disparaissaient dans un brouillard d'avant le déluge. Protégés par les stukas, les chars allemands avançaient dans les trombes de fer et de feu annoncées et cachées depuis des mois par une « drôle de guerre » en déroute.

— Ah ! me disait mon grand-père d'une voix étouffée, je me demande où est ton père...

— Je me levais en hâte. Je me jetais dans les bras de mon grand-père qui me serrait contre lui.

Où était mon père ? Il était pris dans le piège monté par le Führer. Massé à la frontière du Nord, le gros de nos forces n'attendait que l'attaque allemande pour se jeter en Belgique. Malheureusement, s'inspirant du plan Manstein, l'effort principal de la Wehrmacht ne s'exerçait sur la Belgique qu'en apparence et pour mieux nous tromper. Il portait en réalité sur les Ardennes où le commandement français avait jugé peu probable, et peut-être impossible, une offensive ennemie. Les blindés de Kleist et de Guderian forçaient le passage à Sedan, poursuivaient leur marche vers Saint-Quentin, vers Amiens, vers Abbeville et prenaient à revers les forces alliées encerclées en Belgique. Mon père faisait partie des troupes enfermées dans la nasse.

Dès la fin de mai, quinze jours à peine après le déclenchement de l'offensive allemande, la situation était désespérée. Soumis en principe aux généralissimes Gamelin, puis Weygand, le général Gort prenait l'initiative de l'opération Dynamo et organisait à Dunkerque, dans des conditions effroyables, le rembarquement vers l'Angleterre de deux cent mille soldats anglais auxquels se joignaient un peu plus de cent mille combattants français et quelques

Belges. Deux divisions françaises couvraient l'opération avant d'être capturées par les Allemands. Mon père appartenait à l'une d'elles. Nous ne savions rien de lui. Nous étions à l'extrême fin du radieux mois de mai et, agrippés à la radio, nous écoutions Paul Reynaud nous parler de notre agonie.

Un mot que nous nous imaginions réservé à la Bible ou aux sudistes vaincus que Victor Fleming venait de nous présenter sous l'aspect séduisant de Vivien Leigh et de Clark Gable dans *Autant en emporte le vent* faisait son entrée en fanfare dans notre vocabulaire : l'exode. En quelques jours, en quelques heures, la terreur inspirée par les stukas et par l'avance des chars allemands jetait sur la route, selon la formule inlassablement répétée dans les conversations, par les journaux, à la radio...

— À la télévision surtout, j'imagine, dit Clara.

— Bien sûr que non : la télévision n'existait pas encore... une dizaine de millions de Français – le quart de la population du pays – qui fuyaient l'invasion en voiture, en train, en charrette, à bicyclette ou à pied.

— Quoi qu'il arrive, m'avait dit mon grand-père, nous ne bougerons pas de Paris.

— Nous bougions. La pression était si forte, la contagion si rapide que nous nous glissions à notre tour dans un rôle nouveau pour nous : celui de réfugiés.

Nous avions de la chance : un décor familier, encore épargné par la guerre, nous attendait à Plessis-lez-Vaudreuil. Nous nous entassâmes, mon grand-père, la vieille Thérèse, de plus en plus vieille, Gaston, le chauffeur que mon grand-père s'obstinait à traiter de « mécanicien », un cousin de dix ans, du nom d'Arthur, et moi, dans la 11 CV noire qui avait remplacé la Hotchkiss hors d'âge. Pour faire comme tout le monde, nous avions arrimé un matelas sur le toit de la voiture. Il servait de coussin à un certain nombre d'objets précieux dont mon grand-père ne voulait se séparer à aucun prix : sa radio crachotante, son sabre d'officier de cavalerie qui précédait la guerre de 14 d'une bonne douzaine d'années, un énorme volume, qui ne tenait dans aucune valise et qui contenait en détail et avec tout ce qu'il fallait de blasons et de couleurs héraldiques – or, sable, argent, azur, sinople, gueules... – la généalogie de la famille depuis les temps les plus reculés. Mon grand-père connaissait les devises de la plupart des familles d'Europe – pour les Mortemart : « Avant que le monde fût monde, Rochechouart portait des ondes », pour les Esterhazy, vieille lignée hongroise : « Sous Adam III Esterhazy, Dieu créa le monde »... – et il se moquait volontiers de leurs prétentions à l'ancienneté qui touchaient souvent au délire. Mais il n'aurait pour rien au monde laissé derrière lui la généalogie familiale. Entourée de papier de soie, enveloppée avec soin dans plusieurs épaisseurs de carton d'emballage, recouverte d'une toile cirée, attachée à grand renfort de cordes et de ces ressorts élastiques à crochets que nous appelions, je crois, des sandows...

— C'est leur nom, dit Clara.

— Heureux de l'apprendre, lui dis-je... elle voyageait au-dessus de nos têtes sous un ciel sans nuages.

Nous mîmes plus de vingt heures à effectuer un trajet qui, deux semaines plus tôt, en demandait trois ou quatre et, trente ans plus tard, deux à peine. Toutes les voitures du pays étaient lancées – à l'arrêt – sur les routes. La France entière n'était qu'un immense embouteillage, le plus formidable embouteillage de l'histoire, encore brève il est vrai, de l'automobile. J'arrivai rompu à Plessis-lez-Vaudreuil. Je me couchai, je m'endormis aussitôt et je me réveillai quatorze heures plus tard, frais comme une rose – j'étais jeune – et enchanté de ma nuit, qui était faite surtout de jour. Je me jetai hors de mon lit, je m'étirai avec bonheur, je reprenais lentement mes esprits – et je me retrouvai dans le cauchemar de l'effondrement d'un pays dont les mille ans de gloire avaient été détruits en quelques heures et dont il n'était pas difficile de deviner qu'il ne serait plus jamais le même. Nous n'avions plus, depuis longtemps, aucune nouvelle de mon père. Tout avenir avait disparu en même temps que le passé. Nous vivions dans l'angoisse. Mon grand-père n'avait pas fermé l'œil : il s'était installé devant sa radio, redescendue du toit de la traction avant.

Deux jours, trois jours, six jours peut-être s'écoulèrent. Pétain entrait au gouvernement, devenait président du Conseil, demandait l'armistice. Vous savez comment ça se passe : la France sombrait, nous prenions le thé, enfermés dans la chambre en désordre de mon grand-père. Nous roulions en silence, entre les portraits de famille et les horreurs 1900 répandues un peu partout, les pensées les plus noires lorsque Thérèse entra en trombe, sans frapper ni prévenir, de toute la vitesse de ses pauvres jambes, échevelée, hors d'elle, et cria à tue-tête :

— Monsieur Jacques est là !

— Nous nous regardâmes, mon grand-père et moi. Nous n'eûmes pas le temps d'échanger un seul mot : vêtu d'un uniforme en loques, avec une barbe de quinze jours, mon père entrait dans la pièce.

Mon grand-père se leva, prit son fils dans ses bras, le serra contre lui – et, s'écartant un peu, le regardant avec sévérité, lui jeta aussitôt :

— Mais qu'est-ce que tu fais ici ?

— Je mangerais bien un morceau, dit mon père.

— Nous nous assîmes dans les bergères du salon données par le comte de Provence à mon arrière-arrière-grand-mère – elle avait eu, je le crains, quelque faiblesse pour lui – et qui avaient connu des jours meilleurs. Thérèse apporta du pain, du beurre, du jambon, des confitures et un grand bol de lait. Et elle s'assit avec nous. Il faisait très beau dehors. Le soleil entrait à flots par les fenêtres de notre vieille maison. On eût dit un goûter de la comtesse de Ségur.

— Et qui attendons-nous ? demanda mon père, qui aimait rire.

— Ce n'est pas le moment de plaisanter, gronda mon grand-père. Raconte-nous plutôt ce qui t'est arrivé.

— Mon père se mit à parler. Il nous raconta l'enfer de Dunkerque dont nous ne savions encore presque rien, l'embarquement sous les bombes, le ciel aux mains des Allemands, la ruée vers la mer sous la menace des chars, le désespoir des soldats tirés comme des lapins dans une battue bien fermée. Les Anglais rentraient chez eux. Les Français essayaient de protéger l'opération décidée par lord Gort.

— Ces Anglais..., grommela mon grand-père.

— Nous voyions Jeanne d'Arc et Nelson trépigner dans sa tête.

— Presque tous les Français qui n'ont pas pu s'embarquer en même temps que les Anglais ont été faits prisonniers. Un commandant, une dizaine d'hommes et moi avons réussi à passer entre les mailles du filet. D'autres encore, je crois, mais je n'en ai aucune nouvelle. Nous avons trouvé une voiture, l'essence a manqué, nous avons marché sous le soleil. Le commandant a été tué le deuxième jour par une rafale tirée d'un stuka. Nous nous sommes éparpillés. J'ai eu beaucoup de chance : à la sortie d'un village, je suis tombé sur une jeune fille qui allait laver son linge à la fontaine où je m'étais arrêté pour boire et me débarbouiller. Nous avons échangé quelques mots, elle m'a emmené chez ses parents qui habitaient à deux pas...

— Ah ! papa, papa..., lui dis-je.

— Penses-tu ! Elle était exquise et très laide, avec des yeux globuleux et qui louchaient un peu. Et j'avais d'autres idées en tête. Mais c'étaient des gens merveilleux. Je bénis leur saint nom. Ils m'ont donné à manger et à boire. Ils m'ont gardé pour la nuit. Ils avaient trois bicyclettes. Ils m'en ont prêté une.

— Ah ! s'écria Thérèse, quand, de la fenêtre de la cuisine, je t'ai vu sur ta bicyclette en train d'entrer dans la cour, j'ai cru que je rêvais...

— Thérèse, dit mon père, il faudra leur rendre la bicyclette. J'ai leur adresse quelque part. Je compte sur toi. J'ai roulé plusieurs jours, m'arrêtant pour dormir quelques heures sous un arbre ou dans une cour de ferme et pour avaler un morceau. Je baissais la tête, je pédalais en danseuse, j'avais l'air d'un coureur. Je me prenais pour Antonin Magne, pour Sylvère Maes, pour Lapébie en train de gagner le Tour.

— Nous nous mîmes à rire tous les quatre.

Clara leva les yeux.

— Était-ce si amusant ?

— Pour nous, c'était à se tordre. Le Tour de France était, chaque été, un événement à Plessis-lez-Vaudreuil. C'est assez inexplicable : mon grand-père en était fou. Il n'aimait ni la foule, ni le sport, ni les gros titres des journaux qu'il jetait, à peine parcourus, dans la corbeille à papier. Et pour rien au monde il n'aurait raté un Tour de France qui soulevait, en ces temps-là, à peu près autant de ferveur que le football aujourd'hui. J'ai parlé longuement de cette passion dans *Au plaisir de Dieu*. Tous les soirs, au soleil couchant qui tapait encore fort, la famille se réunissait autour de la table de pierre, à l'ombre des tilleuls. Mon grand-père déployait une grande carte routière de la France et nous commentions tous ensemble l'étape du jour, ou celle de la veille, ou celle du lendemain. Le Tour de France, ses incidents, ses exploits, sa légende, tenait une place immense dans nos conversations et les plus jeunes allaient jusqu'à se moquer presque ouvertement de l'excitation des plus vieux. Je ne sais plus si mon grand-père a connu les réflexions inspirées à Antoine Blondin par le Tour de France. Il se serait jeté sur ses reportages où le brouillard en montagne, au Lautaret ou au Galibier, était traité de cache-col et où l'auteur de *L'Europe buissonnière* et de *L'Humeur vagabonde* suggérait d'attribuer un dossard à la pintade qui figurait avec une régularité lassante au menu des repas établis par Mme Goddet, la femme du patron de La Grande Boucle. Le rappel du Tour et de ses fameux géants en ce début de juin 40 où la France était rayée de la carte du monde et où nous étions réduits à l'état de réfugiés dans notre propre maison avait pour nous quelque chose à la fois d'amer et d'irrésistiblement comique.

— Roulant, dit Clara.

— Oh ! Clara ! lui dis-je.

— Et maintenant, demandait mon grand-père à son fils, que comptes-tu faire ?

— Ce qu'il comptait faire ? Mais rien du tout. Je le regardais du coin de l'œil. Il avait déjà repris son air nonchalant et moqueur. L'armée française, la plus puissante armée du monde il y avait à peine trois ou quatre ans, était écrasée. Elle n'existait plus. Il n'y avait rien à espérer. Il n'y avait plus rien à faire.

— Que voulez-vous que nous fassions ? Il n'y a plus d'armée, plus de front, plus de chefs, plus rien.

— Il y a Pétain ! s'écriait mon grand-père. Il y a Weygand ! Il y a Darlan !

— Mon père, je le vois d'ici comme je vous vois, alluma une cigarette.

— Ça fait du bien, me dit-il en souriant.

— Vous en auriez une ? me demanda Clara. J'ai terminé les miennes.

— Servez-vous, lui dis-je, en lui tendant mon paquet.

— Veux-tu que j'écrive au Maréchal ? demandait mon grand-père. Je le connais bien, j'ai gardé des liens avec lui. Je suis un ami intime du père de son médecin, le docteur Ménétrel. Je suis sûr que le Maréchal te prendrait auprès de lui. Ou, à tout le moins, qu'il te trouverait quelque chose où tu pourrais te rendre utile.

— Ce que je voudrais surtout..., dit mon père.

— Parle, dit mon grand-père.

— ... c'est me reposer, dit mon père.

— Il me regarda de côté et il cligna de l'œil.

Je connaissais mon père. Il était semblable à lui-même. Je l'aimais comme il était.

— C'est bien naturel, mon garçon. Après ce que tu as connu... Reprends des forces. Reste avec nous quelques jours. Nous verrons plus tard ce qu'il faut faire. Thérèse s'occupera de toi.

— Moi, monsieur Jacques, dit Thérèse, je me charge en trois jours de te remettre sur pied !

— Eh bien ! dit mon grand-père comme si nous rentrions d'une chasse ou d'une partie de campagne, allons nous préparer pour le dîner.

— Le dîner fut triste et très gai : triste parce que nous étions vaincus et très gai parce que mon père était de nouveau parmi nous. Il avait pris un bain, il s'était rasé, il portait un vêtement d'été qu'il laissait toujours à Plessis-lez-Vaudreuil. Il nous raconta ce qu'il avait vécu de cette campagne de France, la plus courte et la plus tragique que nous ayons jamais connue. Mon grand-père écoutait en silence, perdu dans ses sombres pensées. Il souffrait. Mon père, pour le distraire, l'aiguilla vers une ressource qui ne manquait jamais : la famille, son histoire, ses légendes. Alors, mon grand-père s'anima et nous servit, coup sur coup, une bonne dizaine d'anecdotes dont nous ne connaissions que la moitié. Voulez-vous, ma chère Clara, en entendre une ou deux ?

— Non, dit Clara avec beaucoup de courtoisie mais avec fermeté, non, franchement, je ne crois pas. J'ai, moi aussi, une famille qui m'attend pour dîner.

— Je comprends, bredouillai-je, un peu honteux, je comprends. Pardonnez-moi : je me laisse toujours entraîner. Je vais aller très vite. Tout le monde était épuisé : pour les uns, l'émotion ; pour mon père, son aventure. Nous nous sommes couchés très tôt, dans des rires accablés. Le lendemain matin, au réveil, Thérèse nous a annoncé que monsieur Jacques était parti à l'aube et elle nous a remis une lettre qu'il avait laissée pour nous deux.

— Il a pris sa moto. Il restait de l'essence dans le garage.

— Sa moto ! sa moto ! Dans l'état où il est ! Et si nous avions besoin de l'essence !... Ma parole, il est fou ! Tiens ! Lis-moi cette lettre. Je n'ai pas mes lunettes.

— Je me mis à lire à haute voix. La lettre nous annonçait qu'il avait besoin de se changer les idées...

— Se changer les idées ! éclata mon grand-père.

— ... et qu'il allait en Bretagne faire du bateau.

— Du bateau ! grondait mon grand-père. Du bateau !... La France coule, et il va faire du bateau !

— Il avait un joli voilier, pas très grand, mais marin, du côté de la baie d'Audierne, à Loctudy ou à Penmarch, je n'ai jamais su ou j'ai oublié, ou peut-être à la pointe du Raz. Mon grand-père écumait et prononçait dans le désordre les mots de France, de Pétain, de devoir, de légèreté. Son fils l'étonnerait toujours. Il était merveilleux et décevant. Je souriais en moi-même. Je l'imaginais à la barre, seul, ou peut-être pas seul, sur cette mer qu'il aimait tant, sous le soleil qui se moque bien de nous.

Nous étions toujours à Plessis-lez-Vaudreuil. Nous avions rendu à ses propriétaires, avec une lettre de remerciements, un pâté de campagne préparé par Thérèse et quelques pots de beurre, la bicyclette empruntée par mon père. Nous sommes restés sans nouvelles de lui pendant près de deux mois. Mon grand-père se rongeait les sangs. Un soir, le téléphone a sonné.

— Allô ! criait mon grand-père. Allô !... Comment ?... Quoi ?... Je n'entends pas bien... Ne coupez pas !... L'imbécile !... Il a raccroché !

— C'était une voix anonyme, et qui semblait pressée. Elle nous annonçait que mon père était en bonne santé et qu'il pensait à nous. Mon grand-père se mit à pleurer. Que vouliez-vous que je fasse ? Je sanglotais avec lui.

— Ah ! mon petit... Ton père... ton père...

— Nous avons appris beaucoup plus tard qu'il avait rejoint de Gaulle avec les hommes de l'île de Sein.

— Eh bien ! vous savez, me dit Clara, je suis un peu émue. Et comment était votre grand-père ? Fier de son fils, je suppose ?

— Ivre de rage, lui dis-je. Il était pour Pétain.

Téléphone. C'était Hélène. Elle voulait savoir comment s'était passée la rencontre avec Clara.

— Très bien, lui dis-je. Elle est là.

— Comment ça, elle est là ? Il est près de quatre heures ! Elle n'est pas arrivée à onze heures ?

— À onze heures pétantes.

— Elle est restée cinq heures ?

— Nous avons déjeuné ensemble.

— Ah bon... Je ne m'inquiète plus de toi. Je vois que tu es dans de bonnes mains. Je te laisse. Je t'embrasse.

— C'était Hélène, dis-je à Clara.

— J'avais cru le comprendre. Elle s'occupe beaucoup de vous ?

— Vous savez ce que c'est. À la différence des prêtres, des militaires, des chefs d'entreprise, des hommes d'action, des amoureux, un écrivain, comme tous les artistes je pense, ne cesse jamais de s'interroger sur ce qu'il fait. Il a toujours besoin d'être encouragé...

— Mozart..., dit Clara.

— Oui : « Dis-moi que tu m'aimes. » Mozart aussi voulait qu'on l'aime. Hélène encourage très bien. Elle m'appelle de temps en temps pour savoir où j'en suis.

— Où vous en êtes ?

— De mon livre.

— Ah ! vous voyez, triompha Clara. Vous écrivez

207

un nouveau livre ! Et dire que ce matin, ce matin même, vous m'avez assuré que vous n'écriviez plus rien ! Ni roman, ni essai, ni Mémoires... Je vous y prends. Quel menteur !

— Euh..., lui dis-je.

— Des Mémoires, peut-être ?

— Des Mémoires ? Pas vraiment.

— Alors, un essai ? lança Clara comme un ballon-sonde, comme un bout de ficelle à un chat un peu boudeur.

— Me voyez-vous, je vous le demande, en train d'écrire un essai ?

— Bon ! dit-elle. Alors, c'est un roman !

— Un roman..., un roman..., c'est vite dit... Une espèce de machin, plutôt...

— Un machin, dit Clara. Et vous êtes content de votre machin ?

— Bah ! lui dis-je. Ça avance. Si j'étais Gide, ou un type comme lui, je tiendrais le journal du truc que je suis en train d'écrire. Je ferais semblant de gémir sur mon travail de titan et j'en profiterais pour me tresser des lauriers par en dessous. Mais c'est un peu ridicule, n'est-ce pas ? Quelquefois je me demande si la littérature dans son ensemble n'est pas un peu ridicule. Qu'est-ce que vous en pensez ?

— Non, je ne pense sûrement pas que la littérature soit ridicule, dit Clara.

— Ou alors, c'est possible aussi, je suis trop paresseux : j'hésite entre les deux hypothèses. Bon. Ne traînons pas là-dessus. En littérature aussi, *never explain, never complain*. Ou Baudelaire, si vous préférez : « Je me suis arrêté devant l'épouvantable inutilité d'expliquer quoi que ce soit à qui que ce soit. »

— Merci pour qui que ce soit, dit Clara, un peu pincée.

— Ne vous fâchez pas, lui dis-je. Où en étions-nous ?

— À votre grand-père : pour Pétain ; et à votre père : pour de Gaulle.

— C'était une situation très répandue à l'époque. Mon grand-père écoutait les discours de Pétain (les plus beaux avaient été écrits par Emmanuel Berl, qui était juif et de gauche), prononcés d'une voix chevrotante qui bouleversait les gens âgés – vous savez : « Je fais à la France le don de ma personne pour atténuer son malheur... » « L'esprit de jouissance l'a emporté sur l'esprit de sacrifice... » « Je hais les mensonges qui vous ont fait tant de mal... » « Je tiens les promesses, même celles des autres... » « La terre, elle, ne ment pas... » – et râlait contre son fils avec des larmes dans les yeux. Mon père faisait une guerre épatante. Il se battait en Russie aux côtés de ceux de Normandie-Niemen et en Afrique du Nord. Il a débarqué en Normandie avec le bataillon Kieffer. Croix de guerre avec palmes, citations à l'ordre de l'armée, compagnon de la Libération. Je n'en revenais pas : il était devenu colonel. Il était un viveur, il s'était changé en héros. Il avait remplacé le goût de la fête par le culte du Général.

— Tu sais, me disait-il plus tard quand je l'interrogeais, c'était surtout intéressant jusqu'à la fin de 41. À partir de Pearl Harbor, de l'entrée en guerre des États-Unis, de Stalingrad, de Koursk, d'Orel, aucun de nous n'en doutait plus : nous étions dans le camp des vainqueurs. C'était comme au poker quand tu as 9, c'était comme jouer au tennis avec un débutant. En 40-41, franchement, l'éventail était ouvert. On ne peut même pas dire que les chances étaient égales d'un côté et de l'autre : la balance penchait très fort du côté des Allemands. La France était hors jeu. Staline était l'allié de Hitler. Pendant un an ou un peu plus, personne de raisonnable n'aurait misé un sou sur des Anglais qui étaient seuls à résister, à coups de bouteilles de bière, disait Churchill, mais aussi grâce à la RAF – *never so many owed so much to so few* –, à l'une des plus formidables machines de guerre de l'histoire. Nous risquions assez gros. On se réveillait tous les matins en se demandant ce qui allait se passer, s'ils allaient débarquer sur les plages du Suffolk, du Kent, du Sussex ou de la Cornouailles et si de Gaulle serait fusillé. Un peu plus tard, si Leningrad et Moscou étaient capables de tenir, si Rommel sur le Nil et Bock ou List dans le Caucase ou en Anatolie, après avoir franchi le Terek et escaladé l'Elbrouz, ou traversé le Bosphore, allaient bientôt se serrer la main quelque part sur l'Euphrate et couper la route du pétrole. En ce temps-là, l'idée que nous pouvions nous faire de l'histoire et du destin des hommes était à chaque instant sur le fil du rasoir.

— N'as-tu jamais ressenti, lui demandai-je, quelque chose qui ressemblait à l'angoisse ?

— De l'angoisse, non. Plutôt de l'excitation. Une espèce d'ivresse. Et la curiosité du type qui est en train de jouer sa vie à la roulette russe. Et puis, il y avait de Gaulle. Tu me croiras ou non : je m'étais mis à l'aimer.

— J'avais quinze ans, seize ans, dix-sept ans. J'entrais en hypokhâgne et en khâgne. J'étais fier de mon père. J'avais quitté un joueur de tennis et de golf, je me mettais à vivre dans une rumeur de légende. Un matin, en khâgne, un de nos professeurs – était-ce Boudout, Hyppolite ou Alba ? j'ai oublié – nous parla avec courage du lieutenant-colonel Amilakvari, un prince géorgien qui avait été tué, au cours de la bataille d'El-Alamein, devant le piton rocheux d'El Himelmat, à la tête de ses légionnaires. Mon cœur se mit à battre. Je savais que mon père combattait à ses côtés. Je me tus, bien entendu, mais je me jurai ce jour-là d'être digne de l'héritage que me laissait un père qui passait pour léger.

Un peu plus tard, juste avant mon départ pour l'armée, un normalien sachant écrire du nom de Pompidou, qui, selon une vieille recette républicaine, avait été recruté par l'entourage du Général pour recueillir des documents et préparer des discours, demanda à l'École de lui envoyer un jeune camarade pour effectuer quelques recherches dont il n'avait pas le temps de se charger lui-même. Mon caïman, rue d'Ulm...

— Un caïman ? dit Clara.

— Un normalien plus âgé qui s'occupait des nouveaux venus... s'appelait Louis Althusser. Il se moquait pas mal du Général et de Georges Pompidou. Il tira à la courte paille dans la cour de l'École, devant le bassin des Ernest. Le sort tomba sur moi. Je me pointai rue Saint-Dominique où Georges Pompidou, que je ne connaissais ni d'Ève ni d'Adam, me reçut avec distraction et cordialité. Après une brève conversation, il me raccompagna jusqu'à la porte de son bureau. À ce moment précis, l'immense silhouette du général de Gaulle apparaissait à la porte d'à côté. Je restai figé sur place. Le Général s'avança pour dire à Pompidou quelques mots assez brefs où je distinguai les mots d'Éducation nationale, de Polytechnique et d'École normale supérieure.

— Justement, mon Général, dit Georges Pompidou, voici un jeune normalien...

— Et il prononça mon nom.

Le Général me regarda.

— Êtes-vous le fils de mon compagnon ?

— Je balbutiai que oui ou, plutôt, incapable de prononcer une parole, j'inclinai la tête en signe d'affirmation.

— Eh bien, dit le Général, je vous en fais mon compliment.

— Et il me serra la main.

Je me tus un instant.

— Je vais vous dire quelque chose que je n'ai encore dit à personne et que je ne voudrais pas voir traîner dans la presse.

— Si vous ne souhaitez pas que j'en parle, je n'en parlerai pas.

— J'aimerais autant. Le colonel Amilakvari, le général de Gaulle et mon père ont constitué pour Marie et pour moi des obstacles beaucoup plus sérieux que Lea.

— Pardon ? dit Clara

— Il est plus de quatre heures. Comme le constatait Hélène avec stupeur, nous avons déjà passé cinq heures ensemble. Nous commençons à nous connaître. Il n'est pas tout à fait exclu que notre conversation me fasse du bien. Si j'ai tant hésité à vous parler de Marie, c'est qu'elle et moi, nous étions des deux côtés de la barrière la plus infranchissable de notre temps : celle que mettait la guerre entre les camps opposés. À cause surtout de mon père, mais aussi à travers mes maîtres en hypo-khâgne et en khâgne et par mes amis autour de l'École, j'étais très hostile au vieux Maréchal que vénérait mon grand-père. Marie, par sa famille, était très proche de Vichy. J'étais pour de Gaulle. Elle était contre lui avec une sombre violence.

— Nous voilà bien, dit Clara.

— Ne riez pas, lui dis-je. La situation était inextricable. Rien ne m'a fait souffrir davantage. J'aimais Marie avec passion ; et son entourage, ce qui n'était pas encore trop grave, mais souvent même ses réactions, ses idées, sa fidélité à une cause qui n'était pas la sienne mais avec laquelle elle s'obstinait à se confondre me faisaient horreur.

— Mon Dieu ! dit Clara, tout ça n'est pas très neuf. Et à peine inquiétant. Vous reconnaissez, j'imagine, dans vos relations avec Marie, le thème assez classique d'*Horace*, de *Polyeucte*, de *Roméo et Juliette*...

— Oui, bien sûr :

Albe vous a nommé, je ne vous connais plus...

et

Je vous connais encore, et c'est ce qui me tue.

La politique, chacun le sait, est la forme moderne de la tragédie. Nous nous imaginons à tort Roméo et Juliette comme des héros de comédie qui appartiendraient à des familles de médecins ou de notaires brouillées, comme chez Molière, chez Musset, chez Pouchkine, par des affaires d'héritage ou de propriétés. L'hostilité entre les Capulets et les Montaigus ressemble plutôt à la haine meurtrière entre Rome et Carthage, entre Bleus et Verts à Constantinople, entre Jacobins et Girondins, entre la marine anglaise et la marine espagnole ou entre la marine anglaise et la marine française, entre blancs et rouges en Russie, entre Français et Allemands tout au long des trois guerres successives qui les ont opposés, entre Israël et les Palestiniens aujourd'hui. Il n'y a que la politique – ou la religion – pour nourrir ces brasiers. Le point d'honneur, le protocole, la rivalité de cour entre don Diègue et don Gormas dans *Le Cid* font figure, à côté, de tragédie d'opérette. L'argent même, vous entendez, l'argent,

213

qui monte à la tête et au cœur et jette frères et sœurs, parents et enfants, amis les plus intimes les uns contre les autres, le cède à la politique pour enflammer les esprits. Et la seule force qui puisse lutter à armes égales contre les idées politiques ou religieuses, c'est la passion. J'imagine qu'il y a eu des histoires d'amour entre Juifs et Arabes au cours des cinquante dernières années. Je crois bien savoir que Golda Meir a eu une liaison avec un Palestinien. Mais la passion elle-même ne suffit pas à balayer l'histoire. En aimant Marie, j'avais le sentiment de trahir mon père. Et elle, de son côté, devait me voir malgré elle comme un complice d'assassins.

La conférence organisée à Yale par Henri Peyre était en train de s'achever. Je n'avais rien compris, je n'avais rien écouté : Marie était dans la salle. Un grand coup de vent passait sur moi. Un soulagement : je l'avais retrouvée. Une certitude : je la reverrais. Quelle chance ! J'allais pouvoir lui parler. Une chance ? Quelque chose d'inéluctable, plutôt. Quelque chose comme un de ces destins auxquels personne n'échappe. Je n'en avais jamais douté. J'attendais, c'était tout. Et, voilà, elle était là. Je l'apercevais devant moi, de trois quarts, très droite sous ses longs cheveux blonds.

— Belle ? demanda Clara.

— Très belle. Vous souvenez-vous, il y a quelques années, de *L'Honneur des Prizzi*, de John Huston ?

— Comme si j'y étais. C'était un film très amusant, avec les va-et-vient des avions entre New York et la Californie. Il y avait Jack Nicholson, Kathleen Turner, à tomber, et la fille de Huston, Angelica, digne du génie de son père.

— Marie ressemblait beaucoup à Kathleen Turner

dans *L'Honneur des Prizzi*. Quand j'ai vu le film, bien plus tard, j'ai cru la retrouver.

Les applaudissements se prolongeaient. Je m'approchais d'elle. Je lui disais :

— Vous êtes là !

— Elle souriait. Oui, bien sûr, elle me reconnaissait.

— J'ai été un peu déplaisante avec vous, l'autre jour. J'avais des problèmes difficiles.

— Des problèmes ? Oui, elle en avait : elle ne savait pas si elle pourrait rester aux États-Unis. Et elle n'avait pas envie de rentrer en France.

— Est-ce que je peux vous aider ?

— Vous m'avez déjà aidée. Grâce à vous, Henri Peyre a été très amical.

— Je lui ai dit deux mots de vous au téléphone : nous nous connaissons depuis si longtemps, vous et moi ! J'ai eu un peu de mal parce que je ne sais pas votre nom... J'ai traité Peyre en demeuré : je lui ai parlé de vous comme de la blonde qu'il avait reçue après moi... Il n'a pas eu l'air étonné.

— En tout cas, ça a marché. Merci. Je donne des cours de français à des enfants de six à huit ans. Je suis tirée d'affaire pour le moment et ça me change les idées.

— Vous avez besoin de vous changer les idées ?

— Plutôt, oui.

— Où habitez-vous ? Où puis-je vous appeler ?

— Elle me donna son adresse et son numéro de téléphone chez une veuve américaine. La tête me tournait.

— Ah ! parfait ! Parfait ! lui dis-je d'un air pénétré.

— Ma veuve vous convient ? me dit-elle.

— À merveille, lui dis-je. Tout me convient.

— Tant mieux, me dit-elle. Je vois que vous êtes assis à côté d'une dame brune. Alors, à bientôt.

— À bientôt, lui dis-je.

— C'était comme si je volais dans les airs.

Je m'étais à peine éloigné que je revenais vers elle :

— Ah ! j'oubliais... Comment vous appelez-vous ?

— Elle se mit à rire. C'était la première fois que je l'entendais rire.

Elle avait des chagrins. Son frère avait été fusillé.

— Fusillé ! dit Clara. Par les Allemands ?

— Non, lui dis-je. Par les Français. À la Libération.

On entendit quelque part une demie qui sonnait. Quatre heures et demie, peut-être. Ou peut-être cinq heures et demie.

Clara alluma une de mes cigarettes. Il y avait des mégots dans le cendrier.

— Et Lea, demanda-t-elle, vous lui avez parlé de Marie ?

— Nous sommes partis tous les deux, comme prévu, pour les plages de l'Ouest.

— Pas gai ? dit Clara.

— Pas très, lui dis-je.

— Que lui trouves-tu ? me disait-elle entre deux sanglots.

— Classique, indiqua Clara, très calme.

— Que pouvais-je répondre ? Je ne lui trouvais rien. Je l'aimais.

— Comme ça ! me disait Lea. Au premier regard. D'un coup d'œil. Sur un claquement de doigts. Sans la connaître. Sans rien savoir d'elle ni de son passé – pas même son nom !

— Elle pleurait.

— Comme ça..., murmurais-je.

— C'était une famille d'Action française. Le grand homme, depuis toujours – enfin, depuis le début du siècle, depuis la Première Guerre –, était Charles Maurras. Le poète. Le doctrinaire. Le sourd. Flanqué de Bainville, l'historien, et de Daudet, le polémiste. La trinité du royalisme régionaliste, antidémocratique et antiparlementaire. À peu près exactement au moment où André Gide et Gaston Gallimard publiaient le premier numéro de leur *Nouvelle Revue française*, ils lançaient *L'Action française* quotidienne. *AF* contre *NRF*. Détruite par la collaboration avec le fascisme au cours de la Seconde Guerre et par la victoire finale de la démocratie, l'extrême droite, en ce temps-là, était puissante en France. Cinquante ans à peine – et même trente – avant 68, le Quartier latin lui appartenait. Pour faire le coup de poing avec ses adversaires, qui savaient, eux aussi, descendre sur le pavé...

Clara se mettait à chanter à mi-voix :

Prenez garde,
Vous les sabreurs, les bourgeois, les gavés et
[les curés,
V'là la Jeun' Garde,
V'là la Jeun' Garde,
Qui descend sur le pavé...

— Voilà, lui dis-je... L'Action française mit sur pied des groupes de combat chargés de vendre le journal : les Camelots du roi. Le frère de Marie, Gabriel S..., qui avait dix-huit ans de plus qu'elle, devint Camelot du roi avec beaucoup d'ardeur.

— Évidemment, dit Clara, ce n'était pas le genre d'histoire à raconter à Lea.

— Entre les deux guerres mondiales, les normaliens tenaient dans la vie politique et intellectuelle à peu près la place qu'occupent aujourd'hui nos énarques. Ils savaient un peu plus de grec et un peu moins d'économie. Et ils se trompaient avec la même ardeur. Gabriel S... admirait un jeune normalien dont la promotion suivait de quatre ans celle de Sartre, d'Aron, de Nizan et précédait de deux ou trois ans celle de Georges Pompidou. Il s'appelait Brasillach et il rédigeait tous les jeudis le feuilleton littéraire de *L'Action française*.

Robert Brasillach avait un visage rond derrière des lunettes rondes. Il n'avait pas trente ans et il était presque célèbre. Il aimait Virgile et Corneille, la poésie, les petits matins, les jeunes filles, le théâtre, l'insouciance d'une vie qui lui apportait tout. Il ne ménageait rien ni personne et il était très gai. Beaucoup de jeunes gens le suivaient. Gabriel était allé l'écouter, un soir, dans une salle du Quartier latin, parler des poètes du XVIe siècle et, à la fin de la conférence, il s'était présenté à son idole. Elle allait le mener comme par la main jusqu'au peloton d'exécution dans une de ces aubes incertaines qu'ils aimaient tous les deux.

L'auteur de *Notre avant-guerre* et de *Comme le temps passe* n'était pas le seul à entraîner Gabriel sur des chemins escarpés. Le frère de Marie se proclamait nationaliste. Il était hostile aux étrangers. Il aimait la France seule et il détestait l'Allemagne. Ce qu'il reprochait avant tout à nos dirigeants, c'était leur lâcheté à l'égard d'une Allemagne dont *L'Action française* leur avait appris à se méfier. Il partit pour la guerre avec une sorte d'enthousiasme. Il s'engagea dans les corps francs et se retrouva sous les ordres de Joseph Darnand.

Darnand était un combattant. Il aimait la guerre. Celle de 14, il l'avait faite brillamment. Quand celle de 40 fut perdue, il se mit au service du Maréchal et organisa son service d'ordre légionnaire. Il cultivait la fraternité d'armes. Avec les siens d'abord, avec l'ennemi ensuite. Un chassé-croisé se produisait : ceux qui se méfiaient du nationalisme et qui admiraient l'Allemagne pour sa science, sa philosophie, sa culture, sa littérature, sa musique vomissaient le régime qu'elle s'était donné et auquel elle s'était donnée ; l'Action française et les nationalistes d'extrême droite qui faisaient profession de détester l'Allemagne découvraient que son régime était proche de l'idéal qu'ils proposaient à la France – et que le maréchal Pétain incarnait à leurs yeux. Pour les partisans de la force, la défaite était un désastre, mais du désastre naissait Pétain, qui avait incarné longtemps la gloire de la patrie : c'était la « divine surprise » célébrée par Maurras dans ses articles.

— En gros, dit Clara, la droite se préparait à collaborer avec l'envahisseur et la gauche, à résister.

— En gros. Très en gros. À ce schéma en forme de slogan, qui annonce déjà, à quatre ans et demi de distance, les soixante-quinze mille fusillés du parti communiste, il faut apporter bien des nuances. La Chambre qui accorde les pleins pouvoirs à Pétain est la Chambre du Front populaire. En été 40, après l'effondrement de la démocratie, l'immense majorité des Français, et de droite et de gauche, est derrière Pétain. Que pouvaient-ils faire d'autre ? Pierre Laval, à l'origine, était un homme de gauche. Il avait été député socialiste, il avait soutenu Clemenceau. Et plusieurs des ténors de la Collaboration la plus déchaînée – Marcel Déat ou Jacques Doriot – viendront de la gauche ou de l'extrême gauche. De Gaulle, inversement, dont la voix et le nom sont encore inconnus à la plupart des Français et dont le visage et l'allure resteront flous à leurs yeux jusqu'en 1944, venait de la droite. Parmi ceux qui l'entouraient, les uns étaient de droite, les autres étaient de gauche. Le parti communiste ne se rangera avec résolution...

— Et avec héroïsme, dit Clara.

— Et avec héroïsme... dans le camp de la résistance à l'occupant qu'après l'invasion de l'URSS par Hitler. Il reste que Pétain – qu'il ait agi par ambition comme l'assurent ses adversaires ou qu'il se soit sacrifié sur l'autel de la patrie comme le prétendent ses partisans – était hostile à une république qui avait perdu la guerre et à la démocratie et qu'à quelques exceptions près l'Action française penchait du côté de la Révolution nationale.

Dès la création, sous les auspices de Vichy, de la Légion des volontaires français contre le bolchevisme, Darnand pensa à Gabriel. Gabriel haïssait les rouges, le Kremlin de Staline, le Guépéou et le NKVD qu'il ne distinguait pas bien l'un de l'autre et dont il voyait la main partout. Il accourut. Brasillach, consulté, l'encouragea. Il se retrouva sur le front russe sous l'uniforme allemand.

— Sous l'uniforme allemand ! m'écriais-je.

— Marie hochait la tête, fermait les yeux. La suite était pire. En été 44, la Légion des volontaires français contre le bolchevisme fut dissoute. Ses quelques milliers d'hommes furent versés dans la division SS Charlemagne.

— Ah ! dit Clara, il était SS...

— Oui, lui dis-je, il était SS. *Obersturmführer* – c'est-à-dire lieutenant. Après l'avance des Russes en Poméranie, au printemps 45, la division SS Charlemagne fut pratiquement exterminée. Un groupe de trois cents survivants, dont Gabriel, fut placé sous les ordres du général SS Krukenberg qui poursuivait un combat sans espoir. Le frère de Marie fut de ceux qui défendirent Berlin jusqu'au bout contre les Russes de Joukov et qui donnèrent naissance à la légende d'un Führer entouré, à la dernière heure, dans le bunker où il s'était retranché avec Goebbels et Eva Braun, par un bataillon de soldats perdus composé en majorité de Français auxquels se seraient mêlés de mystérieux Tibétains.

Comment son frère réussit à s'échapper de Berlin, Marie ne l'avait jamais su – ou elle ne me l'a jamais dit. Il ne disposait pas d'un réseau prêt à l'expédier au Chili, en Argentine, en Syrie. Il se débrouilla tout seul et se retrouva au Tyrol, du côté de Val Gardena, entre Autriche et Italie, dans un paysage de grandeur et de paix. Il changea de nom, teignit ses cheveux, se laissa pousser la barbe. Vers la fin de l'été 45, sous sa nouvelle identité, avec un faux passeport, il allait s'embarquer à Trieste sur un navire égyptien...

— Ah ! voilà de nouveau Trieste ! s'écria Clara.

— C'était moins gai qu'avec votre grand-mère... lorsque, soudain, un pied déjà sur la passerelle du bateau, il entendit crier son nom.

— Gabriel !

— Il se retourna. Son destin prenait le visage d'un policier français en civil et d'un agent américain.

— De la CIA, dit Clara.

— Je ne crois pas, lui dis-je. Il me semble, mais je peux me tromper, que la CIA ne sera créée que deux ans après la fin de la guerre. Pour lutter contre le communisme qu'avait combattu Gabriel et qui sortait triomphant de la guerre contre le national-socialisme. Trois semaines plus tard, Gabriel S... était fusillé au fort de Montrouge où flottait encore, parmi les réprouvés, le souvenir de Robert Brasillach, exécuté six mois plus tôt.

Nous nous levions, nous allions jusqu'à la fenêtre. Une dizaine de petites filles sautaient à la corde en chantant dans le jardin du Palais-Royal. Du côté des colonnes de Buren, sous les fenêtres du ministère de la Culture et du Conseil d'État, une équipe tournait un film. Il y avait des couples d'amoureux et beaucoup de voitures d'enfants.

— Je comprends, me dit Clara, que vous ayez un peu de mal à évoquer Marie.

Je levai la main.

— Oh ! nous ne passions pas notre temps à parler de Gabriel. Mais son ombre la hantait. Elle lui restait très attachée. Elle défendait sa mémoire. Il tenait une grande place dans ses souvenirs et dans ses récits. À la fin de ce terrible mois d'août, elle allait tous les jours, et parfois deux fois par jour, lui rendre visite à Montrouge. Elle n'a pas assisté à l'exécution, mais, d'une voiture arrêtée aux abords du fort, elle a entendu rouler la salve, suivie d'une détonation isolée : le coup de grâce.

— Mon Dieu ! disait Marie.

— Elle cachait son visage entre ses mains et se mettait à trembler.

— Mon Dieu ! dit Clara. La fin de *Casque d'or*, quand Simone Signoret...

— C'étaient des souvenirs difficiles à effacer. Ils la poursuivaient jour et nuit et ne cessaient jamais de nourrir son hostilité à de Gaulle.

— Mais, Marie, lui disais-je, que pouvait-il faire ? L'uniforme allemand, les SS, la fidélité à Hitler jusqu'au dernier instant... La guerre était à peine finie... Les tribunaux militaires...

— J'essayais d'éviter les mots de trahison et de crime. Elle sanglotait en silence. Je la prenais dans mes bras.

— Oublie tout ça... Il faut oublier... C'était un cauchemar... Efface tout...

— Des bribes de mots me parvenaient à travers ses sanglots.

— Oublier !... Jamais je n'oublierai... Jamais.

— Je la serrais contre moi. Je lui parlais à voix basse.

— Ton frère avait choisi son camp. C'était le mauvais. Il s'est battu, il a perdu. Il savait les risques qu'il prenait. Je suis sûr qu'il n'aurait pas voulu d'un autre destin que le sien.

— Elle me disait qu'il avait payé pour d'autres, bien plus coupables que lui. Je lui disais que la guerre avait fait des millions de victimes. Et qu'elles étaient plus à plaindre que Gabriel dont la mort était le métier.

Le ton montait. Elle me demandait si j'oubliais ce qu'avaient fait les Russes. Je lui demandais si elle oubliait ce qu'avaient fait les Allemands.

— Mon frère n'était pas responsable de leurs crimes.

— Il combattait avec eux.

— Les autres étaient-ils donc si purs ? Gabriel faisait ce qu'il croyait être son devoir.

— J'éclatais.

— Il trahissait son pays...

— Elle pleurait. Je lui prenais la main. Nous restions longtemps silencieux.

Et puis, au lieu de s'apaiser, la querelle reprenait. Nous nous lancions à la tête, pêle-mêle, la faiblesse des démocraties, le pacte germano-soviétique, les passagers du *Massilia*, le drame de Mers el-Kébir, les responsabilités de Darnand ou de Laval, les Juifs, les communistes, les camps de concentration d'un côté ou de l'autre. Tout y passait, dans un désordre qui nous jetait hors de nous. La fureur me prenait. Je parlais des nazis avec violence.

— Et tu ne vois pas que ce que tu dis des nazis

223

pourrait s'appliquer aussi aux staliniens que combattait Gabriel ? Mais eux, et c'est à se tordre, siégeaient parmi les juges du tribunal de Nuremberg au lieu d'être assis entre des gardes parmi les accusés.

— Égarés et meurtris, nous finissions toujours par retomber sur de Gaulle et sur Pétain, dont Gabriel se réclamait. Je pensais à mon père et à mon grand-père. J'essayais d'expliquer à Marie que le gouvernement du Maréchal était sous la coupe de l'ennemi. Il était impossible de le considérer comme légitime.

— Et le gouvernement du Général, il l'était, légitime ? C'était un rebelle, tu le sais bien. Au lendemain de la défaite, aux yeux de l'immense majorité des Français, et même des Américains, et même des Russes, la France, c'était d'abord Pétain. « Quand le Maréchal vient à Paris au printemps 44, à l'occasion de son anniversaire, pour assister à une messe à la mémoire des victimes d'un bombardement, une foule énorme l'acclame encore à l'Hôtel de Ville. » Gabriel a été la victime de la lutte entre deux idées opposées de la France. L'une a gagné, l'autre a perdu. La force, comme toujours, a créé le droit.

— Je ne peux pas te laisser penser ce que tu dis. On a le droit de reprocher beaucoup de choses aux Russes et même aux Américains, mais la balance n'est pas égale entre Hitler et ses adversaires.

— Le bombardement de Dresde en février 45 est un exemple de crime contre l'humanité. Et la bombe sur Hiroshima – une seule bombe, Enola, anagramme d'*alone* – a fait entrer dans l'histoire une angoisse pour toujours.

— C'était la guerre. Les Allemands l'ont voulue. Ils ont été vaincus par leur propre violence, déclenchée contre eux avec retardement.

— Ce sont les Américains qui ont lancé la bombe...

— Je me taisais, épuisé. L'accablement s'emparait de moi. Je voulais mettre fin à tout prix à des disputes d'où nous sortions détruits.

— *Weltgeschichte ist Weltgericht*, disait Hegel : L'histoire universelle est le jugement dernier. Elle maudira Hitler.

— Elle le renverra dos à dos avec Staline.

Le soleil brillait moins fort. Le soir s'annonçait déjà.

— À défaut de joint, dis-je à Clara, pardonnez-moi, je n'en ai pas, voulez-vous un peu de thé ? Ou un coup de whisky ? C'est l'heure de l'un ou de l'autre. Nous avons déjeuné ensemble, je peux bien vous offrir un verre. Nous en avons peut-être besoin et ça vous changera de votre Coca light.

— Non, merci, dit Clara. Je préférerais que vous me parliez encore un peu de Marie avant que je ne m'en aille. Vous disputiez-vous beaucoup ? Pouviez-vous aimer quelqu'un dont les idées étaient si loin des vôtres ?

— Je l'aimais, lui dis-je. Et je crois qu'elle m'aimait. Elle avait une vertu merveilleuse : elle était violente. L'incertitude, le doute, l'indifférence, la bassesse lui étaient inconnus. Ce qu'il y a de bien dans l'amour, qui est plénitude et destruction, c'est qu'il annule tout le reste. À mon âge, évidemment, j'ai connu plusieurs femmes...

— Beaucoup ? demanda Clara.

— Quelques-unes, lui dis-je. Ça va très vite, vous savez.

— Très vite ?

— Je ne veux pas dire qu'elles tombent très vite. Je ne les vois pas comme des mouches, non, et je me suis souvent donné beaucoup de mal pour leur plaire. Je veux dire que pour un homme – ou pour une femme – qu'un seul amour n'occupe pas, une société comme la nôtre facilite à l'extrême le nombre des rencontres. Quand Leporello, dans l'opéra de Mozart, dresse le catalogue des amours de don Juan, il chante, vous vous rappelez : *Ma in España... ma in España... mille e tre...* Mille et trois conquêtes ! Bigre ! Regardons ça d'un peu plus près. Comme Casanova, don Juan est libre, il est un voyageur, il passe de ville en ville et de pays en pays et je crois bien qu'il n'est plus très jeune : il doit avoir quelque chose comme cinquante ans. Accordons-lui, à vue de nez, trente années d'activité amoureuse. Trente années font trois cent soixante mois. Mille et trois divisé par trois cent soixante donne un peu plus de deux conquêtes par mois. Soit une femme tous les quinze jours. Est-ce beaucoup pour quelqu'un qui ne reste pas en place et qui voit apparaître chaque jour de nouveaux visages ? Pour un homme jeune et en bonne santé, pour un esprit libre et un peu entreprenant, c'est à vrai dire presque risible – et d'ailleurs d'un intérêt limité.

— Dois-je comprendre, demanda Clara d'un air faussement ou peut-être vraiment intéressé, qu'un millier de femmes pour vous-même ne...

— Votre divertissement favori – je l'ai découvert assez vite – est de me tourner en ridicule. Je ne suis pas Simenon, je ne suis pas Casanova, que je lis, je vous l'avoue, avec beaucoup de plaisir, je ne suis pas un voyageur solitaire, je ne suis pas un diable ni un séducteur et je vous ai déjà indiqué que j'ai aimé deux femmes qui – la seconde surtout – m'ont beaucoup occupé. Le premier talent d'une femme est de faire oublier toutes les autres. Marie y réussissait à merveille. De la conférence de Yale et même de la rencontre chez Henri Peyre où je ne savais encore rien d'elle jusqu'à ses derniers instants, j'ai passé le plus clair de mon temps à l'aimer quand elle était là et à penser à elle quand elle n'y était pas. Dans le *Westöstlicher Divan* de Goethe, il y a quelques vers qui m'ont toujours enchanté :

> *Von Suleika zu Suleika*
> *Ist mein Kommen und mein Gehen...*
>
> *Eh 'es Allah nicht gefällt*
> *Uns auf 's neue zu vereinen,*
> *Gibt mir Sonne, Mond und Welt*
> *Nur Gelegenheit zu weinen.*

— Ce qui signifie ?...

— Ce qui signifie que je ne quittais Marie que pour la retrouver. C'était le bonheur. Nos relations ont connu des hauts et des bas, mais nous ne nous sommes jamais éloignés l'un de l'autre. Quand elle est morte, ma vie s'est arrêtée. Le monde a perdu ses couleurs. Nous l'avions parcouru ensemble. Il disparaissait avec elle.

— Vous êtes-vous beaucoup promené avec elle ?

— Beaucoup. Le monde était à nous. Nous étions des conquérants. C'était l'époque où je quittais l'Amérique avec Marie. Je la ramenais de l'autre côté de l'Atlantique pour la réconcilier avec la France. Je devais encore beaucoup à Lea : j'écrivais un livre sur elle. C'était *Un amour pour rien*.

J'ai souvent raconté mes débuts dans la littérature militante et souffrante. Je débarquais à Paris après une absence de quatre ans. Je ne connaissais personne dans le milieu littéraire. Longtemps, j'avais pensé qu'il était inutile d'ajouter quoi que ce fût à Montaigne, à Pascal, à La Fontaine, à Racine, à

Stendhal et à Flaubert. Sous le regard ironique de mes anciens camarades de la rue d'Ulm, le choc sentimental de mon échec avec Lea finissait par accomplir la prophétie d'Henri Peyre : pour me réconcilier avec moi-même, je me mettais à écrire. Je camouflais Lea sous le nom de Béatrice et j'inventais une histoire qui n'avait rien à voir avec la réalité et qui était pourtant la mienne. Quelques années plus tard, un choc sentimental d'une nature différente allait être à l'origine d'un autre de mes livres : mon grand-père se voyait contraint de se séparer de Plessis-lez-Vaudreuil et, écrasé de chagrin et de honte devant ma médiocrité qui m'empêchait de venir au secours de tous les miens menacés, j'écrivais *Au plaisir de Dieu* pour tenter de remplacer par un château de mots le château de brique et d'ardoise que je n'avais pas su conserver.

La littérature, en ce temps-là, était dominée par deux monstres qui gardaient toutes les issues et dévoraient les jeunes gens qui refusaient de prêter serment à leurs dieux carnassiers et de leur faire allégeance. Les deux cracheurs de feu s'appelaient Jean-Paul Sartre et le nouveau roman. Sur le passage de leurs chariots lourdement chargés de thèses, de doctrines, de théories et acclamés par les foules, l'herbe tendre du roman avait du mal à repousser.

Jean-Paul Sartre était merveilleusement intelligent et, je crois, très généreux. Il se présentait comme un nouveau Socrate, comme l'éducateur des jeunes gens, comme le prophète des temps modernes, et il était difficile de se tromper plus que lui sur le monde où nous vivions. Après une contribution modeste à la lutte contre Hitler, il avait décidé que le marxisme constituait l'horizon indépassable de toute pensée digne de ce nom, que l'URSS était sur le point de rattraper son retard sur les États-Unis, que tout anticommuniste était un chien – ce qui ne l'empêchait pas d'être traité de vipère lubrique par le parti communiste – et qu'entre Staline et de Gaulle le dictateur était de Gaulle. Les trois volumes – *L'Âge de raison*, *Le Sursis*, *La Mort dans l'âme* – de son grand roman, *Les Chemins de la liberté*, dont nous avons déjà parlé, ma chère Clara, ne valaient pas grand-chose et sont devenus illisibles. Il avait écrit sur son enfance un livre très réussi qu'il avait appelé *Les Mots* et qu'il s'était hâté de renier. Il avait rédigé un gros ouvrage qui devait tout à Husserl, à Jaspers, à Heidegger et qui avait déclenché l'enthousiasme : *L'Être et le Néant*. Raymond Queneau prétendait que son succès, au lendemain de la guerre, venait de son poids exact d'un kilo qui lui permettait de remplacer, pour peser les pommes de terre, les métaux non ferreux qui avaient disparu. Les philosophes en louaient les excursions littéraires dont la plus fameuse était la description du garçon de café en train de jouer au garçon de café, et les écrivains étaient tétanisés par cette métaphysique du visqueux et de la néantisation qui les époustouflait. Un mastic ayant mélangé et rendu incompréhensibles les trente ou cinquante premières pages de cette bible du XXe siècle, la maison Gallimard avait décidé d'échanger aussitôt tout volume fautif de la première édition largement diffusée contre un exemplaire corrigé. Le succès de l'ouvrage fut si vif et si aveugle qu'aucun lecteur ne se présenta pour profiter de cette offre. L'enterrement de Sartre au cimetière Montparnasse où se pressaient cinquante mille personnes fut le plus grand événement de notre histoire littéraire depuis les obsèques de Victor Hugo et le triomphe de *Cyrano de Bergerac*.

L'existentialisme, dont tout le monde avait entendu dire qu'il siégeait dans les caves au son des trompettes de jazz et dont tout le monde connaissait le nom mais dont personne ne savait de quoi au juste il retournait, avait un pape, un gourou, un dictateur, un président, un directeur, un secrétaire général, un porte-parole, un attaché de presse, un juge, un garde champêtre, un homme de main et un humaniste : c'était Sartre. Les mystères de l'existentialisme se confondaient avec lui. Il cumulait tous les rôles de la sacrée confrérie. Le nouveau roman était une société anonyme et peut-être même secrète. C'était l'armée de l'ombre en face du roi soleil. Loin des fanfreluches de la fête et de l'ambiance cotillon, son but était de soumettre le roman à une cure de jansénisme, d'amaigrissement, de sérieux, et de détruire les ornements frivoles de l'intrigue et des personnages. Un ancêtre illustre avait frayé la voie : Flaubert. Le père de *Bouvard et Pécuchet* avait caressé le projet d'écrire un livre sur rien, un livre qui ne tiendrait que par le style. Les membres mystérieux de la secte du nouveau roman remplissaient au moins une partie du programme : ils écrivaient avec talent des absences de roman. Et ils ne cachaient pas leur dessein d'occuper la totalité du paysage littéraire dont les autres acteurs leur paraissaient insignifiants jusqu'à l'inexistence.

Comme l'existentialisme, le nouveau roman était un totalitarisme. Le plus amusant était que l'entreprise, qui se réclamait d'une rigueur et d'une hauteur exemplaires, nourrissait un goût immodéré pour la publicité et mettait des dons réels au service de cette vulgarité importée d'outre-Atlantique sous le nom de *marketing*. Mené par des entrepreneurs ambitieux et brillants dont le chef de file était Alain Robbe-Grillet, toujours capable d'un bon mot et qui s'est retrouvé récemment quai Conti, par distraction sans doute, parmi les débris des âges les plus anciens, le nouveau roman était une affaire qui roulait et entraînait derrière elle, à défaut de lecteurs, une foule bruyante de snobs éblouis et de thuriféraires médusés. Par une malédiction funeste dont je ne cessais de ressentir les effets désastreux, le nouveau roman, que personne ne lisait en France mais qui faisait un tabac en Amérique, m'était aussi étranger que l'existentialisme, qui professait que l'existence précède l'essence, que l'enfer, c'est les autres et que l'homme est une passion inutile.

— Vous n'étiez pas à la mode, remarqua Clara avec profondeur.

— Je ne l'ai jamais été. Beaucoup, comme Oscar Wilde ou Cocteau, pensent que la mode peut aider les artistes. Je crois qu'elle est au contraire l'ennemi mortel de l'art, de la littérature, de toute pensée. Si les noms de Cocteau et surtout d'Oscar Wilde ont survécu à leur temps, c'est parce qu'ils sont bien au-delà de cette mode dont ils faisaient si grand cas.

Un samedi soir, je déposai le manuscrit d'*Un amour pour rien* chez la demoiselle du téléphone de Gallimard. J'attendis deux semaines. Bien des années plus tard, j'allais entrer moi-même au comité de lecture de Gallimard et apprendre que la décision sur un livre peut demander plusieurs mois. J'étais encore jeune et impatient. Au bout de quinze jours, toujours sans le moindre appui et sans lettre de recommandation – combien de fois faudra-t-il répéter qu'en littérature au moins les recommandations ne servent à rien ? –, j'allai jeter une copie de mon manuscrit rue de l'Université, presque en face de Gallimard, dans les bras de la demoiselle du téléphone de Julliard.

Le lendemain matin, dimanche, entre sept et huit

heures, mon téléphone sonnait. C'était René Julliard. Je suis prêt à témoigner que c'était un éditeur de génie. Il m'avait lu dans la nuit et ne mâchait pas ses mots : mon livre était un chef-d'œuvre. C'était ce qu'il avait lu de mieux depuis Françoise Sagan.

— Nous allons connaître un grand succès. Peut-être même un triomphe. Venez signer le contrat.

— Je ne me le faisais pas dire deux fois. Les mots coulaient comme du miel. Le bonheur m'envahissait. Tolstoï n'était pas mon cousin. Henri Peyre avait raison. Les illuminations de Bryn Mawr ne m'avaient pas trompé. Le cœur me battait : j'allais écrire. Je me précipitai rue de l'Université. René Julliard était grand. Il portait de grosses lunettes. Il avait une femme qui s'appelait Gisèle d'Assailly. Elle avait un chien qui ne la quittait jamais. J'étais un écrivain.

— En doutiez-vous ? demanda Clara.

— J'en doute toujours. Je mets la littérature trop haut pour oser me prétendre écrivain. Et, à l'époque, en ces temps délicieux et cruels, plus – ou moins – encore qu'aujourd'hui.

J'étais peut-être un écrivain, mais personne ne le savait. Le livre ne fut pas un triomphe. Plutôt une moitié de succès. Je vous passe toute l'histoire et ses suites pendant plusieurs années. J'écrivis un autre livre, un autre encore, un quatrième et un cinquième. Le cinquième était le moins mauvais. Il portait un titre éloquent : il s'appelait *Au revoir et merci*.

— Celui-là aussi, je l'ai lu, dit Clara.

— Je quittais la table. Écrire était trop dur. Les grands prix m'ignoraient. Les petits aussi, d'ailleurs. Il y a en France des centaines et des centaines de prix littéraires. Peut-être autant que de ces fromages dont avait parlé le Général pour expliquer, avec un mélange d'attendrissement et d'ironie, le caractère des Français. Peut-être plus d'un millier. Je n'en décrochais aucun. Les magazines me négligeaient. C'était le comble de la misère. René Julliard s'attristait. Il me conseillait de me faire connaître. Comment fait-on pour se faire connaître ? Je ne savais pas. Je rendais mon tablier. Je ne serais pas écrivain.

Et puis, vous savez ce que c'est. Écrire est difficile. Ne pas écrire est impossible. L'idée m'était venue, je ne sais trop pourquoi ni comment, mes études, je pense, ce qu'on m'avait appris rue d'Ulm, et plus encore ce qu'on ne m'avait pas appris, d'un empire imaginaire qui tenait de l'empire d'Alexandre, de l'Empire romain, de l'Empire byzantin et de l'empire de Tamerlan. Il constituait comme un condensé de l'histoire universelle.

— Rien que cela, dit Clara.

— Rien que cela. J'allais raconter son histoire comme s'il avait existé. C'était une sorte de canular qui n'en finissait plus, aux allures de thèse universitaire, avec une bibliographie inventée, des cartes imaginaires, des tableaux généalogiques sans le moindre rapport avec la réalité, des pastiches de textes classiques et des notes savantes qui renvoyaient à elles-mêmes. *La Gloire de l'Empire* – le titre m'était venu très vite – était un manuscrit interminable que j'avais eu de la peine à écrire, m'endormant souvent sur mes pages raturées. Très loin du roman historique, il se situait au confluent de la nécessité absurde de l'histoire et des délires de la fiction.

Il était nourri de mes voyages avec Marie. À notre retour d'Amérique, le Paris de la fin des années cinquante et du début des années soixante nous avait enchantés et paru un peu étriqué. Après les grands espaces et les exagérations gigantesques de l'Amérique de notre jeunesse, nous étouffions un peu. Nous partions dès que nous pouvions. Les droits d'auteur de mes premiers livres passaient tout entiers en frais de voyage. Plus tard, quand le succès pointa le bout de son nez, le pli était pris. Nous allions plus loin pour plus longtemps. Nous avons parcouru le monde, tous les deux. Et c'étaient nos plus belles années et les plus beaux jours de notre vie.

À pied, à bicyclette, à moto, en train, en voiture, en bateau, en avion, nous nous sommes promenés du Connemara à Louxor et à Bali, d'Upsala à Mascate, à l'Hadramaout, à Aden. J'ai raconté ces voyages, sous une forme ou sous une autre, dans presque tous mes livres. Nous allions passer trois semaines, parfois un mois ou deux, en Iran, en Afghanistan, au Rajasthan ou en Inde du Sud, en Birmanie, aux Célèbes. Nous nous précipitions pour trois jours à Salzbourg ou à Prague. Notre domaine personnel, notre terrain de chasse favori était la Méditerranée. Des colonnes d'Hercule à l'Hellespont, de Grenade et de Cordoue à Éphèse et à Delphes, nous l'avons écumée.

Italiam ! Italiam ! Le cri de Virgile, des Anglais du Grand Tour, de Goethe, de Chateaubriand, de Benjamin Constant et de Stendhal, nous l'avons poussé plus souvent que de raison. Que de fois, au printemps ou en automne, à Noël, au mois d'août, au fond d'un bistrot ou à la terrasse d'un café de Saint-Germain-des-Prés ou à l'ombre de Saint-Sulpice, nous nous sommes regardés, Marie et moi, sans avoir besoin de nous parler ! Une même idée, toujours semblable à elle-même et toujours différente, nous venait à l'esprit :

— Si nous partions pour l'Italie ?

— Nous partions. Le désir d'Italie était quelque chose, chez nous, comme le désir d'écrire : on a envie d'écrire, mais on ne sait pas encore quoi. Nous avions envie de partir, mais nous ne savions pas pour où. Pour l'Italie, bien sûr, mais où, en Italie ? Rome, Naples, Florence, Venise, nous y étions déjà allés et retournés pour un oui ou pour un non, nous les connaissions comme le fond de notre poche. Nous pensions encore à Goethe, à Chateaubriand, à Musset, à Stendhal qui, selon les saisons, l'itinéraire, l'état des routes, mettaient une dizaine ou une quinzaine de jours, parfois trois semaines, souvent même plus, pour s'y rendre avec les mêmes moyens que Poussin ou Le Lorrain, que Rabelais, ou Montaigne, ou Du Bellay et tant d'autres, que Jules César revenant de Gaule. Nous mettions trois heures en avion, une nuit en train, deux jours à peine en voiture. Nous y avons passé des jours et des jours et des nuits de bonheur et de délire.

Nous avions pourtant envie d'autre chose que des splendeurs du Capitole, de la place Saint-Marc ou des rives de l'Arno. Nous voulions découvrir des trésors qui nous étaient cachés. Au cœur du plus ancien, il nous fallait du nouveau. Alors commençait la plus belle partie du voyage : le rêve, l'attente, la promesse. Nous inventions des merveilles dont nous ne connaissions que les noms. Nous imaginions Cortone, Urbino, Gallipoli ou Otrante avant de nous y rendre. C'était un bonheur virtuel, par provision et par procuration, peut-être plus grand que toutes les séductions de la réalité. Plus d'une fois, nous avons été au bord d'illustrer la formule de Baudelaire : « À quoi bon exécuter des projets, puisque le projet est en lui-même une jouissance suffisante ? »

Nous hésitions longtemps : valait-il mieux choisir Syracuse et Noto ou Crémone et Pavie ? Nous nous jetions sur les livres : sur *Les Vieilles Églises de Rome* d'Émile Mâle, sur *Le Voyage du condottiere* d'André Suarès, sur les lettres de lord Chesterfield à son fils, sur Chateaubriand et Stendhal évidemment, sur Goethe, sur Dumas, qui était passé par l'Italie comme il était passé partout, sur l'ineffable président de Brosses qui trouvait que la peinture était assez faible à Sienne et que le pavement, si bien joint, de Saint-Marc à Venise était le plus bel endroit du monde pour jouer à la toupie.

Nous déployions nos cartes sur les tables des cafés de Saint-Germain-des-Prés ou du Quartier latin. Nous n'étions pas toujours d'accord, après coup, avec les indications et les jugements des guides de voyage dont nous faisions une consommation stupéfiante. L'idée nous est venue plus d'une fois, au retour de nos voyages, d'écrire une série de petits livres dont nous avions même trouvé les titres : *La Toscane comme on l'aime*, *Les Pouilles comme on les aime*, *La Sicile comme on l'aime*, *Les Îles grecques comme on les aime...* Nous aurions parlé, bien sûr, des églises, des musées et des ruines, des baies, des paysages, des hôtels et des restaurants, mais aussi des arbres, des chemisiers, des confiseries, des coiffeurs, des cordonniers, de ces endroits miraculeux et cachés où nous nous sentions soudain si bien. Nous aurions dit avec bonheur qu'il y avait des beautés franchement laides et des merveilles très haut vantées qu'il valait mieux éviter. Nous savions ce que nous aimions : des coins un peu secrets où la mode n'avait pas encore pénétré, une grâce à l'écart, l'absence de cris de la foule, les charmes de la simplicité, une grandeur tout à coup qui nous laissait sans voix. Sans doute était-il inutile de répandre ces secrets. L'échec des guides de notre cru nous aurait moins chagrinés que leur succès excessif : tout ce qui était encore préservé aurait cessé de l'être.

— J'irais volontiers à Rome ou à Venise avec vous, coupa Clara très vite.

— C'est un peu tard, lui dis-je. Voilà déjà le soir qui commence à descendre.

— Oh ! la nuit n'est pas encore là...

— Elle ne tardera plus beaucoup. Et Hélène se demandera encore ce que nous avons bien pu faire depuis plus de cinq heures.

Surtout dans nos jeunes années, la destruction des mythes ne nous déplaisait pas. Une histoire nous avait amusés. Nous nourrissions évidemment, comme tout le monde et avec plus de naïveté que personne, de l'admiration pour ce que nous savions de Michel-Ange. Pour l'architecte, pour le sculpteur, pour le peintre, pour le poète aussi qui avait écrit des choses que je me répétais sans me lasser, du genre : « Dieu a donné une sœur au souvenir, et il l'a appelée l'espérance. » Le Vatican avait entrepris la restauration, dans la chapelle Sixtine, des scènes de l'Ancien Testament sur les côtés et au plafond de l'édifice et du fameux *Jugement dernier* de Michel-Ange sur le mur du fond. À la fin des travaux, une assistance triée sur le volet avait été invitée à venir admirer les fresques remaniées et rendues le mieux possible à leur splendeur première. Dans le public, le fameux historien d'art Federico Zeri, dont chacun attendait le jugement avec impatience et un peu d'angoisse : les couleurs très vives de la restauration avaient déjà, comme toujours, suscité une sévère polémique. Un micro à la main, suivi de tout l'appareil de la télévision, un journaliste s'approche :

— Alors, *Professore*, votre sentiment ?

— C'est horrible, murmure Zeri.

— La restauration vous déçoit ?

— La restauration ? Pas du tout : elle n'est pas en cause, elle est parfaite. Ce qui est horrible, c'est l'original.

— Federico Zeri était coutumier de ce genre de sortie. Je l'ai retrouvé, avec Marie, quelques années plus tard, en face d'un Canaletto qui faisait la fierté d'un collectionneur de nos amis. Zeri jette un regard sarcastique sur le Grand Canal peint par le plus illustre de tous les *vedutisti* – terme impossible à traduire en français.

— Vous savez, insiste notre ami, saisi par l'inquiétude, c'est un Canaletto...

— Je sais bien, répond-il, que c'est un Canaletto. Je suis tout, sauf aveugle. Mais méfiez-vous : si vous aimez Canaletto, vous aimerez aussi Murillo, et vous finirez entouré de croûtes représentant des chats en train de s'amuser avec des pelotes de laine.

— Nous rejetions, nous aussi, tout ce qu'on nous avait appris. Nous voulions décider sur pièces, nous voulions juger par nous-mêmes. Nous avions une soif merveilleuse d'autre chose et de nouveau. Les noms chantaient dans notre tête : Ortisei, Misurina, Bitonto, Ostuni, Cefalu. Nous pouvions passer des heures à parler de ce que nous ne connaissions pas encore et que nous espérions comme un drogué en attente de sa came. Il suffisait qu'un type dans la rue, un professeur au Collège de France, la pharmacienne, notre marchand de journaux nous parlent d'une église ou d'une place dans une petite ville inconnue pour que la machine à imaginer se mette à tourner à toute allure. Nous avons beaucoup voyagé en rêve et en espérance avant de voyager dans le monde dit réel.

Nous partions. C'était le bonheur. Il nous arrivait d'être déçus. Il pleuvait, l'auberge ne tenait pas ses promesses, l'église était assez laide, la ville ne nous plaisait pas. Alors, nous nous installions au café, nous buvions un *limoncello*, nous lisions Conrad, ou Leigh-Fermor, ou Nicolas Bouvier et son *Usage du monde* que nous avions apportés avec nous et nous nous moquions de nous-mêmes. Le plus souvent, nous étions éblouis. Nous avons été éblouis à Lecce, nous avons été éblouis à Merano, nous avons été éblouis à Ségeste, nous avons été éblouis à Ravello. Nous avons passé un Noël à Cortone où il faisait un froid de loup, un 15 août à Bologne où, dans la basilique San Petronio, en 1530, Charles Quint avait été couronné empereur par le pape Clément VII et où il ne faisait pas trop chaud. Nous découvrions des endroits de rêve que les Italiens eux-mêmes ignoraient le plus souvent : ils roulaient des yeux ronds quand nous leur en parlions. Ascoli Piceno, à l'extrême sud des Marches, à la limite des Abruzzes, est à l'écart de toutes les routes. Il faut vraiment vouloir s'y rendre. Nous y tenions dur comme fer. Sur la grande place, d'une beauté à se relever la nuit, nous avons déjeuné, Marie et moi, dans une trattoria dissimulée avec soin au premier étage d'un palais endormi. Nous avons dîné aux environs dans une auberge minuscule, introuvable et exquise, où les touristes, en vérité, ne se bousculaient pas et qui portait un nom de conte de fées : *C'era una volta*... – « Il était une fois... ».

— Vous aimiez Marie, dit Clara. Peut-être n'aimiez-vous l'Italie, peut-être n'aimiez-vous le monde que parce que vous aimiez Marie ?

— J'aimais Marie. N'en parlons pas. La beauté du monde avait pris son visage. Ah ! jeunesse, jeunesse... Passez-moi la bouteille.

Clara se leva et me versa un grand verre de whisky.

— Nous finissions par connaître toute une foule de petites choses qui constituaient moins une ébauche de savoir qu'un système privé de signes de reconnaissance entre Marie et moi. À Ascoli Piceno, la plupart des palais et des églises sont l'œuvre d'un architecte, moins grand sans doute que Bramante, ou Boromini, ou les trois Sangallo, mais de génie tout de même : Cola dell'Amatrice. À Iesi, non loin d'Ascoli Piceno, nous avons vu la place au centre de laquelle Constance de Sicile, la descendante normande des Hauteville, la femme de Henri VI Hohenstaufen, avait fait déployer la tente où, la nuit de Noël 1194, devant toute la ville rassemblée, elle devait donner le jour au futur Frédéric II, le maître du Saint Empire, le roi des Romains, l'ennemi des papes, l'ami de l'islam, le roi de Jérusalem, le petit-fils génial de Frédéric Barberousse. À Lecce nous n'ignorions presque plus rien de ces maîtres du baroque que sont Francesco-Antonio et Giuseppe Zimbalo. À Urbino, quand vous en aurez fini avec le palais des Montefeltro et son fameux Studiolo, triomphe de la marqueterie, faites trois pas vers l'église méconnue où les deux frères Salimbeni ont peint la plus vivante et la plus amusante de toutes les Crucifixions. Ce ne sont que drôleries et plaisanteries, querelles et scènes de genre, enfants qui se font des niches au pied même de la croix.

Nous apprenions peu à peu – car nous ne savions pas grand-chose – que la *Bataille de San Romano*, aux Offices de Florence, le tableau presque abstrait et sans visages où Uccello peint ses forêts de lances et ses croupes de chevaux, appartenait à un triptyque dont les deux autres volets sont au Louvre et à la National Gallery ; que le dernier personnage de la *Légende de saint Jérôme*, célébrée par Carpaccio sur le mur de droite de la Scuola di San Giorgio degli Schiavoni, à Venise, n'était pas, comme le croient à tort tant de voyageurs trop pressés, saint Jérôme lui-même, mais saint Augustin, vêtu à la façon d'un cardinal de la fin du xve siècle et apprenant, par une inspiration divine sous forme d'un rai de lumière qui méduse un petit chien blanc assis sur son derrière, la mort de saint Jérôme, son confrère en savoir, en piété et en gloire ; ou la merveilleuse histoire de Bianca Cappello, si prompte à la décision, qui, pour avoir trouvé fermée au petit matin la porte du palais de son père après une escapade clandestine et nocturne avec Piero Bonaventuri, son jeune amant vénitien, s'était enfuie avec lui à Florence où sa beauté lui vaudra de devenir successivement la maîtresse, puis la femme du grand-duc François de Toscane, le père, par un premier mariage, de notre Marie de Médicis, la seconde femme d'Henri IV, la protectrice et l'ennemie du cardinal de Richelieu. Tout cela, et beaucoup d'autres souvenirs et beaucoup d'autres images, se retrouvait, d'une façon ou d'une autre, dans *La Gloire de l'Empire*, plus tard dans l'*Histoire du Juif errant* ou dans *La Douane de mer*.

Bien d'autres voyages ou imaginations de voyages étaient à la source de l'énorme pavé de *La Gloire de l'Empire*. Peut-être parce que personne ne m'en avait jamais parlé, tout ce qui s'étendait entre la Perse et la Chine, entre les Arabes et les Mongols me faisait tourner la tête. En khâgne, à Henri-IV, puis rue d'Ulm, où j'avais d'abord pensé préparer l'agrégation d'histoire avant de me décider, à mon retour d'Autriche, pour l'agrégation de philosophie, j'avais appris presque tout sur la Grèce antique, sur

Athènes et sur Sparte, sur Homère, sur Platon et Aristote, sur les trois grands tragiques, sur Rome et Virgile, et même sur les débuts de l'Empire byzantin. Presque rien ou rien du tout sur Bouddha et Confucius, sur la Chine, sur Ts'in Che Huang-ti, qui, après avoir jeté au feu tous les livres des lettrés, s'était fait édifier par des milliers d'esclaves voués d'avance à la mort un tombeau gigantesque, sur Xian, sur les Han, sur l'islam, sur Haroun al-Rachid et sur Saladin, sur Gengis Khan, dont les croisés, pleins d'espoir et d'illusions, avaient longtemps confondu les escadrons en marche avec les troupes mythiques du prêtre Jean, et sur Tamerlan. Je savais tout sur la guerre du Péloponnèse, sur la bataille de Cannes, sur la chute de Carthage, sur les douze premiers Césars ; rien sur les batailles de Qadisiyya et de Nehavend – *Fath al Futuh* : « la victoire des victoires » – qui, dès le lendemain de la mort de Mahomet, marquent l'effondrement de la Perse sassanide devant l'avance arabe et le triomphe de l'islam, rien, absolument rien, quelque six cents ans plus tard, sur la destruction de Bagdad, la Bagdad des *Mille et Une Nuits*, l'une des plus grandes et des plus belles villes du monde d'alors, par les Mongols de Hulagu, le petit-fils de Gengis Khan.

Du coup, les noms de Persépolis, de Kash, de Khiva, de Balkh, de Khorasan, de Kharezm, d'Ispahan, de Boukhara, de Samarkand, de Karakorum et d'Altaï, de Gobi et de Takla-Makan faisaient un raffut de tous les diables dans ma tête et dans mon cœur. Je rêvais de ces légionnaires romains de Viterbe ou de Tarquinia faits prisonniers par les Parthes, livrés par les Parthes aux Chinois en échange d'otages, d'épices, de pièces de soie ou de femmes et établis, il y a près de deux millénaires, du côté du Lob Nor ; je rêvais des gens de Samarkand qui vivaient dans la terreur des diables rouges au type chinois venus avec leurs arcs et leurs flèches – on les aperçoit dans les peintures et les miniatures de l'époque – des steppes de l'Est et du Nord, et qui voient surgir soudain du Sud, sortis de nulle part et de leurs déserts improbables, des cavaliers arabes tout en blanc ; je rêvais de Rubroek et de Jean du Plan Carpin, prédécesseurs de Marco Polo, envoyés, l'un par Saint Louis, l'autre par Innocent IV, au cœur de l'Asie encore inconnue et peuplée de légendes ; je rêvais des voyageurs indiens qui, vers l'époque du Christ ou un peu après, introduisaient le bouddhisme en Chine et de ces moines chinois qui, cinq cents ans plus tard, traversaient, tel Huian-tsang, au prix de mille dangers, les déserts de Gobi ou de Takla-Makan et les cols vertigineux de l'Hindou Kouch ou de l'Himalaya couverts de neige pour retrouver au pays de l'Éléphant, c'est-à-dire en Inde, une dent, un cheveu ou la seule ombre du Bouddha. L'histoire, c'est ça : le calme, le bonheur, des catastrophes soudaines, la violence, des souffrances, des souffrances, des souffrances, les espérances les plus folles, et toujours l'inattendu.

Un beau matin, à la fin de septembre ou au début d'octobre, il faisait encore très beau chez nous et je n'étais pas encore prisonnier d'un journal qui, pendant plusieurs années, allait prendre tout mon temps, nous sommes partis, Marie et moi, dans une Peugeot 203. Nous avons traversé la Suisse, l'Autriche, la Yougoslavie, la Grèce. Nous sommes passés par Constantinople. Nous sommes arrivés en Iran. Téhéran est plutôt moche. Mais Ispahan ! Mais Chiraz ! Mais Persépolis ! À Ispahan, Maydan Shāh – la place Royale – avec les mosquées de Shāh Abbas, et surtout Tchehel Sotoun, le pavillon aux

Quarante-Colonnes, nous ont rendus presque fous. Nous découvrions un monde dont nous n'avions aucune idée et dont seuls Gobineau, puis Malraux, et *Les Mille et Une Nuits* bien sûr, nous avaient dit quelques mots. Notre Peugeot rendait l'âme. Nous poursuivions en car, à moto, à bord de camions de fortune. Nous poussions jusqu'à l'Afghanistan où les deux statues colossales du Bouddha à Bamiyan n'avaient pas encore été détruites par les talibans imbéciles. Nous franchissions la passe de Khyber, nous débarquions en loques à Peshawar, capitale du Gandhara, et nous nous écroulions à moitié morts dans les splendeurs de Lahore.

Une autre expédition, plus brève, nous menait au Caucase, sur les rives du Terek, chères à Dumas et à Lermontov, au pied de l'Elbrouz, puis à Tachkent et à Samarkand, sur le tombeau de Tamerlan. Une autre encore vers les rives de l'Euphrate, vers les ruines de Mari et de Doura-Europos, vers l'origine des villes et de l'écriture. D'Alep, nous nous jetions sur Palmyre où nous attendait le temple de la reine Zénobie et sur Saint-Siméon où, autour des ruines de la colonne au sommet de laquelle, pendant quarante ans, avait vécu le Stylite à vingt mètres de hauteur, s'élève, avec son abside sans précédent, la plus ancienne église de l'Orient chrétien. Le temple de Palmyre est tardif puisque c'est à la fin du IIIe siècle que la reine Zénobie est vaincue par l'empereur Aurélien, dont elle ornera le triomphe ; la basilique de Saint-Siméon remonte au Ve siècle. Deux cents ans à peine séparent ces deux univers : les monuments de Palmyre qui appartiennent à la famille des temples grecs ou romains, de l'Acropole d'Athènes, de Ségeste, de Paestum, et la basilique qui annonce déjà les églises carolingiennes ou romanes et la Madeleine de Vézelay. Ce que l'inévitable Huntington, relayé par les magazines à la mode, allait appeler plus tard le choc des civilisations, je le ressentais déjà avec force à Palmyre et à Saint-Siméon. À Damas, un fantôme hantait la mosquée des Omeyyades avec ses mosaïques d'inspiration byzantine et ses deux têtes coupées, celle de saint Jean-Baptiste et celle d'Hussein, fils d'Ali et de Fatima, le petit-fils de Mahomet, le martyr du chiisme : c'était l'ombre du dernier des Omeyyades, exterminés par les Abbassides – un adolescent du nom d'Abd al-Rahman, qui réussissait seul à échapper par miracle au massacre de tous les siens pour aller fonder en Andalousie, à l'autre bout de l'Islam, et c'est une histoire magnifique, l'émirat de Cordoue, bientôt exalté en califat.

Ces souvenirs et ces rêves étaient jetés en vrac dans *La Gloire de l'Empire*. René Julliard mourait. Il m'avait soutenu tout au long de mes débuts difficiles. Mes demi-succès l'avaient déçu. Il me consolait comme il pouvait de ce que lui et moi considérions comme des échecs. Et puis, voilà, il n'était plus là. Grasset, depuis longtemps, me demandait un livre. J'avais un ami dans la maison : Bernard Privat, le neveu de Bernard Grasset, le fondateur, dont la rivalité avec Gaston Gallimard avait été immortalisée jusque sur la scène des théâtres parisiens dans *Vient de paraître* d'Édouard Bourdet. Je lui apportai mon ours. Il mit un peu de temps à le lire. Je ne lui en voulais pas : j'avais mis du temps à l'écrire. Et puis il me fit venir.

— Ah ! c'est bien, me dit-il. Intéressant. Très intéressant.

— Je compris aussitôt que le livre lui était tombé des mains.

— Vous ne l'aimez pas, lui dis-je.

— Eh bien, bredouilla-t-il, à vrai dire, j'espérais quelque chose de léger, de mélancolique et de gai. Un peu dans le genre de votre *Au revoir et merci* et de vos livres précédents. Et vous m'apportez un pavé qui me semble insister un peu trop, ne m'en veuillez pas, je vous prie, sur le côté emmerdant. J'ai dû, je vous l'avoue, m'accrocher pour le lire. Nous le publierons, bien sûr. Mais ne vous attendez pas à...

— Je repris mon nourrisson avec beaucoup de dignité. J'éprouvais à son égard les sentiments d'une mère pour un enfant un peu ingrat qui n'attire pas les regards dans le square où elle promène son landau. Je le portai à Gallimard. Et, pour la première fois, je connus enfin quelque chose de grisant et d'un peu triste qui ressemblait au succès.

— Et depuis *La Gloire de l'Empire*, dit Clara, le succès ne vous a plus lâché.

— N'exagérons pas tout de suite, lui dis-je. Touchons du bois. On verra bien comment sera accueillie par votre rédaction d'abord, par vos lecteurs ensuite l'espèce d'interview-fleuve que vous êtes en train de m'arracher. Et puis vous savez bien que le succès, en littérature, n'a pas beaucoup d'importance. C'est même la différence essentielle entre un écrivain et un homme politique, un militaire, un commerçant. Le commerçant, le militaire, l'homme politique ont le succès pour but et pour fin légitime. Qu'est-ce qu'un général vaincu, un député battu, un constructeur d'automobiles ou un coiffeur sans clients ? Ce qui compte, dans la vie de chaque jour, c'est de réussir. Aucun artiste, en revanche, ne se contentera du succès. Au même titre que l'échec, le succès ne pourra être pour lui qu'une source cruelle d'angoisse. Comme le peintre ou le musicien, l'écrivain tend à autre chose.

— Mais à quoi ? demanda Clara. Vous me faites franchement rire. Vous êtes tous là, vous, les écrivains, à protester que le succès ne vous intéresse pas et je vous vois tous vous jeter sur la liste des meilleures ventes et houspiller vos éditeurs qui n'en font jamais assez à vos yeux. Je voudrais bien, à la fin des fins, savoir ce que vous voulez. À quoi aspirez-vous, si ce n'est pas au succès ?

— C'est une question difficile. Au premier degré, pour un éditeur, pour le public, pour l'auteur lui-même, comme pour tout le monde, la seule justification est le succès. Le rêve de tout débutant est d'être publié pour être lu. Le rêve de la plupart des auteurs est d'être lu par le plus grand nombre possible de lecteurs. Cracher sur le succès n'a pas de sens : rien n'est plus utile, plus agréable, plus rassurant que le succès. Il vous fait sortir du lot, il vous enrichit, il vous rend libre, il vous tourne la tête. Le succès est la pierre de touche des écrivains sans ambition.

L'ambition : voilà le nœud de l'affaire. Si vous avez si peu que ce soit de cette vertu funeste, peu plaisante, mère de toutes les grandes choses, vous regardez autour de vous. Vous voyez ce qui a du succès. Le rouge de la honte vous monte au front. Vous pensez à tous ces auteurs sans nombre qui ont eu du succès dans le passé et dont personne ne se souvient plus. Vous rêvez de Rimbaud, de Verlaine, de Lautréamont, de ce pauvre Stendhal, accompagné à sa dernière demeure par une poignée à peine de fidèles : tous, le succès les méprisait et ils méprisaient le succès. Vous vous répétez les mots si beaux de Lacordaire : « Franchement, j'ai pitié de la gloire. » Et le terme de gloire est trop fort et trop haut pour la notoriété passagère et médiocre procurée par les médias, par la télévision, par la publicité. Vous vous dites que le nombre des lecteurs n'a pas le moindre rapport avec la qualité de l'œuvre et que l'oubli recouvrira de son ombre avec une rapidité terrifiante les triomphes d'aujourd'hui. Vous vous souvenez de Flaubert qui voulait d'abord se plaire à lui-même et qui trouvait sa propre approbation plus difficile à obtenir que celle des autres. Vous respirez un bon coup : pourquoi écrivez-vous ? Réponse : mais pour vous, pour vous seul, pour l'idée que vous vous faites de vous-même ici-bas. C'est le deuxième degré.

Le troisième degré est un retour au premier. Mais avec quelque chose en plus. Qui est juge de toute œuvre ? Le public, le public seul. La littérature n'est pas un exercice solitaire. L'auteur ne sait pas ce qu'il fait. Ou il ne le sait qu'obscurément. Quel que soit son orgueil, il a besoin de l'œil et de l'oreille des autres. Si Robinson Crusoé avait tourné un sonnet ou rédigé des Mémoires, il les aurait lus à Vendredi. Au-delà des fameuses règles du théâtre classique qui ne sont que du flan, quelle est l'ambition de Molière et de La Fontaine, quelle est l'ambition de Boileau et de Racine ? C'est de plaire. Plaire au roi, plaire à la cour, plaire au public de Paris, plaire au groupe des quatre amis qui se réunissaient pour boire et pour parler de poésie à La Pomme de pin ou au Mouton blanc sur la montagne Sainte-Geneviève. Mais plaire, en ce sens-là, a une autre dimension : une dimension temporelle. Il faut être digne du passé, des Anciens dont on s'inspire, de Sophocle, d'Eschyle, d'Euripide, d'Aristophane, de Virgile et d'Horace qu'on a lus et relus. Et il faut tâcher de durer dans l'avenir comme les Anciens ont duré jusqu'à nous. Le quelque chose en plus, c'est le temps. Voilà, un étage plus haut, encore une clé du mystère, et la dernière : le temps est le grand maître. Il faut plaire au public, mais – au-delà de la mode, des intrigues, des cabales, des critiques de complaisance, des arrangements entre amis – au public de demain. « J'écris, déclare Flaubert dans une lettre à George Sand, non pour le lecteur d'aujourd'hui, mais pour tous les lecteurs qui pourront se présenter tant que la langue vivra. » Vous me demandez ce que nous voulons, au plus secret de nous-mêmes : nous espérons être lus, cinq ans, dix ans, quinze ans après notre mort, par des jeunes gens insolents et rebelles, dégoûtés par leur temps où, comme nous dans le nôtre, et comme toujours dans le passé, ils ne verront que bassesse.

Clara battait des mains.

— Épatant ! dit-elle. Je crois que c'est un mot que vous aimez.

— Il paraît, répondis-je.

— Épatant ! répéta-t-elle.

— Mais voilà : ne vivons-nous pas à une époque où il n'y a plus de postérité ?

— Plus de postérité ?

— C'est très possible, lui dis-je. L'histoire s'est accélérée, les choses vont trop vite, les images ont remplacé les mots, la télévision est une machine à deux temps : à jeter de la lumière et à répandre l'oubli. La chaîne de la transmission est en train de se gripper : peut-être n'y a-t-il plus de postérité parce qu'il n'y a plus de passé ? Le passé nous fascine toujours, mais il nous devient étranger. Le siècle qui vient de s'achever a rompu plus qu'aucun autre avec la tradition. Le monde a plus changé en cent ans qu'il n'avait changé en une centaine de siècles. Depuis le début de l'agriculture et des villes et l'invention de l'écriture. Le XXe est le premier siècle où l'homme s'est séparé de son cheval, où il s'est révélé capable de quitter une planète qu'il s'est révélé capable de détruire, où il a donné naissance à des enfants qui n'étaient pas nés de l'amour entre un homme et une femme. Le passé ne nous intéresse plus : nous ne pensons qu'à l'avenir. Et il est assez probable que nous, à notre tour, nous n'intéresserons plus guère un avenir qui, comme nous, et davantage, préférera demain à hier. Déjà dans *Les Illusions perdues* de Balzac, David Séchard, l'inventeur de génie, déclare à Ève, la sœur de Lucien de Rubempré, qui deviendra sa femme : « Nous arrivons à un temps où les chemises et les livres ne dureront pas, voilà tout. » Nos livres, nos films, nos chansons, tout ce ramassis virtuel à l'extrême bord du néant qui nous agite si fort sous le nom de culture sera vite oublié.

Vous rappelez-vous, ma chère Clara, ce que nous disions ce matin ? Que l'usage de la culture finissait par devenir lassant avec son envahissement, ses prétentions, son exploitation officielle et son tam-tam médiatique ? Que le roman était peut-être au bout de son rouleau et que sa prolifération n'était sans doute rien d'autre que l'annonce de sa mort ? Il n'est pas tout à fait exclu que – pour nous surtout qui écrivons dans une langue menacée par l'histoire – la littérature elle-même touche enfin à son terme. Elle aura duré trois mille ans. Comme disait de sa voix inimitable, avec un accent à couper au couteau, la nuque plus raide que jamais et en pliant les genoux, le commandant von Rauffenstein, c'est-à-dire Eric von Stroheim, au capitaine de Boëldieu, alias Pierre Fresnay, dans une scène célèbre de *La Grande Illusion*, c'est une très belle carrière.

— Vous savez bien que je ne crois pas du tout à ce mythe de la fin du roman, de la littérature et du livre. Le roman n'est pas mort, le livre va survivre et les hommes n'en finiront jamais d'écrire ce qui leur passe par la tête.

— Les hommes, naturellement, n'en finiront pas de rêver. Sous quelle forme, je ne sais pas. Avec quels instruments ? Peut-être avec les machines créées par leur génie ? Ou peut-être contre elles ? Il n'est rien d'impossible à la puissance de l'esprit. Pas même – et peut-être surtout – de se retourner contre lui-même. Le monde ne cesse de changer. Et il ne cesse de rester le même. Le propre de cet avenir qui découle du passé et de notre présent avec une nécessité si rigoureuse, c'est qu'il est imprévisible.

L'histoire, quand elle sera finie, sera un bloc immuable, d'une nature mystérieuse et d'une logique sans faille, flottant on ne sait où, rêvé par on ne sait qui, plus solide que l'airain, à jamais évanoui, à jamais indestructible. Et, à chaque instant de sa démarche, elle aura été incertaine. Hier est nécessaire, demain est aléatoire. Le passé est évident, le futur est invraisemblable. On n'invente jamais que le passé. Tout avenir est une surprise. Tous les prophètes sont de faux prophètes. Je ne compte pas le moins du monde sur la postérité. Je me contente des liens tissés avec mes lecteurs par mes livres successifs. J'imagine que ceux qui me lisent trouvent parfois à leur lecture un peu de plaisir ou d'émotion, peut-être même, de temps à autre, une sorte d'apaisement ou de consolation. Voilà ma récompense. Je ne fête pas Noël là-dessus. Je n'en fais pas un fromage. Je remercie ceux qui me lisent. Et ceux qui me liront. J'aurai ri avec eux. Et pleuré avec eux.

— Ne nous laissons pas aller, dit Clara.

C'était amusant, je l'aimais bien : elle devenait très sûre d'elle.

— Vous avez raison, lui dis-je. Pardonnez-moi. Je vais essayer de me contrôler.

— Revenons à aujourd'hui et à un peu de modestie. Vous avez parlé d'instruments. De quels instruments vous servez-vous pour écrire ?

— J'écris depuis toujours mes livres avec un crayon. Ni ordinateur, ni machine à écrire, ni bureau, ni même encre ou stylo. Ce que j'aime dans mon métier, c'est qu'il n'y a rien de plus simple. Un peintre a besoin de couleurs et d'une toile ; un sculpteur a besoin d'une matière ; à un moment ou à un autre, tout musicien a besoin d'un violon ou d'un piano ; un cinéaste a besoin d'une équipe – et c'est sans doute pour cette raison que le cinéma ne m'a jamais tenté. Je suis seul et je n'ai besoin de rien. Il me faut peu de chose pour être libre et heureux. Quand je me mets au travail, le plus souvent n'importe où, j'ai le sentiment – sans doute illusoire – de recopier un texte qui s'est fait tout seul à l'intérieur de moi-même. Pour le fixer et l'écrire, un crayon m'est utile, et un morceau de papier. Ce n'est pas le bout du monde.

Dans des conditions autrement difficiles et cruelles que les miennes, qui ont toujours été fort douces, plusieurs ont été contraints, à leur corps défendant, d'emprunter un chemin qui me laisse très loin derrière eux. Sans crayon, sans papier, dépourvu de tout dans son goulag, Soljenitsyne se répétait chaque matin les phrases formant un livre qui n'existait que dans sa tête. Le livre croissait chaque jour et chaque jour l'exercice prenait un peu plus de temps. Arriva un moment où la récitation intérieure ne lui permit plus de poursuivre et de progresser : elle durait toute la journée et mordait sur la nuit. Dans son camp de prisonniers, Fernand Braudel, sans bibliothèque, sans documents, sans table de travail, construisait en lui-même sa thèse sur *La Méditerranée et le monde méditerranéen à l'époque de Philippe II*. Chez moi, nul héroïsme et le plus plat des conforts.

— Ne regrettez-vous pas, parfois, ce que vous appelez votre confort ?

J'hésitai un instant.

— Ce qui m'a longtemps fasciné, c'est l'œuvre unique. Celle qui résume toute une vie et se confond avec elle : l'*Iliade* et l'*Odyssée*, *La Divine Comédie*, *Pantagruel* et *Gargantua*, *Don Quichotte*, les *Essais* de Montaigne. Dans le siècle qui vient de s'écouler, *Ulysse* de Joyce et *À la recherche du temps perdu*. Balzac semble donner l'exemple inverse : en une vingtaine d'années à peine, au prix d'un travail acharné qui le fait mourir à cinquante ans, il écrit quelque quatre-vingts livres dont la plupart sont des chefs-d'œuvre. À peu près quatre par an. Il revendique cet éparpillement : « Il n'y a rien, assure-t-il, qui soit d'un seul bloc dans ce monde, tout y est mosaïque. » Mais ce modèle de fécondité et de diversité se rattache encore au mythe de l'œuvre unique. Un soir de 1833, il jette à sa sœur, Laure Surville, une phrase pleine de simplicité et d'orgueil : « J'ai trouvé une idée merveilleuse. Je serai un homme de génie. » Quelle est cette invention miraculeuse qui est à la source de *La Comédie humaine* ? C'est le retour des personnages. Rastignac, par exemple, apparaît dans *La Peau de chagrin*, puis dans *Le Père Goriot*, où il lance à Paris, du haut du Père-Lachaise, son apostrophe fameuse : « À nous deux, maintenant ! », puis dans *La Maison Nucingen*, dans *Les Illusions perdues*, dans *Splendeurs et misères des courtisanes*. L'atroce Vautrin, alias Jacques Collin, alias Trompe-la-mort, alias l'abbé Carlos Herrera, alias Vidocq, ou la princesse de Cadignan, ou Mme de Beauséant, ou Marsay, ou Rubempré, ou Montriveau et une foule d'autres personnages, plus présents et plus réels que tant de créatures de notre monde de chaque jour, passent, eux aussi, de roman en roman.

J'ai beaucoup rêvé à ces œuvres qui dévoraient la vie et se substituaient à elle. J'ai trop aimé la vie pour la sacrifier à la littérature. Je n'ai pas été capable d'écrire ce livre unique où se refléterait un monde. Un vers de Vigny m'a longtemps trotté dans la tête :

Tout homme a vu le mur qui borne son destin.

— Vous allez me faire pitié, dit Clara. N'avez-vous écrit que des navets, voués d'avance à l'oubli ?

— Franchement, lui dis-je, je ne sais pas. Il y a une forme de modestie qui n'est qu'orgueil inversé. Je vais vous confier quelque chose qui n'est pas un secret puisque chacun peut sans peine en vérifier l'exactitude, quelque chose qui peut à la fois m'accabler et me servir d'excuse : j'ai toujours écrit la même chose sous des formes diverses, je me suis beaucoup répété, chacun de mes livres se confond avec les précédents et reprend les mêmes thèmes avec obstination. Le premier chapitre de mon *Histoire du Juif errant* s'appelle « La Douane de mer » et *La Douane de mer* est le titre d'un autre de mes livres. Je vous ai beaucoup parlé ce matin de Plessis-lez-Vaudreuil et Plessis-lez-Vaudreuil est au centre des pages que j'ai consacrées à mon grand-père dans *Au plaisir de Dieu*. Le thème de la totalité, ou celui de l'indifférence passionnée, ou celui de la fête en larmes traînent dans tout ce que j'ai écrit. Chateaubriand me hante depuis des années. Et je n'ai jamais cessé de tourner autour du temps, de ce temps qui passe et qui dure, de ce temps qui se confond si fort avec nous qu'il nous est impossible de le comprendre, de ce temps dont saint Augustin dit magnifiquement, au livre IX de ses *Confessions* : « Si tu ne me demandes pas ce qu'est le temps, je sais ce que c'est ; mais dès que tu me le demandes, je ne sais plus ce que c'est. »

— Ah ! remarqua Clara, seriez-vous moins libre que je ne pensais ? Faut-il vous voir en proie à des torrents d'idées fixes, d'obsessions, peut-être de manies irrépressibles ?

— Vous pouvez parler de tocs, lui dis-je.

— De tocs ?

— De troubles obsessionnels compulsifs. Vous vous rappelez Quintin Crawfurd ?

— Celui de l'hôtel Matignon ?

— Celui de Talleyrand et de l'hôtel Matignon. Ne disons pas que c'était un toc. C'était une obsession. Une obsession mineure. Je suis désespérément normal. À un point navrant qui risque à chaque instant de me condamner à la banalité perpétuelle. Grâce à Dieu, un petit manège d'images, de sentiments, d'idées tourne sans fin dans ma pauvre tête. Toujours les mêmes d'ailleurs, et en nombre très restreint.

— Plutôt borné, alors ? dit Clara.

— Je crois avec fermeté qu'un écrivain, un romancier surtout, n'a pas avantage à être trop intelligent. Sans doute n'a-t-il pas intérêt à être un crétin patenté, un imbécile à brevet. Mais, à l'inverse d'un philosophe, d'un spécialiste de la physique mathématique, d'un de ces grands intellectuels vénérés dont chaque parole est un trésor – et qui se trompent, vous le savez, avec une allégresse qui n'en finit pas de m'enchanter –, il n'a pas besoin de faire preuve d'une brillante intelligence. Un lot choisi de névroses plus ou moins apprivoisées lui sera bien plus utile.

— Me donneriez-vous, me demanda Clara avec beaucoup de courtoisie, quelques échantillons des vôtres ?

— Vous le savez déjà : en gros, ça va à peu près. Je dors beaucoup, je ne suis pas guetté par l'alcoolisme ni par l'obésité, je ne roule guère d'idées noires. Pour parler comme le ridicule duc de Maulévrier dans *L'Habit vert*, je me porte bien. Tout au long d'une vie dont le bout s'annonce déjà, je n'ai pas eu besoin de m'allonger sur des divans ni d'aller voir de ces gens dont le métier, selon la formule de Freud, est de transformer en bonnes vieilles névroses des douleurs insupportables. J'ai souffert comme tout le monde – peut-être, merci, mon Dieu, un peu moins que tout le monde. J'ai eu ma part de chagrins, dont j'ai parlé le moins possible. Vous rappelez-vous l'acedia ?

— Inoubliable, dit Clara. Comme la moindre de vos paroles.

— C'est ça, lui dis-je : continuez donc à vous moquer de moi. L'acedia, la dépression, l'angoisse du petit matin m'ont été étrangères. S'il y a quelque chose qui m'a tourmenté, en me donnant de grands bonheurs, c'est la présence du temps. Il n'y a pas de jour, il n'y a peut-être pas d'heure où le temps et sa cruauté ne m'aient été sensibles à l'esprit et au cœur.

Dans la plupart de mes livres, j'ai beaucoup parlé du temps. La physique mathématique d'aujourd'hui, à laquelle, comme vous et comme la plupart des autres, je ne comprends presque rien, est tentée d'affirmer d'abord que le temps est réversible, et ensuite, ce qui est plus radical, qu'il n'existe pas. Je veux bien le croire – mais je ne le crois pas. Comme tout le monde encore, vous savez que la relativité généralisée d'Einstein rend compte aussi bien que possible de l'infiniment grand et que la théorie quantique rend compte avec le même succès de l'infiniment petit. L'ennui est que les deux théories sont incompatibles entre elles et exclusives l'une de l'autre. L'ennui est aussi qu'il y a des circonstances qui réclament à grands cris leur action conjointe et leur collaboration – au cœur d'un trou noir, par exemple, ou dans l'étude de la singularité que constituent les deux ou trois premières secondes de l'univers, protégées, comme vous savez, par ce qu'on appelle le mur de Planck et où l'infiniment grand et l'infiniment petit sont inextricablement imbriqués. Le dernier avatar de la physique mathématique est la fameuse théorie des cordes qui se propose d'unifier, à l'aide d'une bonne dizaine de dimensions cachées au lieu de nos trois ou quatre dimensions de chaque jour et au prix de calculs qui nous dépassent vous et moi, la relativité générale et la théorie quantique. Cette théorie des cordes finit par mettre en doute l'existence, si familière, d'un temps irréversible. Ce qui m'a toujours fasciné, au contraire, et en vérité terrifié, c'est l'irréversibilité de cette flèche du temps qui vole avec obstination, pour vous, pour moi, pour nous autres, pauvres mortels, du passé vers l'avenir. Et qui fait de l'univers une machine à changer de l'avenir en passé et des vivants en morts.

Vous connaissez ces horloges où l'aiguille des secondes, au lieu de progresser de façon insensible et continue, bondit à chaque seconde d'un espace minuscule et discontinu. Ou ces montres à quartz où le deux laisse soudain la place au trois que remplace aussitôt un quatre déjà menacé par le cinq. Chez le médecin, dans les gares, au guichet des banques ou des administrations, ce mécanisme sans pitié n'a jamais cessé de me remplir d'un malaise délicieux. Nous sommes dans le temps. Ou le temps est en nous, je ne sais pas. Ce qui est sûr, c'est qu'il nous emporte et qu'il nous tue. Et ce n'est pas assez dire. Nous, notre histoire, nos sentiments et nos passions, notre pensée, la totalité de l'espace, le monde autour de nous, l'univers tout entier n'est rien d'autre que du temps. Il y a, tout au début, quelque chose de singulier et d'incompréhensible que nous appelons le big bang – et puis il y a le temps. De rien, ou de presque rien, il fait quelque chose – et tout.

Le propre du temps est de passer. Et le propre du temps est de durer. Le temps dure et le temps passe. Il construit le monde et, du même mouvement, il le détruit. J'ai ressassé sans fin cette évidence banale et cruelle qui se résume en trois mots : nous mourrons tous. Il est même inutile de mettre la formule au futur. Nous mourrons tous, bien sûr. Mais beaucoup sont déjà morts. Le passé et le futur se conjuguent dans l'appel du néant. Le présent est plus simple : nous mourons tous. Nous mourons tous les jours. Nous mourons à chaque instant. Nous sommes, vous et moi, déjà en train de mourir. Nous mourons puisque nous sommes nés. Vivre n'est rien d'autre que commencer à mourir.

Qui nous a appris que nous allons mourir ? Personne. Nous le savons, voilà tout. D'ailleurs, nous le savons, mais nous ne le croyons pas. Si nous le croyions vraiment, nous ne vivrions pas comme nous vivons. La mort est un secret qu'aucun de nous n'ignore, mais qu'une grâce inconnue nous permet à chaque instant de nous cacher à nous-mêmes. Nous vivons, nous travaillons, nous écrivons, nous faisons de la musique ou de la peinture, nous bâtissons des empires et nous gagnons de l'argent parce que nous ne croyons pas ce que nous savons depuis toujours. L'histoire est une illusion et le monde est une imposture parce que nous enfouissons au plus profond de nous-mêmes le grand secret éventé de la mort née du temps. Est-ce que je vous ennuie ?

— Mais non ! dit Clara. Je sais depuis longtemps, c'est-à-dire depuis ce matin, combien votre gaieté est sinistre.

— Vous vous trompez ce soir, lui dis-je, comme vous vous trompiez ce matin. Ma gaieté n'a rien de sinistre. C'est mon chagrin qui est très gai. J'ai bien tort, d'ailleurs, de parler de chagrin. Optimisme et pessimisme sont également absurdes. Au même titre que le ravissement élégiaque ou l'hilarité perpétuelle, le chagrin, la mélancolie des poètes, notre fameux désespoir sont des balançoires pour imbéciles. Ouvrons les yeux : ce qui est sinistre – et très gai –, c'est l'homme, c'est l'histoire, c'est la vie, c'est le monde. Il faut prendre avec gaieté non seulement notre condition humaine, passagère et fragile, mais la totalité d'un univers depuis toujours menacé. L'univers est immense, et il est condamné. En douteriez-vous, par hasard ? Notre Soleil aura une fin, et toutes les étoiles avec lui. Avant lui, après lui, et en tout cas comme lui. Chacun de nous n'est presque rien, et il disparaîtra. Y compris les plus grands, dont le nom traîne quelques siècles ou quelques millénaires dans nos esprits fragiles et dans une mémoire collective destinée à flancher. Rien ne dure que le temps qui n'en finit pas de passer. Avant, j'imagine, de disparaître à son tour : je doute beaucoup, je l'avoue, de l'éternité du temps. Et nous devons nous réjouir d'être tombés par hasard ou par nécessité, par erreur ou par grâce, dans ce temps improbable et peut-être passager.

J'ai en horreur la contemplation amère et lar-moyante du désastre de l'univers et de l'échec de la vie. Le temps, vous n'avez pas besoin de moi pour le savoir, vient à bout de la vie et il viendra à bout de l'univers. Tout se passe en vérité comme si la vie et l'univers étaient déjà balayés et réduits à néant. L'origine du monde et le jugement dernier sont encore et déjà au cœur de ce que nous sommes. Le monde se crée à chaque instant et il agonise à chaque instant. Il naît avec chaque enfant, il meurt avec chaque mourant. Avant de se dissiper tout entier avec armes et bagages, d'une façon ou d'une autre. Le dernier mot est à la mort – et la vie est très belle. Le miracle du temps fait que l'univers et la vie, qui ne sont sans doute qu'illusion, sont pourtant là pour nous dans un présent vacillant qui est la seule image de l'éternité que nous ayons le droit de nous faire. Ils sont une gloire et un bonheur. Et je vomis ceux qui nient le bonheur de la vie et la grandeur du monde.

— Ah ! tout de même ! dit Clara.

— Je n'ai jamais rien fait d'autre que de chanter la vie. Au cœur de la vie, le temps. Le temps, je ne sais pas ce que c'est. Et je crois que personne ne le sait, ni ne le saura jamais. Il est trop proche de nous, puisqu'il se confond avec nous, pour que nous puis-sions en parler. J'en ai beaucoup parlé. Nous vivons, chacun l'éprouve, dans un éternel présent qui, écrasé entre un avenir qui surgit de nulle part et un passé au statut fantastique jusqu'à l'invraisem-blance, ne cesse jamais de s'évanouir, n'a presque pas d'existence, et occupe pourtant, en ne cessant jamais de renaître, la totalité du champ dont nous disposons. Personne, depuis que le monde est monde, n'a jamais vécu autrement que dans un présent triomphant et évanescent, toujours contraint par la pression d'un avenir plein de mystère à tomber sans trêve dans le passé.

Cette présence à la fois si simple et si paradoxale du temps m'a toujours semblé jeter comme un voile métaphysique, comme un parfum d'éternité sur le monde et la vie. Il est permis de supposer que la matière, la vie, la pensée elle-même sortent d'un jeu du hasard et de la nécessité. Mais le mécanisme du temps peut-il être mis, lui aussi, sur le compte du hasard ? Ou faudrait-il l'excepter de toute interrogation sur l'origine et l'accepter comme une évidence qui ne poserait pas de problèmes ? Il en pose, bien sûr, et ils ne sont pas près d'être réglés.

Ce que le temps nous apprend, c'est que notre monde est une énigme. Les uns diront que cette énigme est un secret et un mystère et que ce secret sera levé et que des torrents de lumière éclaireront ce mystère. Les autres diront que l'énigme est un autre nom de l'absurde – un absurde d'une cohérence et d'une régularité stupéfiantes – et que l'univers et notre vie sont absurdes de bout en bout.

— Et vous, demanda Clara, que dites-vous ?

— Que je ne sais pas, lui dis-je. Si je savais, je serais Dieu. Ou ce que nous appelons Dieu. Ou ce que nous nous refusons à appeler Dieu. Je ne suis pas Dieu. Je ne sais pas.

— C'est un peu facile. Je sais bien que vous ne croyez à rien...

— Dans ce monde, lui dis-je.

— Oui, dans ce monde. Mais dans l'autre ? Croyez-vous à un autre monde ? Vous devez avoir une idée, un sentiment, quelque chose qui n'ait rien à voir avec le savoir et qui donne un sens à ce que vous êtes et à ce que vous faites. Vous m'avez dit ce matin qu'il était trop tôt pour parler de Dieu. Maintenant, il est déjà tard. Nous sommes ensemble depuis plus de six heures. La nuit, cette fois, commence à tomber. Je pose à nouveau ma question : croyez-vous à autre chose qu'à ce monde édifié par le temps et détruit par le temps ?

— J'ai écrit un livre là-dessus. Il portait un titre où le chagrin se mêlait au bonheur, où les ombres du soir le disputaient à la lumière de l'enfance et de la jeunesse : *C'était bien*. Au détriment de l'absurde, il se prononçait sans preuve pour une espèce d'ordre des choses. Je crois que le monde a un sens, je crois que la vie a un sens. Et je ne sais pas lequel. Je crois, en vérité, que le monde entier est un roman inachevé. Tous les romans – je parle des plus beaux et des plus grands – ne sont jamais que des fragments d'une formidable aventure dont nous sommes les jouets. Vous connaissez la formule de ceux qui s'écrient sans se lasser, à l'usage d'un éditeur qu'ils n'ont pas encore trouvé et qu'ils ne trouveront jamais, que leur vie est un roman. Ils se tordent les bras :

— Ah ! publiez-moi, je vous en prie, lancez-moi sur le marché ! Ma vie est un roman...

— Balivernes ! Foutaises ! Ce qui est un roman, c'est l'univers. Alors, là, quel chef-d'œuvre ! Vous souvenez-vous de Sartre à propos de Mauriac : « Dieu n'est pas un artiste... » ? Quoi ! Dieu ne serait pas un artiste ? C'est le plus grand des tragédiens, des auteurs comiques, des peintres, des sculpteurs, des musiciens, des géomètres aussi et des mathématiciens. C'est le plus grand – et d'ailleurs le seul : les autres ne font que le copier – des poètes et des romanciers. À travers la foi, le sexe, l'argent, le savoir, le pouvoir, nous nous débattons comme nous le pouvons dans ce grand roman sans fin dont l'auteur anonyme reste caché à nos yeux et dont nous sommes les héros minuscules et suffisants. Ai-je répondu à votre question ?

— À mon tour de vous répondre : je ne sais pas.

— Vous ne savez pas. Je ne sais pas. Personne ne sait, personne ne peut savoir. Et personne ne saura jamais. La science avance. C'est le progrès. Nous en savons de plus en plus. Un enfant de sept ans, aujourd'hui, en sait plus sur le monde que Parménide et Aristote. Et sur tous les secrets de l'univers, sur son origine, sur notre destin, sur notre fin, sur le temps, nous n'en savons pas plus que Socrate ou Platon qui croyait à des Idées et à des Formes dont nous serions les reflets et auxquelles nous ne croyons plus.

Dans cette ignorance universelle, si savante, si pleine d'inventions de génie et de cris de désespoir, qu'ai-je donc fait ? À la façon de beaucoup d'autres, j'ai raconté notre histoire. Une fois de plus. Comme j'ai pu. Avec mes moyens qui étaient limités. Chacun de mes livres était un essai de description de ce monde improbable que nous appelons réel, un fragment d'inventaire de ses bonheurs et de ses troubles. Vous rappelez-vous mes illuminations sur le campus de Bryn Mawr ? Alors, il me semblait que des cieux allaient s'ouvrir devant moi et que le grand secret allait m'être livré. Les cieux ne se sont pas ouverts. Je n'ai pas percé le grand secret. Je n'ai pas soulevé le moindre coin du voile jeté sur nos destins. J'ai vécu comme tout le monde. Chaque auteur de quelques pages s'imagine toujours apporter une réponse, et peut-être la réponse, aux questions de son temps. J'ai écrit quelques livres qui se sont perdus très vite dans le flot de l'histoire.

De quoi me plaindrais-je ? Les plus grands eux-mêmes sont emportés par le temps. Platon,

Aristote, Dante, Descartes, Newton ou Kant, Hegel ou Darwin, Marx, Freud ou Einstein...

— Ah ! dit Clara, vous les croyez plus grands que vous ?

— Taisez-vous, mademoiselle ! taisez-vous, l'insolente !... ont écrit des ouvrages qui ont bouleversé les esprits et changé l'image que nous pouvions nous faire de nous-mêmes et de l'univers autour de nous. Ils n'ont pas changé notre condition de créatures enfermées dans le temps et bornées par la mort. Il est raisonnable de les lire et de les admirer. Il est toujours permis de les contredire ou de les ignorer. Ils finiront, un beau jour, par être oubliés, eux aussi, et par être roulés dans le fameux linceul de pourpre où dorment les dieux morts.

Ils auraient peut-être eu une réponse à la question que vous me posez. Les réponses, vous le devinez, auraient été diverses, souvent contradictoires, et aucune n'aurait entraîné l'assentiment de tous. Ils ont infléchi notre histoire parce qu'ils avaient du génie et qu'ils ont fait avancer le savoir. Ni le génie ni le savoir ne suffisent pour répondre à votre interrogation. Le monde est ainsi fait que, sur les questions les plus décisives, sur le fondement de l'univers, sur le sens de la vie, sur ce qui nous attend après la mort, le dernier des ignorants en sait autant, et peut-être plus, que les sages, les savants, les génies. Rien de plus démocratique, en dépit des apparences, que la métaphysique. Une des clés du mystère – s'il y a des clés au mystère – est que, pour nous au moins, le mystère n'a pas de clé. Le savoir est un enthousiasme. Savoir qu'il n'y a pas de savoir qui se suffise à lui-même et qui suffise à tout savoir est un autre enthousiasme – plus triste peut-être, mais aussi exaltant que le premier.

Nous sommes pris entre un besoin et une impossibilité de savoir. Tout savoir est fragmentaire et partiel. Le savoir absolu nous échappe. Il nous échappera toujours. Notre grandeur est d'y aspirer. Et il nous est interdit. Le monde apparaît comme un système qui s'offre et se refuse à notre investigation. Nous en savons de plus en plus et pourtant jamais assez. Nous ne cessons d'avancer et on dirait que l'objet de notre savoir s'éloigne à mesure que nous avançons. Plus nous obtenons de réponses, plus nous suscitons de questions. Le savoir est une poupée russe : des problèmes anciens que nous avons réussi à résoudre surgissent indéfiniment des problèmes nouveaux que nous résoudrons à leur tour et qui renverront à leur tour à d'autres questions, toujours plus innombrables et toujours plus ardues. Ou, si vous préférez, le savoir est une asymptote : il se rapproche indéfiniment de son but qui est la vérité et il ne l'atteint jamais. Il ne peut pas l'atteindre. Tout se passe comme si non seulement nos origines, mais notre fin, notre condition, le sens de notre existence et de notre action étaient protégés par une barrière impossible à franchir. Comme si nous étions nous-mêmes séparés de nous-mêmes par une sorte de mur invisible.

— Un mur de Planck généralisé ?

— On ne saurait mieux dire. Vous n'avez plus besoin de m'interroger : vous répondez mieux que moi aux questions que vous pouvez me poser et vous poser. Nous sommes jetés dans le temps pour une durée limitée, avec des ambitions qui n'ont pas de bornes et des moyens qui en ont. Nos rêves nous dépassent. Nous sommes trop grands pour nous. Quel que soit, dans les hautes époques, le succès de ses entreprises, chaque génération déclinante, devant la fin de ses illusions et l'échec de ses efforts, s'inquiète du sombre avenir qui lui paraît soudain menaçant – et chaque génération montante s'embarque, dans les rires, avec enthousiasme et avec aveuglement, sur les bateaux qui partent couverts de fleurs et toutes voiles déployées vers des terres nouvelles et de nouvelles aventures vouées, comme toujours et comme toutes les autres, successivement au triomphe et à la désillusion. Nous n'en finissons jamais de caresser des espérances qui n'en finissent jamais d'échouer pour renaître de leurs cendres avant de périr à leur tour. Au point que, le but ne pouvant jamais être atteint, le parcours, peu à peu, l'emporte sur la destination impossible et rêvée.

> *Wer immer strebend sich bemüht,*
> *Den können wir erlösen.*

Ce qui compte sur notre chemin...

— Votre chemin..., dit Clara.

— Mon chemin, lui dis-je, n'a pas beaucoup d'intérêt. Il ne mérite pas que nous nous y attardions. Vous souvenez-vous de mes réticences à vous parler ce matin ?

— Si je m'en souviens ! dit Clara. Je vous trouvais odieux. J'ai bien failli m'en aller.

— Vous auriez peut-être mieux fait. Et j'aurais mieux fait de me taire. Nous parlons toujours trop. J'ai trop parlé depuis ce matin. Il n'est pas impossible que nous ayons tous trop parlé depuis quelques millénaires. Et surtout depuis ces quelques années où le vacarme des paroles devient assourdissant. On n'entend plus parler personne tant les paroles font de bruit. Ne ressentez-vous pas, comme moi, sous l'avalanche permanente des images et des mots, un besoin de silence ? On rêve d'arrêter, pour une journée sabbatique, pour quelques heures de salut, le flot ininterrompu des commentaires et des conversations, des télévisions et des radios. On rêve aussi d'un livre qui rendrait pour quelques instants le lecteur à lui-même. J'ai longtemps été fasciné par le livre qui vous entraîne avec lui et qu'il est impossible de lâcher. Je me demande, au contraire, aujourd'hui si le grand livre n'est pas celui dont le lecteur se détache avec gratitude et amitié et qu'il pose à côté de lui pour mieux rentrer en soi-même.

— J'ai une idée..., dit Clara.

— Je n'en suis pas surpris.

— Mais je n'ose pas vous la dire...

— Allez-y. N'ayez pas peur.

— Je me demande, dit-elle très vite, si votre besoin de silence, si votre pessimisme un peu nouveau...

— Pessimisme ? lui dis-je. Je suis tout, sauf pessimiste.

— ... Enfin..., votre éloignement, si vous préférez, l'accent mis sur le passager et sur le périssable, votre sens de l'inutilité et de la vanité des choses, si tout ce retrait de l'action et du vacarme du monde n'est pas dû à...

Elle s'arrêta, tout à coup. Elle me regarda. Elle baissa les yeux.

— N'est pas dû à quoi ? lui demandai-je.

— À votre âge, souffla-t-elle.

— Vous savez, lui dis-je, chacun est ce qu'il est. Une formule, naguère, a eu son heure de gloire : « D'où parlez-vous ? » Je n'ai jamais caché d'où je parlais. Je suis né dans un château, ma famille est catholique, j'ai passé des concours, j'ai vécu au milieu d'écrivains, j'ai souvent rêvé d'être un intellectuel juif, je fais la différence et je n'établis pas de hiérarchie entre un Arabe et un Bourguignon, entre

267

un jésuite et un musulman, entre un garagiste et un ministre ou un président-directeur général, j'ai longtemps été très jeune, non, pas toujours le premier, mais – rue d'Ulm, en Autriche, en Allemagne avec François-Poncet, dans le club des professeurs de Bryn Mawr, à la tête d'un journal en France – souvent le plus jeune. et puis, tout à coup, comme c'est curieux, voilà, je suis vieux. Je pourrais être non plus votre père ni votre grand-père, mais votre arrière-grand-père. « Ah ! soupirait Chateaubriand, en montant, déjà âgé, l'escalier de la via delle Quattro Fontane à Rome, sur la colline du Quirinal, vers la jeune Hortense Allart qui allait être son dernier amour – "laissez-moi appuyer, ne fût-ce qu'en rêve, ma vie contre la vôtre..." –, ah ! si j'avais encore mes soixante ans ! »

Les années pèsent, bien sûr, on change, on vieillit. Vieillir est le seul moyen de ne pas être déjà mort. Et il me semble pourtant – mais on se trompe sur soi-même autant et plus que sur les autres – que je suis resté fidèle à mes rêves de jadis. J'ai toujours aimé une vie menacée par la mort. J'ai toujours aimé le soleil, la mer, l'ailleurs, les lointains, les mots brefs, ne rien faire, la mélancolie, le plaisir et le rêve. Je les aime toujours. Je n'ai jamais cessé de détester l'importance, l'ennui, les obligations inutiles, toute cette poudre jetée aux yeux et qui va se nicher dans les coins les plus imprévisibles et chez les êtres les plus insoupçonnables. Je les déteste toujours autant, et encore davantage. Aujourd'hui comme hier, je me méfie des grands mots et des sentiments affichés, de la frime qui se glisse partout, des systèmes, de la mode toute-puissante, de l'oppression universelle qui se camoufle sous les apparences les plus variées et les plus subtiles. Au rebours de convictions largement répandues, je crois que la vie est belle. Elle est affreuse et belle, et il faut l'aimer avec simplicité. Je l'aime aujourd'hui comme je l'aimais hier. Et peut-être plus qu'hier.

Le temps qui passe met, c'est vrai, une différence de taille entre nos premières années et les dernières. Ce qui nous emporte au début, c'est l'espérance ; ce qui nous console vers la fin, c'est le souvenir. Qu'avons-nous fait, vous et moi, depuis six ou sept heures ? Nous avons évoqué des souvenirs. Ils sont aussi vifs, aussi forts, plus proches peut-être de nos rêves d'éternité que les grandes espérances de ma jeunesse évanouie.

Mon Dieu ! que le monde était grand lorsque j'avais votre âge ! Il n'était pas toujours gai, mais il était plein d'avenir. Je n'attends plus grand-chose d'un avenir qui, pour moi, se rétrécit à vue d'œil. Je n'ai plus beaucoup d'espérances. J'ai encore moins d'ambitions que je n'en avais à Bryn Mawr. J'ai cueilli ce que j'ai pu des fruits de l'existence et des dons de la vie. Merci. Merci beaucoup. Je ne suis plus candidat, si je l'ai jamais été, à ces formes variées et avariées de la reconnaissance publique. J'ai été très heureux. Je le suis autrement, et peut-être davantage. Je suis content de vous voir parce que vous avez vingt ans, des cheveux blonds, un long cou...

— ... des seins ronds ? dit Clara.

— Je ne sais pas, lui dis-je..., des idées fraîches et claires et que vous me rappelez votre grand-mère, qui était plus obscure que vous et que j'ai aimée à vingt ans. Ne vous donnez pas trop de mal pour publier notre entretien. Son succès ou son insuccès n'empêchera pas la Terre de tourner. Et on s'en fiche un peu.

— Je ferai ce que je pourrai. Et je ne doute pas

beaucoup de son succès. Et je vous soupçonne, je vous l'avoue, d'un peu de fausse modestie. Tout ce que vous avez entrepris et vécu, vos livres, vos voyages, vos amours, vos éblouissements, les ambitions que vous niez, un peu en vain je le crains, les échecs dont vous vous vantez et les succès que vous faites semblant de dédaigner, vous en fichez-vous vraiment ?

— Je ne m'en fiche pas du tout, lui dis-je, puisque c'était ma vie et que je n'en ai eu qu'une. À mes yeux au moins, c'était très important. Et c'est toujours très important. Aux yeux des autres..., je ne sais pas. Franchement, j'ai quelques doutes... Soyez sûre, en tout cas, que je tiens à mes souvenirs au moins autant que je tenais, dans ma jeunesse passée, à mes espérances et à mes illusions. Et je vous suis reconnaissant de les avoir ressuscités et de m'avoir permis de passer quelques heures avec eux. Et aussi avec vous.

Je dois vous avouer que je n'aime pas beaucoup les interviews...

— Je l'ai compris assez vite.

— Je me méfiais de notre rencontre : je l'imaginais comme une corvée. Et puis, grâce à vous, j'ai vu défiler ma vie comme si c'était la vie d'un autre. D'un autre qui me ressemblerait comme un frère, qui aurait fait mes études, qui aurait écrit mes livres – et qui ne serait pas moi. Vous m'avez fait assister à quelque chose qui pourrait passer pour le roman rêvé de ma vie. Oh ! un roman bien imparfait... Que de visages j'ai oubliés !... Que d'événements j'ai passés sous silence !... Et peut-être, bien pis, que de détails inventés, d'interprétations inexactes, de commentaires discutables !... Pardon pour mes omissions et pardon pour mes erreurs. Vous savez bien que le passé, comme tout le reste, ne nous parvient qu'à travers le présent. Nous le reconstruisons comme nous pouvons et il finit toujours par ressembler beaucoup plus à ce que nous sommes aujourd'hui qu'à ce qu'il était hier.

J'aurais dû, je ne l'ignore pas, pour ne pas vous faire perdre votre temps et pour retenir vos lecteurs, profiter de ces six heures... Quelle heure est-il, maintenant ?

Clara regarda sa montre.

— Presque sept heures, dit-elle.

— Mon Dieu !... de ces huit heures que nous avons passées ensemble pour dresser un tableau de près de trois quarts de siècle d'histoire politique et intellectuelle – entre l'effondrement de la IIIe République et les débuts du terrorisme intégriste. Entre la montée du nazisme et l'émergence d'une Chine où le communisme imposé par Mao constitue le cadre idéal pour une économie de marché. Vous auriez pu voir passer Gide, qui nourrissait à mon égard, pour des raisons obscures, une indulgence coupable, et Malraux, qui, dès que j'ouvrais la bouche, me lançait un terrifiant : « Développez ! » en s'enfonçant un doigt dans la joue avant de me parler de l'Esprit saint et de l'Apocalypse et de m'assurer, à mon effroi, que le cadavre du Commandeur était toujours dans le placard, et Valéry, qui détestait l'histoire et la philosophie, maîtresses, à ses yeux, de vanité et d'erreurs, et Aragon, qui m'appelait : « Petit », et Morand dans sa minuscule et rapide voiture rouge où il grimpait à toute allure, les jambes un peu torses, pour filer vers Trieste où reposait Hélène qu'il avait trompée avec allégresse et aimée plus que personne. J'aurais dû vous raconter mes rencontres – tombeau ! secret d'État ! – avec François Mitterrand, avec Faulkner, avec Hemingway à la veille de sa mort, avec Kim Philby et sir Anthony Blunt, conservateur des peintures de la reine d'Angleterre et agent soviétique, qui essayaient de me convaincre de passer, comme eux, au service de Staline. J'aurais dû...

— Pensez-vous vraiment que vous auriez dû ? demanda Clara.

— Je ne sais pas, lui dis-je. L'idée me vient d'un gros titre sur vos trois pages gâchées. Quelque chose comme :

RÉVÉLATIONS SUR NOS GRANDS ÉCRIVAINS

ou :

TOUT CE QUE VOUS AVEZ TOUJOURS VOULU
SAVOIR SUR LA LITTÉRATURE FRANÇAISE

Hein ! qu'en pensez-vous ? Est-ce assez dans le goût du jour ?

— Je ne suis pas sûre..., murmura Clara.

— Moi non plus, lui dis-je. Ce n'est pas mon genre. Annulons tout, voulez-vous ? Et retrouvons-nous la semaine prochaine pour un entretien de trois jours où j'inventerai autre chose.

— C'est très gentil à vous..., dit Clara.

Elle avait l'air un peu effrayée.

— ... Je serai toujours heureuse de vous revoir. Mais pour l'interview, je crois que ça ira comme ça.

— Ah ! j'en doute, lui dis-je, j'en doute beaucoup. Il me semble tout à coup avoir été très infidèle au passé et à mon propre parcours. Je n'ai rien rendu de l'époque ni de mes sentiments. À quoi servent les romanciers sinon à remplir les trous laissés par les historiens ? Les historiens rapportent les faits : les guerres, les traités, les révolutions, la production économique, les grèves, les attentats.

Les romanciers se chargent du reste : la couleur de l'air, la façon de se tenir, les tics de langage, l'adultère, les idées dans le vent, le sadomasochisme des moins de douze ans, l'affreuse complication des esprits qui font le contraire de ce qu'ils veulent et qui disent ce qu'ils ne pensent pas. Ai-je fait sentir tout cela ? Je crains bien que non. Alors, à quoi bon tout le mal que vous vous donnez ? À quoi bon tant de notes ? À la corbeille ! à la corbeille ! Et mettons que je n'aie rien dit.

— Allez ! laissa tomber Clara en éteignant sa cigarette.

— Quoi, allez ?

— Vous n'en pensez pas un mot.

— Je le pense, au contraire, avec beaucoup de sérieux. Tout ce qui n'est pas nécessaire, il est possible et souhaitable de le jeter par-dessus bord.

— De tout ce que vous m'avez raconté en huit heures, vous ne voudriez rien retenir ?

J'hésitai un instant.

— Si, bien sûr. Dans des temps mythologiques, votre grand-mère m'a beaucoup plu.

— C'est tout ? demanda Clara.

— Non, lui dis-je. Le général de Gaulle était un grand homme. Mon premier livre n'était pas fameux et il m'a fait plaisir. J'ai beaucoup aimé Chateaubriand. Il ne devrait pas être impossible de trouver dans *La Gloire de l'Empire* de quoi s'amuser un peu. Il y a une baie à Symi où je retournerais volontiers. Et le soleil sur la mer. Voilà.

— Et Marie ? dit Clara.

Je marquai le coup.

— Vous trouvez que je ne pense qu'à moi, n'est-ce pas ?

— Mais non, me dit-elle avec douceur, mais non...

273

Et je me sentis un peu comme si j'étais malade.

— Vous ne pensez pas seulement à vous. Vous pensez aussi à Chateaubriand, à Toulet, au temps qui passe et qui dure, à ces choses qui tournent dans le ciel et qui vous donnent le vertige, à une foule de trucs bizarres dont je n'ai pas encore établi l'inventaire exhaustif, aux forêts d'oliviers qui descendent vers la mer. Et peut-être à Marie.

— À Marie ? lui dis-je.

— À Marie, me dit-elle.

Je me levai.

— Voulez-vous un peu de whisky ?

— Si ça peut vous aider, dit Clara, je veux bien.

Je pris un verre pour moi et un verre pour Clara.

— Voilà près de vingt-cinq ans que Marie m'a quitté sur une route des Abruzzes. Pour aller où ? Je ne sais pas. C'était plus grave pour moi et beaucoup plus important que cette indépendance de l'Algérie à laquelle votre père a été mêlé, que les journées de Mai 68, si pleines de poésie dérisoire et de tragi-comédie, que la révolution en Iran, que tous les Nobel de la paix et de littérature dont je me moquais avec gaieté. Quand elle est morte, j'ai voulu disparaître. J'aurais été heureux de mourir pour rester encore, mais en vain, avec elle. Durant plus de trente ans, depuis notre rencontre dans l'antichambre d'Henri Peyre, je n'ai pensé qu'à sa présence. Et, pendant des années, après sa mort, je n'ai pensé qu'à son absence.

Maintenant, je ne pense plus à elle jour et nuit, à chaque instant que Dieu fait. Le temps – vous savez bien, le temps... –, le temps a fait son œuvre. Mais je suis coupé de moi-même. Mon existence a basculé de l'avenir au passé, du futur à l'imparfait. Depuis la fin de mon séjour en Amérique, nous

274

étions tout l'un pour l'autre. Vous savez ce que c'est...

— Non, dit Clara, non, je ne sais pas ce que c'est.

— Vous le saurez un jour, j'espère... Oui, je l'espère pour vous... Vous pouvez, bien sûr, vivre sans ce bonheur qui se change si vite en douleur. Vous pouvez vivre sans cette douleur qui donne tant de bonheur. Sans cette âpre joie, sans ce délire plein de délices, si proche de la torture. Peut-être même vivrez-vous avec plus de plaisir. Avec plus de légèreté, en tout cas. Mais vous ne vivrez pas vraiment. Vous vivrez au ralenti. Vous vivrez – mais vous ne vivrez pas. Même dans le plaisir, surtout dans le plaisir, vous vous demanderez pourquoi vivre. La passion met fin d'un seul coup à toutes les questions sur soi-même : elle les remplace par des questions sur l'autre. Elle fait exploser les routines, elle rend au monde son bonheur et sa violence, elle vous donne un cœur pour battre et des ailes pour voler – et elle vous enferme en même temps. Elle bloque toutes les issues et la victime du sortilège n'aspire plus à rien d'autre qu'à la prison où elle se barricade en détenue volontaire.

J'étais prisonnier de Marie. Je la préférais à ma liberté qui m'était pourtant chère. J'avais le sentiment d'être parvenu au port. Je n'affrontais plus sans elle les périls de la mer. Je me confondais avec elle. Et puis, tout à coup, d'un jour à l'autre, en quelques secondes, elle s'est transformée en souvenir. Je vivais dans la présence de Marie. Et, maintenant, je vis dans son souvenir.

Je parviens à vivre. Je me souviens. Derrière tout ce que je vous ai raconté, les mots, les livres, les voyages, l'histoire en train de se faire, flottent l'ombre de Marie et son visage si pur dont je connaissais chaque détail, le grain de la peau, l'odeur, les rides minuscules creusées par son rire, les pleins et les déliés. Elle vit peut-être en moi, parce que je me souviens d'elle. Je vis surtout par elle. Parce que je me souviens d'elle.

Je me souviens de Marie. Je quitte encore New York avec elle, je me promène avec elle dans le jardin du Luxembourg, je travaille en face d'elle qui lit Borges ou Mishima, j'aperçois au loin avec elle, et sa main dans ma main, les côtes d'Ithaque ou de Corfou, je débarque avec elle dans les petits ports du Dodécanèse, à Kalymnos, à Tilos, à Symi, je découvre avec elle les films de Clint Eastwood ou de Woody Allen, j'arrive à Venise avec elle.

— Elle avait bien de la chance..., murmura Clara.

— C'était vers la fin des années cinquante. Mon Dieu !... Il y a à peu près exactement cinquante ans... Au début du printemps. Venise était encore très loin de l'image qu'elle nous donne aujourd'hui. Elle ressemblait davantage à la ville qu'avaient connue Musset, Henri de Régnier ou Thomas Mann. L'aéroport moderne n'existait pas.

— Mais les avions existaient ?

— Oui, bien sûr : depuis la fin de la guerre, les voyageurs prenaient peu à peu l'habitude de débarquer à Venise autrement que par train. Les bâtiments modestes où arrivaient les avions faisaient plutôt penser à une petite ville de province – à l'aéroport de Bastia, par exemple, qui lui aussi, à l'époque, n'était qu'un bâtiment minuscule, ou à celui de n'importe quelle ville mineure de Méditerranée. Lorsqu'il y avait du brouillard, l'atterrissage, faute d'installation moderne et d'instruments sophistiqués, était impossible et l'avion était, plus souvent que de raison, détourné vers Trieste, vers Bologne, parfois même vers Milan. Il n'y avait, en ce temps-là, pas d'aérodrome à Florence, où les voyageurs ne parvenaient encore que par le train. C'était un âge intermédiaire entre les voyages, toujours semblables à eux-mêmes, de Commynes, de Montaigne, du président de Brosses, de Byron et le tourisme de masse d'aujourd'hui.

Il faisait beau. C'était une chance. Nous avions survolé les Alpes. « À la droite de l'appareil, vous pouvez voir le Mont-Blanc. » Nous le voyions. Nous ne disions rien. Il était là. Nous regardions le monde se dérouler sous nos yeux. Elle était dans mes bras. Comme elle était dans mes bras en voiture quand nous arrivions, plus tard, à Petra ou à Fatehpur Sikrī, la ville fantôme d'Akbar, abandonnée, par manque d'eau, au profit d'Agra, quelques années à peine après sa construction.

Le commandant de bord, j'imagine, était de bonne humeur. Et, poussés par un vent favorable, nous étions en avance. L'avion passait lentement au-dessus de la lagune et se mettait à tourner pour la survoler une seconde fois. On distinguait la mince bande de terre du Lido, parcourue par Byron au galop de son cheval et où Chateaubriand, quelques années plus tard, s'enchantait de découvrir que le souvenir de l'auteur du *Pèlerinage de Childe Harold*, son rival de toujours, était tout à fait oublié par les pêcheurs ahuris qu'il interrogeait avec fièvre sur son illustre prédécesseur. Plus au sud, Chioggia et le souvenir de Goldoni et de son fameux barouf. Au cœur de la lagune, protégée par cette longue digue naturelle, quelques îles éparses que je tentais en vain d'identifier – l'île des Arméniens, le vieil hospice des fous, San Giorgio et son campanile, le fort de Saint-André d'où la frégate envoyée par Bonaparte avait été canonnée... – et puis les deux grandes îles, séparées par un large canal, qui constituaient la reine des mers : la Giudecca, d'un côté, et, de l'autre, Venise proprement dite, coupée en deux par le Grand Canal qui serpentait sous ses trois ponts : le pont de bois de l'Académie, l'arche de pierre du Rialto, le pont des Scalzi, près de la gare. Je montrais en hâte à Marie qui se serrait contre moi la place Saint-Marc, sa basilique, la Piazzetta et ses deux colonnes, le palais des Doges et le pont des Soupirs, plus loin, la masse imposante de l'Arsenal, et, de l'autre côté du Grand Canal, l'église de la Salute et la pointe de la Douane de mer.

— À gauche du Grand Canal, disais-je très vite à Marie, du côté de la mer, trois des six quartiers que les Vénitiens appellent *sestiere* : Dorsoduro, avec les Zattere en face de la Giudecca, Santa Croce et San Polo. À droite, du côté qui regarde la terre et les Alpes dans le lointain, Castello avec l'Arsenal, San Marco et Cannaregio avec le Ghetto nuovo.

— Elle regardait. Je la regardais regarder. Nous devinions le labyrinthe et les détours de Venise, rendus inextricables par les contorsions du dragon scintillant et liquide qui la coupait en deux.

L'avion se posait. Nous arrivions. J'ai toujours aimé les débuts, ce qui s'annonce au loin, ce qui tremble encore dans l'avenir. Le plus beau à Venise, c'est l'arrivée. Il n'y avait pas grand monde. Pas de groupes organisés. Pas de Japonais. Très peu de touristes.

— Il y avait vous deux, dit Clara.

— Vous connaissez la meilleure définition du touriste : les touristes, ce sont les autres. Nous prenions un *motoscafo*, une de ces vedettes allongées et rapides qu'on payait encore en lires qui ne valaient pas grand-chose et se comptaient assez vite en dizaines de milliers. Nous quittions le monde réel, la terre ferme, le culte névrotique des voitures pour un rêve du passé. Nous entrions dans Venise.

Nous nous engagions, au cœur d'un des paysages les plus désolés de la planète, parmi des marais bas qui flottaient à perte de vue sur une eau grise et saumâtre, dans un étroit chenal, bordé de pieux assemblés trois par trois que les gens du pays appellent *bricole* et les savants, ducs d'Albe. Sur chaque faisceau de pieux, en garde d'honneur, était perchée une mouette.

Nous étions debout à l'arrière, cheveux au vent, dans le petit espace ouvert derrière la longue cabine où se faisaient face deux banquettes, et nous nous tenions par la main. Oui, je me rappelle : nous étions debout, à l'arrière, nous regardions de tous nos yeux, et nous nous tenions par la main... Ah !... nous entrions dans Venise.

Je reposai mon verre sur la table : il était déjà à moitié vide.

— Ça va ? demanda Clara.

— Ça va. J'entre dans Venise. Marie est à mes côtés. Nous ne faisons qu'un tous les deux. Nous nous disons en silence que rien ne nous séparera plus. Elle est belle. Nous sommes jeunes. Les Abruzzes n'existent pas. Nous ne pensons à rien d'autre qu'à entrer dans Venise. Sous le grand soleil d'un printemps comme les autres mais qui est à jamais ce printemps-là, Venise étale devant nous l'œuvre du génie des hommes qui l'emporte, plus et mieux que partout ailleurs, sur une nature ingrate, transfigurée par l'art.

Nous distinguions derrière nous les hauts sommets des Alpes où brillait encore un peu de neige. C'était une image de la beauté. L'autre image de la beauté s'annonçait au loin devant nous, dans un flou qui excitait le désir. C'était du marbre et des pierres qui surgissaient lentement de l'eau.

Nous approchions de Murano. Nous n'avions

d'yeux que pour le décor encore presque indistinct qui sortait peu à peu du lointain. Voilà qu'il apparaissait derrière l'île que nous étions en train de longer. Nous voyions des masses sombres, des coupoles, des clochers qui se découpaient sur le ciel comme s'ils avaient été dessinés sur une bande de papier, sous un ciel un peu trop bleu, par un enfant de génie ou par un peintre fou. Nous avancions dans une gerbe d'eau. Nous dépassions Murano. Nous apercevions à notre gauche le mur de San Michele, le cimetière de Venise, où dorment les danseurs russes et les poètes anglais, entre les vieilles comtesses et les belles courtisanes, fauchées dans la fleur de l'âge.

— Vous n'exagérez pas un peu ? dit Clara. J'ai lu quelque part que le cimetière a été installé là par Napoléon Bonaparte – et vos belles courtisanes fauchées dans la fleur de l'âge doivent remonter pour le moins au siècle précédent.

— Bien sûr que j'exagère. Mais ne pensez-vous pas que Venise tout entière exagère encore plus ? Nous approchions. Les ombres obscures prenaient forme. Je montrais à Marie le campanile de la Madonna dell'Orto qui s'élevait sur notre droite, la masse de l'église des Gesuiti en face de nous, et, un peu en arrière, le campanile de Saint-Marc. À gauche, une autre masse imposante, plus grande encore, et plus haute : San Giovanni e Paolo que les Vénitiens appellent Zanipolo. Et, plus loin sur la gauche, en forme de sucre d'orge presque à moitié sucé, le mince campanile élancé de San Francesco della Vigna. Nous avancions. Le kaléidoscope tournait : les coupoles, les tours, les clochers changeaient de place à chaque instant et se disposaient autrement sous nos yeux écarquillés. Venise, encore hésitante, mais déjà très sûre d'elle et de sa séduction, commençait pour nous sa danse initiatique.

Les Fondamenta nuove s'étendaient devant nous. Venise était encore un bloc de pierre posé sur l'eau par miracle et coupé au couteau. Longtemps imperceptible, une étroite fissure se découvrait soudain dans le bloc, tel un passage secret. Nous nous y jetions par effraction. Si neuve entre des pierres si vieilles, la vedette de bois laqué, dont le moteur ronronnant se mettait soudain à ronfler sous l'écho, pénétrait dans un boyau resserré et obscur. Alors, tout devenait rouge.

Il y avait des draps, des chemises, des petites culottes, des mouchoirs blancs qui séchaient aux fenêtres et sur des fils de fer ou des cordes tendues au-dessus de l'eau. Ils faisaient des taches blanches sur les murs rouges du canal. Nous levions les yeux, enchantés. Des masques de pierre grimaçaient au-dessus des portes, des inscriptions, un peu partout, rappelaient le souvenir de génies inconnus et d'événements oubliés. Nous touchions de la main les deux côtés du canal. Toutes les maisons étaient belles et branlantes et semblaient sur le point de s'effondrer dans l'eau. Elles connaissaient la musique de leur décor immémorial et fragile et s'arrangeaient entre elles, selon un plan caché, pour présenter à chaque instant leur profil le plus réussi. Nous riions de bonheur et nous chantions en silence le génie de la ville.

Bientôt, ce furent les ponts. Ils se succédaient sans trêve. Des promeneurs y flânaient, avec des airs éblouis d'enfants, et nous faisaient des signes. Nous passions sous leurs rires et nous levions le bras pour répondre à leurs saluts et pour frôler le ventre de pierre des arcs surbaissés. La petite rue liquide entre les falaises rouges, entre les murs sans trottoirs débouchait sur le Grand Canal. Nous n'avions encore rien vu.

C'était comme si nous reparaissions tout à coup au grand jour après une navigation souterraine. Comme si quelque chose éclatait au son d'un orchestre invisible. Comme si la scène s'ouvrait soudain, sous des acclamations silencieuses, sur un spectacle immense qui faisait battre les cœurs. En face de nous, dans le Grand Canal, brillait un palais blanc : c'était Ca' Pesaro. Et, à partir de là, tout le délire des façades, jusqu'au bassin de Saint-Marc.

Notre marin se marrait. Un peu comme vous, je crois.

— Je ne me marre pas, dit Clara. Je vous écoute. Je suis sur le canot avec vous.

— Il en avait vu beaucoup, et il était blasé. Mais Marie était si blonde et si heureuse qu'il se mettait à chanter, à lui lancer des œillades et à lui dire, en vénitien, des choses obscures qui devaient être des obscénités que nous ne comprenions pas et qui nous faisaient rire. Nous défilions entre les palais sur le fleuve où passaient des gondoles et des autobus maritimes. Je les montrais à Marie.

— La gondole qui va en un clin d'œil d'une rive à l'autre du Grand Canal avec des voyageurs debout qui ont couru pour l'attraper et qui débarquent à peine embarqués est une institution. On l'appelle *traghetto*. Ces gondoles collectives, tu les trouves à des points fixes et à des horaires fantaisistes. Ce sont les va-et-vient minute de la vie vénitienne. Les longs bateaux bruyants, bourrés de passagers, qui zigzaguent le long du Canal, s'arrimant aux pontons dans un bruit de métal pour laisser descendre et monter leurs flots de silhouettes et repartant aussitôt, appartiennent au genre *vaporetto*. À bord, les Vénitiens, sans le moindre regard pour leur paysage familier, discutent entre eux, parlent très fort, bâillent, s'endorment ou lisent les faits divers et les pages sport du *Gazzettino* qui est le journal local comme *Il Resto del Carlino* à Bologne ou la...

— *Il Resto del Carlino* ? quel drôle de titre pour un journal ! disait Marie.

— Le *carlino* a longtemps été l'unité monétaire de Bologne, l'équivalent du ducat ou du sequin de Venise, du florin de Florence. *Il Resto del carlino*, c'était ce qui restait du carlin que tu avais dépensé, la petite monnaie dont tu ne savais quoi faire et que tu consacrais à l'achat du journal.

Entre vaporetto et traghetto, les Vénitiens passent sur l'eau, en s'ennuyant un peu parmi quelques-uns des plus beaux monuments de l'art universel, tout le temps que nous passons en voiture ou en autobus au milieu des embouteillages ou, sous terre, dans le métro.

— Nous naviguions entre les façades Renaissance ou gothiques, les églises baroques, les colonnes de marbre, les statues antiques, les loggias, les médaillons byzantins ou orientaux, les fenêtres en ogive, les pinacles, les campaniles, les coupoles, les dômes à bulbes. Nous jetions les yeux à gauche et à droite comme si nous assistions à un match de tennis qui se serait joué sur l'eau et où la balle ne cesserait de passer au-dessus d'un filet imaginaire et liquide de la rive droite à la rive gauche et de la rive gauche à la rive droite. La tête nous tournait. De temps à autre, en un éclair, entre deux façades somptueuses et décrépites, nous devinions des jardins qui nous précipitaient dans des rêves aussitôt interrompus. Je me débrouillais comme je pouvais, et plutôt mal que bien, entre le palais Vendramin-Calergi où était mort Wagner et le palais Pisani, entre le palais Brandolini et le palais Foscari, entre le palais Grimaldi et le palais Volpi, entre le palais Grimani et le palais Giustinian. Beaucoup arboraient, comme des trophées, des plaques de marbre à demi effacées que je cherchais en vain à déchiffrer. Je les confondais entre eux et je me perdais dans la foule de leurs hôtes illustres dont je faisais une salade mélangée de pédantisme et d'erreurs. Je ne reconnaissais avec un peu de conviction que la Ca' d'Oro et le Fondaco dei Tedeschi à notre gauche, la Pescheria à notre droite. Nous passions sous le Rialto.

Je bredouillais en hâte que le pont avait constitué jusqu'au XIXe siècle l'unique liaison entre les deux rives de Venise et que le quartier où il s'élevait s'appelait jadis *Riva alta*, puis *Rivo alto*, et enfin *Rialto*. Il avait succédé comme centre vivant de la lagune aux anciens établissements de Torcello ou de Malamocco que nous avions survolés avant l'atterrissage. J'ajoutais à toute allure, le motoscafo avançait, que l'audacieux projet de pont à une seule arche...

— À une seule arche ? disait Marie.

— Oui, regarde : une seule arche... présenté par Antonio da Ponte, au nom prédestiné, l'avait emporté au XVIe siècle sur ceux de Michel-Ange et de Sansovino dont la réputation était beaucoup plus grande.

— Sansovino ? murmurait Marie sur un ton hésitant.

— Je lui racontais que Titien, Sansovino et l'Arétin – un peintre, un architecte, un écrivain – étaient trois amis à peu près du même âge et très liés entre eux, trois mauvais garçons de génie qui n'en finissaient pas, l'Arétin surtout, de faire les quatre cents coups et de mettre en coupe réglée Venise et tous les grands du monde de cette époque, au moins aussi tourmentée que la nôtre. Et très vite, pour ne pas interrompre trop longtemps le film qui se déroulait devant nous ou peut-être plutôt devant lequel nous nous déroulions, je lui récitais la bibliothèque Marciana, sur la Piazzetta, en face du palais des Doges, la Loggetta du campanile de Saint-Marc et le destin de Sansovino, qui, chassé de Rome par le sac de 1527...

— Tiens ! dit Clara, voilà de nouveau le sac de Rome...

— Ça vous rappelle quelque chose, j'imagine ? Nous en avons parlé ce matin... avait dominé, avant Palladio et Longhena, l'architecture vénitienne. Nous nous glissions entre Ca' Rezzonico à notre droite et le palais Grassi à notre gauche. Et nous nous engagions, ivres de soleil et de passé, sous le pont de l'Académie.

La litanie se poursuivait des façades et des souvenirs. À gauche, le palazzo Corner della Ca' Grande, toujours de Sansovino, le mince palais de la Duse, d'où, selon la légende, elle surveillait D'Annunzio installé juste en face d'elle, l'hôtel de l'Europe où était descendu Chateaubriand – la vieille auberge de l'Europe était située, à vrai dire, à quelques mètres de l'hôtel qui porte ce nom de nos jours. À droite, le palazzo Venier dei Leoni qui abrite aujourd'hui la collection Guggenheim, le palais Dario où Henri de Régnier habitait chez Mme Bulteau – « *In questa casa antica dei Dario visse e scrisse venezianamente Henri de Régnier, poeta di Francia...* » – et enfin, au fond de son campo, monumentale et baroque, la basilique Santa Maria della Salute, élevée par Longhena, au milieu du

XVIIe, avec ses dômes, ses coupoles, ses portiques, ses volutes et ses lanternons, pour célébrer la fin de la dernière grande épidémie de peste dans la cité des doges.

Le Grand Canal s'élargissait. Il s'ouvrait sur le bassin de Saint-Marc dans un déchaînement de cymbales, de couleurs et de formes.

— Je croyais que vous n'aimiez pas les cymbales...

— Je ne les aime pas beaucoup. Mais où seraient-elles à leur place si ce n'est à Venise ? Nous passions devant la Douane de mer avec sa statue de la Fortune, juchée sur son globe doré. Marie poussait un cri. Le marin se retournait. Devant nous s'étendait le plus célèbre de tous les paysages maritimes et urbains : la Librairie de Sansovino ; la Piazzetta avec ses deux colonnes surmontées chacune d'une statue : saint Théodore, l'ancien patron de Venise avant saint Marc sur l'une, le lion de saint Marc sur l'autre ; un peu en retrait, inspirée de Sainte-Sophie de Constantinople, la basilique byzantine de Saint-Marc ; enfin, si plein de trésors et de légendes, aérien et massif, si léger dans sa partie inférieure avec ses galeries et ses arcades découpées et ornées, si lourd dans sa partie supérieure, le rose et blanc palais des Doges.

Après, recrus de beauté, nous nous sommes promenés durant trois jours, en compagnie de Véronèse, du Tintoret et de Carpaccio, de San Stefano et de la Scuola Grande di San Rocco à la Madonna dell'Orto, à Santa Maria dei Miracoli, à la Scuola di San Giorgio degli Schiavoni. Et nous sommes rentrés à Paris.

— Vous savez, me dit Clara, qui avait fini son verre, je vous l'ai dit déjà, j'aimerais bien aller à Venise avec vous.

— Je vous l'ai dit déjà, c'est un peu tard.

— Pourquoi, un peu tard ? Venise est toujours là, me semble-t-il ?

— C'est un peu tard pour deux raisons au moins. La première : Venise est toujours là, mais, moi, depuis la mort de Marie, je n'y suis presque plus. Quelques-uns assurent m'avoir aperçu ici ou là, mais je ne suis plus qu'un fantôme qui erre parmi ses fantômes. Un fantôme hors circuit, un fantôme de souvenir. Puisque je pourrais être votre arrière-grand-père, il faudrait que je vous fasse passer pour mon arrière-petite-fille.

— Je serais enchantée, me dit Clara, d'être votre arrière-petite-fille. Nous pourrions parler de ma grand-mère.

— La seconde raison, il faut vous l'avouer, est que j'aime moins Venise. Peut-être y suis-je trop allé, peut-être en ai-je trop parlé ? Les pages, vous verrez ça, les pages se tournent très vite. J'ai été professeur en Amérique : c'est une page tournée. Il ne m'en reste que ce côté pion que vous avez si bien discerné. J'ai été journaliste, je crois vous l'avoir indiqué en passant, j'ai même dirigé un journal : c'est encore une page tournée. J'ai beaucoup aimé Venise, je m'en suis beaucoup occupé : c'est aussi une page tournée. Venise aujourd'hui, je m'en réjouis en un sens – vous savez bien : l'accès de tous à la culture et tout ce genre de chose –, est accablée de touristes. Sur le pont de l'Académie, sur le campo San Trovaso, hier si calme, si silencieux entre son marchand de vin et son chantier de gondoles, même sur les Zattere, longtemps presque déserts et où j'ai habité avec Marie, les Japonais sont si nombreux et bientôt les Chinois – ah ! je vous le promets, je n'ai rien contre eux – qu'en marchant dans Venise il vous semble désormais faire la queue à Shanghai ou dans un quartier de Tokyo. Et je ne dis rien des Français qui ont changé l'Arsenal ou les Mendicoli en annexe vénitienne de Saint-Germain-des-Prés. Est-ce un effet de l'âge ? Je ne sais pas. C'est en tout cas un legs posthume de mon amour pour Marie avec qui je me suis tant promené sur l'Aventin à Rome, ou entre les murs de Ravello d'où nous apercevions la mer à travers les forêts d'oliviers et les vignes inondées de soleil, ou le long des grands fleuves : je ne voyage plus guère qu'en souvenir. Je reste ici, chez moi, au-dessus de ce jardin du Palais-Royal que vous pouvez voir d'ici...

— Je ne vois plus rien, dit Clara en regardant vers la fenêtre. Il fait nuit.

— ... et je me surprends à murmurer avec Céline que les voyages ne sont rien d'autre qu'un petit vertige pour couillons.

— Oh ! s'écria Clara, vous ne le croyez pas ?

— J'imagine, lui répondis-je, que, comme toutes les jeunes filles – et j'ai longtemps été comme vous –, vous ne pensez qu'à voyager. Moi, je me répète les vers de Giraudoux :

> *Veux-tu connaître le monde ?*
> *Ferme les yeux, Rosemonde.*

— Je ferme les yeux, dit Clara, et je vois votre vie derrière vous.

— J'ouvre les miens, lui dis-je, et je vois votre vie devant vous. Nous avons beaucoup parlé du passé. Il faudrait parler aussi de l'avenir et mettre un peu d'espérance à la place du souvenir. Vous connaissez le mot de Woody Allen : « L'avenir m'intéresse parce que c'est là que j'ai l'intention de passer mes prochaines années. » Voilà un projet qui commence à me sembler bien ambitieux : pour des raisons dont

288

l'évidence s'impose chaque jour davantage, je vais avoir de plus en plus de mal à le mettre à exécution. Je dois en rabattre un peu de mes prétentions. Je me contente de murmurer, et c'est moins drôle, que l'avenir m'intéresse parce que c'est là que se préparent en secret les choses imprévisibles que je ne verrai pas et que verront les autres.

Voyez comme ce que je vous raconte est cohérent et harmonieux...

— Je suis bien contente, dit Clara, de vous voir si content de vous.

— J'ai eu un peu peur, je vous l'avoue, de vous raconter en vrac des choses sans queue ni tête. Pas du tout. J'ai commencé par votre grand-mère qui était mon passé et le vôtre et je vais finir par vous qui êtes votre propre avenir, parce que vous êtes jeune, et, bizarrement, aussi le mien, parce que je suis vieux. J'ai longtemps vécu pour moi-même avec mon seul avenir en tête. Mon Dieu ! comme je me suis occupé de moi et de ce que j'allais devenir ! Mon unique chance désormais est de survivre un peu par les autres – et par vous.

— Ah ! dit Clara, vous comptez sur moi pour raconter vos hauts faits et pour célébrer votre culte. C'est beaucoup d'honneur. Et sans doute un peu trop. Tout ce que je pourrai faire, après avoir écrit mon article, et le plus tard possible, ce sera d'aller à votre enterrement et de verser quelques larmes en me souvenant demain d'aujourd'hui et en pensant à ce soir.

— Merci, lui répondis-je. Merci. C'est très gentil à vous. Mais ce n'est pas du tout ce que je voulais dire. La survie à laquelle je pense n'a rien à voir avec cette fameuse postérité dont nous parlions tout à l'heure. Je ne vous demande pas de parler de moi. Ni même de vous souvenir de moi. Je vous demande de vivre, tout simplement, et de poursuivre pour moi mon chemin interrompu.

Longtemps je n'ai pensé qu'à moi. Au moment de nous séparer et de vous tirer ma révérence...

— Vous me mettez à la porte ? demanda Clara.

— C'est plutôt la vie qui me met à la porte... je comprends avec lenteur, avec un peu de retard, mais aussi avec force, et c'est, je vous assure, une grande consolation, que je ne suis qu'une pièce du grand puzzle que j'ai tant voulu dominer et que j'appartiens à autre chose avant de m'appartenir à moi-même.

À cheval, inégalement, sur deux de ces blocs arbitraires que nous appelons des siècles, j'ai été ce rêve invraisemblable qui nous paraît tout simple et qui relève du miracle : un homme parmi les hommes. Il y en a eu beaucoup d'autres. Peut-être, depuis l'origine, une centaine de milliards. Le plus étrange est que chacun de ces cent milliards ait pu passer pour unique. J'aurai été unique. Tout est dans cet adjectif et dans ce futur antérieur. Allez dire à votre rédaction que j'aurai été unique.

— Vous êtes unique, me dit Clara.

Comme d'habitude, elle se moquait de moi.

— J'aurai été unique. Pour moi d'abord. Et peut-être pour quelques autres. Et vous aussi, vous êtes unique. Pour vous. Et sûrement pour quelques autres. Voilà le secret. Nous sommes quelque cent milliards à avoir été uniques, à avoir été irremplaçables, quelque cent milliards à croire que les mers, les forêts, les animaux, les sentiments et les passions, l'histoire qui jaillissait de nous parce que nous étions une conscience et une pensée, la planète que nous habitions, l'univers tout entier n'avaient de sens que par nous.

Et voici le deuxième secret : je suis unique – et

rien du tout. Rien du tout est exagéré : j'aurai vécu, j'aurai été, j'aurai participé à ce mystère de l'être. Et participer à l'être, ce n'est pas rien du tout. J'aurai été quelque chose – et presque rien du tout. J'aurai été unique et presque rien du tout.

Nos origines sont un mystère...

— Encore un mur..., souffla Clara.

— ... notre fin est un mystère. La vie est un mystère. Le temps, l'ai-je assez répété ? est un mystère. Mais le grand mystère, c'est l'être. Pourquoi suis-je là ? Pourquoi êtes-vous là ? Pourquoi y a-t-il quelque chose plutôt que rien ? Pourquoi y a-t-il de l'être ? J'aurai été – et vous aussi – un fragment minuscule de cet être inexplicable dont personne ne peut rien dire – sauf qu'il est. L'être est. Et c'est assez.

Je ne suis pas humaniste. Je crois que l'homme est, dans tout l'univers, ce qui mérite le plus de respect. Il est pour nous la dignité suprême. Je ne crois pas qu'il soit le but ni le dernier mot de la création.

Je ne crois pas que, parmi les hommes, je sois plus que les autres. Et, un degré plus haut, je crois encore moins que les hommes se suffisent à eux-mêmes. Ils dominent le monde qui les entoure, ils sont maîtres de leur destin. Ils ne sont pas leur propre origine, ils ne sont pas leur propre fin. Ils ont du génie et ils sont bornés. Ce sont des êtres de dépendance. Je crois qu'ils renvoient à autre chose qui leur est un mystère. Ils font partie d'un univers qui les dépasse de partout et leur seul privilège, qui est loin d'être mince, est de pouvoir le penser – sans jamais le comprendre. Je suis peu de chose chez les hommes ; les hommes sont peu de chose dans un espace et un temps plus grands encore que leur génie ; et l'espace et le temps ne sont pas le dernier mot du tout.

Ma chance, mon privilège est d'appartenir à ces hommes qui ne sont pas tout. Ils passent, ils passeront. Ils sont un rêve éveillé, une ombre, une illusion. Il est presque permis de dire qu'ils ne sont rien. Ils me sont tout. Leur formidable aventure a mené jusqu'à moi. Leur formidable aventure se poursuivra sans moi. J'ai un avenir : c'est vous.

C'est vous. Et tous les autres. Je ne suis rien sans eux. Ils ont mené jusqu'à moi. Pour une part si infime que mieux vaut ne pas en parler, mais j'en parle tout de même, je mènerai un peu plus loin notre commune entreprise qui est une fraction minuscule de la vie. Minuscule et sublime. À ma connaissance au moins, dans l'espace et le temps, sous le soleil en tout cas, personne n'a fait mieux que les hommes. Nous avons écrit *Le Banquet*, les *Confessions*, *Andromaque* et *Bérénice*, les *Mémoires d'outre-tombe*. Nous avons élevé des statues de bois et de pierre, des pyramides, des acropoles, de grandes murailles, des demeures et des temples. Nous avons peint des pommes, des danseuses, beaucoup de Vierges, le songe de Constantin et celui de sainte Ursule. Nous avons composé des messes, des opéras, des symphonies et des concertos, de petites pièces très gaies et des chansons à perdre la tête. Nous avons gravé, sculpté, ciselé. Nous avons chanté et dansé comme des dieux. C'est nous, c'est-à-dire moi, qui avons fait toutes ces choses qui nous donnent encore du bonheur et qui ouvrent au loin sur des vertiges mystérieux. Il y a de quoi être heureux, il y a de quoi être fier. Et vous ferez mieux encore.

Ah ! bien sûr, vous ferez aussi des horreurs et des atrocités. Vous ferez des erreurs. Nous en avons toujours fait. Vous en ferez comme nous. Et vos erreurs et vos fautes seront plus graves que les nôtres parce que vous serez plus puissants que nous ne l'avons jamais été. Vous allez inventer des catastrophes sans précédent et des splendeurs inédites dont personne, avant vous, n'aura même jamais rêvé.

Le mal, comme toujours, sortira du bien. Et le bien, du mal. Tout se poursuivra après moi, tout se poursuivra après vous jusqu'à la fin inévitable.

— Inévitable ? dit Clara.

— Inévitable, lui dis-je. Inévitable et lointaine. De cette fin aussi, comme de votre propre mort, vous ne pouvez pas douter. Mais vous avez le droit, et peut-être le devoir, de ne pas vous en occuper. Pendant des millénaires et des millénaires de millénaires, il vous faudra, jour après jour, affronter une histoire pleine d'effroi et de charme.

Que ferez-vous ? Vous ferez comme moi. Vous serez triste et heureuse. Il est probable que vous verrez, vous ou ceux qui viendront après vous, des massacres en masse, une explosion nucléaire, des monstres intermédiaires entre la machine et l'homme, la fin de beaucoup d'habitudes et de comportements qui nous paraissaient immuables, des bonheurs nouveaux et des malheurs nouveaux dont je ne peux rien vous dire, non seulement parce qu'ils appartiennent au seul domaine de l'imagination, mais parce qu'ils sont impossibles à imaginer.

Assez parlé d'hier. Il faut laisser les morts enterrer les morts. Regardons vers demain avant de nous séparer. « La première catégorie de la conscience historique, écrit Hegel, ce n'est pas le souvenir. C'est l'annonce, l'attente, la promesse. » Avançons à tâtons, presque les yeux bandés, vers ce qui vous attend, vers ce qui vous est promis.

J'aimerais beaucoup inventer votre avenir qui relève encore du possible. Vous quittez *L'Express*...

— À cause du retentissement de mon article sur vous ?

— Ou à cause de son échec qui vous est reproché..., vous entrez à *Elle*...

— À *Elle* ?...

— Ou ailleurs..., vous devenez assistante de la rédactrice en chef, ambitions, rivalités, intrigues, retournements en cascade, vous partez pour New York où vous rencontrez, je ne sais pas... un musicien, un décorateur, un historien des mentalités...

— Un marchand de pizzas, un sénateur, le fils flamboyant d'un fils caché de Kerouac...

— Pourquoi pas ?..., vous écrivez un roman, cherchons le titre...

— *Le-Grand-Écrivain*, peut-être ?

— Bonne idée !..., c'est un brûlot d'une audace et d'une violence inouïes où vous n'épargnez personne, vous ratez le Goncourt d'une voix, vous obtenez le Renaudot ou l'Interallié... L'événement fait du bruit, impossible de passer à côté... Nous pourrions, si vous le souhaitez, en parler un peu longuement, voir ce qui peut en sortir... Il nous faudrait encore une heure ou deux... Que faites-vous ce soir ?

— Mon Dieu ! s'écria Clara, mon dîner !

Elle regarda sa montre.

— Il est huit heures moins le quart. La nuit est tombée depuis longtemps. Nous avons passé neuf heures ensemble. Vous le savez déjà : on m'attend. Il va falloir nous quitter.

— C'est vrai, lui dis-je. J'oubliais : vous avez une vie à vous, et elle ne se confond pas avec la mienne. Chacun de nous s'imagine toujours – comment ferait-il autrement ? Personne ne sort jamais de soi-même – qu'il est le centre du monde et que tout tourne autour de lui. L'*Iliade*, Bryn Mawr, Lea et Marie, Venise et les Pouilles, les déserts de l'Asie centrale, François-Poncet à Schloss Ernich et le mur de Berlin, Chateaubriand et les éditions Gallimard, Plessis-lez-Vaudreuil et ses fantômes ne sont pas la fin de tout. Beaucoup moins qu'une goutte d'eau dans l'océan de l'histoire. Il y a beaucoup d'autres demeures, et de plus gaies et de plus imprévues, dans la maison de mon père. Je vous rends à vous-même.

— De plus gaies ? Je n'en suis pas sûre...

— Vous allez reprendre vos papiers. Vous allez rentrer chez vous. Je vais rester chez moi. Et, demain et après-demain, nous aurons peut-être encore une pensée l'un pour l'autre. Que restera-t-il de notre rencontre ? Quelques pages sans doute, si vous avez la bonté de les écrire. Moi, je retourne à ce livre que je vous avais caché et que j'aimerais bien finir. Je lirai votre article et vous lirez mon livre. Et sur l'un et sur l'autre flottera le souvenir de votre grand-mère disparue.

— Ma grand-mère..., me dit-elle.

Elle hésita.

— Me permettez-vous, avant de partir, de vous poser une question qui ne cesse, depuis quelques heures, de me trotter dans la tête ?

— Bien sûr, lui dis-je.

— J'ai eu souvent l'impression que quelque chose comme un secret pesait sur la mémoire de ma grand-mère. En vous écoutant ce matin, je me suis demandé, et je n'ai pas osé vous le demander, si ce secret, c'était vous ?

L'image presque effacée et un peu falote du frère

de Françoise Sombreuil me traversa l'esprit. J'hésitai à mon tour.

— Je ne crois pas, lui répondis-je. Non, franchement, je ne crois pas. Je vous l'ai dit déjà : je n'ai pas joué un grand rôle dans l'histoire de votre grand-mère. Et je le regrette beaucoup. J'avais à peine vingt ans. Elle m'aimait bien. J'étais fou d'elle. Ou je m'imaginais être fou d'elle – ce qui revient au même. Elle a compté pour moi beaucoup plus que je n'ai compté pour elle. Le secret dont vous me parlez, je n'en ai aucune idée. Avait-elle même un secret ?

— Je ne sais pas, me dit-elle. Mon sentiment là-dessus est assez flou : mon père me parlait de sa mère à mots couverts, souvent presque hésitants, parfois, me semblait-il, au bord de la confidence, et une espèce de mystère entourait cette grand-mère que je n'ai pas connue et qui me faisait rêver.

— Moi aussi, lui dis-je, elle me faisait rêver...

— Je ne veux pas vous ennuyer avec mes histoires de famille. Mais nous nous sommes un peu liés après cette journée passée ensemble. Je m'en serais voulu de ne pas vous poser une question qui me tourmentait vaguement.

— Rassurez-vous, lui dis-je. Je pense qu'elle n'avait pas de secret. Elle était mystérieuse, souvent assez obscure. C'était son tempérament et son charme. Je crois que vous pouvez garder l'image d'une femme merveilleuse qui m'a beaucoup plu parce qu'elle plaisait beaucoup aux hommes et qui, à ce que je sais, n'a pas fait le malheur de votre grand-père.

— Je vous remercie, me dit-elle. Me voilà un peu plus légère. Je vous assure que je ne m'imaginais pas, en venant vous voir, que la mémoire de ma grand-mère serait à l'origine et à la fin de notre conversation.

— Je garderai votre souvenir comme j'ai gardé celui de votre grand-mère. Vous et moi, nous ne savons pas tout l'un de l'autre. Vous ne m'avez rien dit de ce que vous pensez. Je ne vous ai pas dit tout ce que je pense. Il y a des pans entiers de ma vie que vous ne connaissez pas, des pans entiers de la vôtre dont j'ignore tout. Ce que vous savez de moi s'enfuit maintenant dans le passé. Le peu que je sais de vous attend tout de l'avenir. La vie que j'ai derrière moi, vous l'avez devant vous. Quelle chance ! Je vous l'ai répété tout au long des heures passées ensemble à la surprise d'Hélène : à travers beaucoup de troubles, d'échecs, d'hésitations, j'ai été très heureux. Le bonheur se transmet comme la grippe ou la médiocrité, comme un savoir aussi : à vous maintenant d'être heureuse. Vous le serez, j'en suis sûr.

— Je ferai ce que je pourrai, me dit-elle. Vous venez de me l'annoncer : je serai triste et heureuse.

— Je suis de moins en moins convaincu que nous ne soyons là que pour être heureux. Mais nous sommes là aussi pour être heureux. Il vous arrivera beaucoup de choses. Les unes vous feront plaisir, les autres vous feront de la peine. Les unes seront bonnes pour vous et les autres, mauvaises sans que vous puissiez jamais savoir avec certitude lesquelles auront été bonnes et lesquelles, mauvaises. Et les unes et les autres constitueront votre vie.

Vous changerez. Je mourrai. Vous vieillirez. Je ne serai plus là. Nous nous serons rencontrés dans ce théâtre où nous avons été jetés pour jouer chacun un rôle dont nous nous sommes tirés comme nous pouvions. Nous aurons échangé quelques mots. Même au-delà de demain, au-delà d'après-demain, il m'arrivera de penser à vous. Avant de m'en aller, je lirai votre nom, ici ou là, je l'entendrai prononcer. Peut-être, de votre côté, au moins de temps en temps, au milieu de vos amours et de vos soucis de chaque jour, dans le tumulte de ce monde, penserez-vous aussi à moi ? Le monde continuera. Nous y serons passés. Séparément. Ensemble, pour une journée entière, au-dessus de ce jardin où jouaient des enfants.

Dans un peu plus de cinquante ans, vers le milieu du siècle ou un peu plus tard, dans les années soixante...

— En 2060 ? dit Clara avec une moue.

— ou en 2070... vous aurez à peu près l'âge que j'ai moi-même aujourd'hui. Votre arrière-petite-fille, qui s'appellera Julie ou Valentine...

— Ou Marie ? dit Clara.

— Pourquoi pas ? Ce serait bien... et qui sera tombée, par hasard, dans un grenier de campagne ou dans une bibliothèque électronique, sur un vieux livre poussiéreux où figurera mon nom qu'elle aura déchiffré avec peine, vous demandera distraitement si vous, qui aurez croisé tant de gens, vous auriez, un jour ou l'autre, rencontré l'auteur au cours de votre vie déjà longue. Vous réfléchirez un instant, et, avec un peu d'indifférence d'abord, puis avec une ombre d'émotion, vous lui répondrez :

— Non, ma chérie, je ne crois pas... Attends !... Attends un peu... Si, peut-être... Il me semble l'avoir rencontré un jour, quand j'étais jeune journaliste... Mon Dieu !... Je n'avais plus pensé à lui depuis bien longtemps... C'était il y a de longues années... vers le début du siècle..., j'étais très jeune, en ce temps-là... presque aussi jeune que toi... à une époque que nous traitions de moderne, qui nous paraissait agitée et qui nous semble maintenant si vieillotte et

298

si calme et dont ta mère et même ta grand-mère ne peuvent pas se souvenir parce qu'elles ne l'ont pas connue : elles n'étaient même pas nées...

— Votre arrière-petite-fille vous écoutera comme écoutent les enfants : les yeux ronds, silencieuse, concentrée et un peu absente, pensant déjà à autre chose. Et peut-être, à cet instant-là, vous l'imaginerez à l'âge que j'ai aujourd'hui et que vous aurez après-demain, se souvenant vaguement de vous, vous ayant, à son tour, à moitié oubliée...

— Mais, moi, je me souviendrai. J'expliquerai qui vous étiez à mon arrière-petite-fille. Je ne vous aurai pas oublié.

— On parie ? lui dis-je.

Elle me tendit la main. Je la pris.

— On parie, me dit-elle.

Depuis un bout de temps, déjà, j'avais allumé une lampe. Elle éclairait la pièce où Clara Sombreuil était arrivée le matin avec un peu de timidité, ses vilaines baskets aux pieds, Elvis Presley sur les seins et où je l'avais reçue avec mauvaise humeur. Avec ses ombres et dans le silence, le décor avait changé. Je voyais Clara en vieille dame, un enfant dans ses jupes – s'il y avait encore des jupes. Quatre boîtes de Coca-Cola traînaient sur le plancher. Une bonne douzaine de mégots s'accumulaient dans le cendrier. Le niveau de la bouteille de whisky avait baissé sensiblement.

— Je ne sais plus quoi vous dire, murmurai-je.

— Vous avez beaucoup parlé...

— Oui, je sais : beaucoup trop, lui répondis-je.

— J'ai tout noté, me dit-elle.

— Oh la la ! lui dis-je, quel ennui ! Peut-être ne sommes-nous pas obligés de dire toujours quelque chose ? Nous pourrions nous taire quelques instants – et puis, vous partirez.

Il y eut un grand silence.

— Voilà, lui dis-je. Oubliez-moi. Je vous ai fait perdre neuf heures. Ah ! peut-être encore une histoire. J'aime beaucoup les histoires. Elles nous en apprennent souvent plus que nos fameux débats dont nous ne tirons jamais grand-chose. Et celle-ci est très courte.

— Plus courte que les histoires des maîtresses de Chateaubriand ? demanda Clara avec méfiance en levant les sourcils.

— Beaucoup plus courte. Il était une fois un grand et puissant khalife qui avait pris le titre de sultan et d'émir el-mouminin, c'est-à-dire de commandeur des croyants. Ce glorieux souverain ne se contentait pas de rendre la justice, de commander des armées qui étaient invincibles et d'honorer un harem qui comptait plusieurs centaines de vierges...

— Elles ne devaient pas le rester longtemps, remarqua Clara.

— Très exact, lui dis-je... plus belles les unes que les autres. Il était aussi tourmenté par l'immensité de l'univers et par le destin des mortels. Un beau matin, après une nuit sans sommeil, où des questions sans réponse n'avaient cessé de le hanter, il appela son grand vizir qui portait le nom de Selim et lui dit :

— Selim, je veux tout savoir des secrets de ce monde. Fais appel aux sages, aux savants, aux lettrés. Qu'ils réunissent leurs savoirs. Qu'ils rassemblent tout ce que les hommes ont jamais pu apprendre sur eux-mêmes et sur l'univers qui nous entoure. Qu'on leur rende la vie aussi facile que possible et qu'ils prennent tout le temps nécessaire. Et qu'ils m'apportent le fruit de leur travail et de leurs réflexions. J'espère y découvrir le grand secret de vérité caché depuis si longtemps au commun des mortels.

— En ce temps-là vivait retiré dans une modeste demeure aux confins de l'empire un grand sage qui avait consacré son existence déjà longue à l'étude et à la réflexion et qui avait rendu illustre jusqu'aux limites de la planète, jusqu'aux Indes et en Chine, et jusqu'en Éthiopie, le nom vénéré de Baba l'Éveillé. Le grand vizir le fit venir.

— Baba, lui dit-il, il y a un temps pour apprendre et un temps pour faire connaître. Abandonne la lecture du Coran, d'Aristote, d'Avicenne et d'Averroès. Tu vas être chargé de la tâche la plus éclatante qui ait jamais été confiée à un mortel. Tu vas réunir tout ce que nous savons sur l'univers et les hommes. Et tu présenteras ton travail au commandeur des croyants. Voici l'or qui te sera nécessaire. Tu auras une maison et des serviteurs en grand nombre. Tu ne t'occuperas que de ton travail et des moyens les plus sûrs de le mener à bien. Reviens me voir dans sept ans.

— Pendant toute une année, Baba l'Éveillé constitua son équipe. Elle était composée de savants venus de Perse et d'Arabie, de la Chine et des Indes, de Cordoue et de Samarkand, de Famagouste et des bords du Nil, de l'Oxus et du Tigre. Et, durant six années, elle travailla d'arrache-pied.

Au bout de sept ans, Baba l'Éveillé fut introduit auprès du khalife. Il était suivi de douze mulets qui portaient chacun quatre énormes volumes fermés de boucles d'argent et qui pesaient très lourd. Baba se jeta aux pieds du khalife derrière qui se tenait le grand vizir en train de se caresser la barbe avec un peu d'inquiétude et, après les litanies d'usage et les invocations au Tout-Puissant et à sa miséricorde, il s'écria :

— Ô commandeur des croyants, voici, comme tu me l'as ordonné, la bibliothèque du savoir universel et la totalité des secrets de l'univers.

— Le khalife, qui était, malgré son pouvoir et sa fortune, un souverain sage et bon, le releva avec douceur.

— Tu es un homme de grand savoir et tu as bien travaillé. Mais je suis déjà âgé et des charges accablantes occupent mon esprit et mon temps. Jamais je ne trouverai le loisir, avant de mourir, de lire ces quarante-huit ouvrages dont chacun est un monde qui réclame toute une vie. Retourne chez toi. Travaille encore. Et rapporte-moi, afin que je sois en mesure de les lire, six ou sept volumes où tu auras condensé l'essentiel de tes recherches et où je pourrai découvrir le secret de l'univers.

— Trois ans s'écoulèrent encore. Baba revint vers le souverain et vers le grand vizir avec une escorte de quatre esclaves noirs à la peau luisante, très grands et très forts, qui portaient chacun deux gros livres.

Après s'être jeté à terre, Baba l'Éveillé, qui était maintenant familier des grandeurs de ce monde et qui avait pris de l'assurance, déclara d'une voix ferme :

— Ô commandeur des croyants, voici le résumé que je soumets humblement à ton auguste sublimité.

— Le sultan le regarda et lui dit :

— Baba, je suis content de toi. Pour te marquer ma satisfaction, mon vizir te donnera quatre chevaux très rapides qui me viennent d'Arabie et auxquels je tiens comme à la prunelle de mes yeux et douze femmes circassiennes qui sont les plus belles de mon harem. Mais j'ai beaucoup vieilli. Je n'ai plus, je le crains, beaucoup de temps devant moi. Je ne me sens plus capable de lire ces huit gros volumes. Il faut que tu resserres encore ton savoir et que tu me prépares un ouvrage ausi concis que possible qui ne me quittera jamais et que je pourrai parcourir en quelques heures.

— Baba l'Éveillé se retira, le visage soucieux. Pendant une année entière, se nourrissant à peine, s'endormant très tard après le coucher du soleil et se levant avant l'aube, ne se servant pas de ses chevaux, ne jetant même pas les yeux sur ses belles Circassiennes, il usa sa santé à un travail de titan.

Il reparut devant le souverain en tenant entre ses bras un livre relié de façon somptueuse et illustré de miniatures où se révélait l'art le plus délicieux.

Le sultan, malheureusement, avait été atteint d'une fièvre qui faisait trembler tout son corps et qui avait altéré son apparence. Les traits de son visage s'étaient émaciés et ses yeux avaient perdu de leur ardeur légendaire qui faisait trembler tant de peuples.

— Mon pauvre Baba, lui dit-il d'une voix faible après les cérémonies traditionnelles, le Dieu de sagesse et de miséricorde que nous adorons tous – son saint nom soit béni ! – n'a pas voulu que je puisse désormais lire la moindre ligne du livre le plus bref et le mieux calligraphié. Mais je suis toujours aussi impatient de connaître le grand secret. Ne pourrais-tu pas me confier en quelques mots l'essence subtile et le cœur de ton immense travail ? Entretenons-nous en tête à tête pendant une heure ou deux. Tu me livreras les secrets que ton savoir a découverts et tu m'initieras à la splendeur de la vérité. Et alors, si Allah, comme le craignent mes médecins et comme je l'espère avec ardeur, me rappelle bientôt à lui, je partirai plus heureux.

— Il fit signe au grand vizir de se retirer en même

temps que les ministres et les serviteurs autour de lui. Il y eut un grand envol de robes et un peu de tumulte. Quand le calme et le silence furent de retour dans la salle du trône, le sultan invita Baba à s'approcher de son auguste majesté.

Baba l'Éveillé s'inclina trois fois avec humilité et respect devant son maître et souverain. Et il s'avança vers lui.

— Eh bien, dit le khalife, assieds-toi auprès de moi...

— Ce n'est pas la peine, ô lumière du ciel, bredouilla Baba.

— Et, après avoir grimpé en tremblant les sept degrés du trône, il murmura trois mots à l'oreille du khalife.

— Ah ! dit le sultan, rien d'autre ?

— Étoile du levant, déclara Baba l'Éveillé d'une voix soudain claire et ferme, tout l'essentiel est contenu dans ces trois paroles. Elles sont la vérité des vérités et le grand secret du ciel et de la terre.

— Ah ! répéta le khalife, mais ce grand secret-là, je le connaissais déjà.

Il y eut de nouveau entre Clara et moi un de ces silences qui nous devenaient coutumiers.

— Je ne comprends pas toujours à quoi riment les histoires que vous me racontez, me dit-elle. Celle-ci signifie-t-elle que tout ce que vous m'avez confié n'avait pas beaucoup d'importance et que nous aurions pu nous en passer ?

— Ce que j'aime chez vous, outre votre cou assez long...

— Et mes seins peut-être ronds ?

— Nous avons déjà nos plaisanteries familières... c'est votre vivacité d'esprit. Je ne crois pas beaucoup, vous le savez, à tout ce qui agite les hommes. Je pense que les trois quarts ou les neuf dixièmes de nos activités, et surtout de nos paroles, sont tout à fait inutiles. Je n'excepte pas les miennes. Vous n'apprendrez pas grand-chose, ni sur moi ni sur le monde, aux lecteurs de votre article.

— Et si, en remplacement de toutes ces choses inutiles et trop longues que nous aurions pu nous épargner, vous deviez me murmurer, comme Baba l'Éveillé au commandeur des croyants, quelques mots à l'oreille, lesquels choisiriez-vous ?

Je m'accordai encore un peu de temps. Je la regardai une dernière fois à la lueur de la lampe. Le spectacle n'était pas déplaisant. Elle souriait, immobile, ses longues jambes croisées, son stylo contre la tempe, dans une attitude un peu théâtrale et merveilleusement naturelle. Elle était jeune et charmante.

— Je vous dirais que l'être est. Et il n'y aurait rien à ajouter. Si j'étais très bavard, j'ajouterais que nous mourrons tous. Et je pourrais vous dire aussi, mais ce serait déjà trop long, que la vie est un rêve sombre et tragique – et qu'elle est très belle et très gaie.

— Une fête en larmes ? dit Clara.

— Une fête en larmes, lui dis-je.

— Rien d'autre ? demanda-t-elle à la façon du sultan.

— Non, rien d'autre, lui répondis-je à la façon de Baba, ô sublime harmonie, ô lumière de ma journée. Tout l'essentiel est là. Et, pour vous seulement, ma chère Clara, j'ajouterais, très vite, que vous êtes déjà en retard et que vous feriez bien de vous dépêcher de partir.

— Mais si rien n'a d'importance, comme vous le répétez si souvent, pourquoi être à l'heure ?

— Parce que nous vivons dans un monde où nous

passons notre temps à faire des choses sans importance. Tout est vain jusqu'au risible, tout est vain jusqu'aux larmes, même les chefs-d'œuvre et les empires, et tout est nécessaire et exigeant, même la vie de chaque jour. Il n'y a pas d'effort inutile : Sisyphe, qui roulait sans fin vers le sommet d'une montagne une pierre qui ne cessait d'en retomber, Sisyphe se faisait les muscles. Et j'imagine que l'Ecclésiaste, pour qui tout est poussière, avait une foule d'occupations. Votre article, j'ai le regret de vous l'apprendre, tout le monde s'en fiche : vous, moi, votre rédaction, nos lecteurs. Et il vaudrait mieux pour tout le monde qu'il soit à peu près réussi, qu'il ne comporte pas trop d'erreurs ni de fautes d'orthographe et qu'il donne un peu de bonheur à ceux qui le liront.

Nous nous levions. Elle allait partir.

— Nous reverrons-nous ?

— Je ne sais pas, lui dis-je.

— Vous lirez mon article ?

— Je le lirai sûrement.

— Merci de votre accueil, me dit-elle.

— Merci d'être venue, lui dis-je.

Elle rangeait ses papiers.

— Ça c'est mieux passé que vous ne croyiez ? me dit-elle en levant les yeux.

— Beaucoup mieux, lui dis-je. Elvis Presley m'avait fait peur.

— Et votre livre ?

— Je vais tout vous avouer : il est très avancé. Je le finirai à peu près en même temps que vous écrirez votre article.

— Hélène sera contente. Et, moi, je le lirai en me souvenant de vous.

— J'espère bien, lui dis-je. Et peut-être trouverez-vous ici ou là des traces de votre passage...

306

— Je suis votre servante, me dit-elle.

Et elle esquissa une révérence.

— Je suis votre serviteur, lui dis-je en m'inclinant devant elle.

Elle se mit à rire, et moi aussi.

— Puis-je annoncer à nos lecteurs qu'ils auront bientôt un nouvel ouvrage à se mettre sous la dent ?

— Annoncez, annoncez, lui dis-je. « Sous la dent » est une bonne formule.

L'imperceptible malaise du début de notre rencontre se retrouvait à la fin. En plus léger. Presque en plus tendre.

Elle secoua la tête et ses cheveux blonds.

— J'ai été heureuse de vous voir.

— Moi aussi, lui dis-je.

Elle me tendit la main.

Je m'avançai vers elle et je l'embrassai.

— Bonne chance ! lui dis-je.

Et elle partit.

Le téléphone sonnait.

Faites de nouvelles découvertes sur
www.pocket.fr

- Des 1ers chapitres à télécharger
- Les dernières parutions
- Toute l'actualité des auteurs
- Des jeux-concours

Cet ouvrage a été composé et mis en pages
par ÉTIANNE COMPOSITION
à Montrouge.

Impression réalisée sur Presse Offset par

C P I

Brodard & Taupin

42650 – La Flèche (Sarthe), le 19-07-2007

Dépôt légal : septembre 2006
Suite du premier tirage : juillet 2007

POCKET – 12, avenue d'Italie - 75627 Paris cedex 13

Imprimé en France